D0241888

Helsinki Noir

James Thompson

Helsinki Noir

Karakter Uitgevers B.V.

Oorspronkelijke titel: *Helsinki White*

Vertaling: Peter de Rijk

Opmaak binnenwerk: Michiel Niesen/ZetProducties
Omslagontwerp: Studio Jan de Boer
Omslagbeeld: © Nik Keevil/Arcangel Images

ISBN 978 90 452 0592 2
NUR 332

Voor mijn zoon Christopher.

En, zoals altijd, voor Annukka.

Speciale dank aan neuroloog dr. Jukka Turkka, specialist in posttraumatische neurologie, zonder wie dit boek niet mogelijk zou zijn geweest.

Proloog

Het is 2 mei, een zonnige zondag, een kille lenteavond. Ik loop door de stad en kijk of er nog wat te beleven valt. De openluchtbars zijn tjokvol; iedereen is dronken en vrolijk. Gisteren was Vappu – het lentefeest op 1 mei en het grootste drinkgelag van het jaar – en de meeste bezoekers hier zijn van 's ochtends tot 's avonds dronken sinds ze vrijdag uit het werk zijn gekomen. Als je 's ochtends drinkt, komt de kater later. Uiteindelijk komt de rekening toch wel, maar ze kunnen morgen op het werk op kosten van de zaak ziek zijn.

Overal klinkt dronkenmansgelach. Ik blijf staan onder de klok voor de hoofdingang van warenhuis Stockmann, het grootste en beste van de stad. Ik kom hier wel eens omdat ze bijna altijd hebben wat ik zoek en gespecialiseerd zijn in kwaliteitsartikelen, ook al zijn de prijzen die ze voor hun service en kwaliteit vragen ronduit misdadig.

De klok is een traditionele plek om af te spreken, omdat alles in het centrum daar vlakbij is. Het is een gewoonte geworden. Je zegt gewoon: 'Ik zie je onder de klok', en dan weet iedereen wat je bedoelt. Vooral stelletjes komen hier graag samen. Ik wacht op Jyri Ivalo, de nationale politiecommandant. Wij vormen bepaald geen stelletje. Ik zou onze relatie kunnen omschrijven als wederzijdse vijandschap, gecombineerd met respect. Ik vertrouw hem echter onvoorwaardelijk, omdat hij bang voor me is. De klok staat op vijf minuten voor vier. Ik ben mooi op tijd.

Ik ben politieman in de rang van inspecteur. Dankzij de stuiversromanversies die in de media van enkele geruchtmakende politieonderzoeken zijn verschenen, is mijn naam, Kari Vaara, een synoniem geworden voor 'heldhaftige politieman'. Jyri is mijn baas. We hebben een bijzondere arbeidsverhouding. De gebruikelijke hiërarchie ontbreekt. Ik werk rechtstreeks onder hem, zonder chefs of bazen daartussen. Het werk dat ik doe is geheim.

In een kluis bewaar ik een video waarin hij met een dildo in zijn reet fetisjistische seks bedrijft met een vrouw die kort daarna op diezelfde plek vermoord werd aangetroffen. Hoewel die een belangrijk bewijsmiddel in de Filippov-moordzaak was, hield ik de video achter, die zowel vernederend als hilarisch was, als je tenminste kunt vergeten dat zijn sekspartner vlak na de opname afschuwelijk mishandeld werd en het leven liet. De video zou zijn leven vernietigen.

Een bedelende Roemeense vrouw buigt zich naar de grond toe, met haar knieën onder zich. Hoofd op de stenen, gezicht verborgen. Verweerde bruine handen in een zwijgende smeekbede uitgestrekt, een rozenkrans tussen haar vingers. Geen fijne manier om je brood te verdienen.

Toen Roemenië zich bij de Europese Unie aansloot en burgers uit de andere lidstaten het recht kregen negentig dagen zonder visum in het land te verblijven, kregen inventieve Roemeense ondernemers het briljante idee de grootste stumpers die ze konden vinden voor hun karretje te spannen en die met de bus naar andere landen te sturen om daar te bedelen. Deze georganiseerde bedelarij bleek een lucratieve business.

De burgers van Helsinki waren woest. De bedelaars waren hun een doorn in het oog. De zigeuners richtten provisorische kampementen in, en aangezien het winter werd en de gemeente bang was dat ze dood zouden vriezen, kocht die voor hen vliegtickets terug naar Roemenië. De burgers van Helsinki waren woest omdat zij voor de kosten van de terugreis opdraaiden. Inmiddels wordt het weer warmer en keren de Roma terug. De burgers van Helsinki zijn wederom woest. Er moet iets gebeuren.

Net zoals in de andere Noord-Europese landen is extreem rechts in Finland sterk in opkomst en zijn abjecte haatcampagnes tegen buitenlanders aan de orde van de dag. Ik dacht altijd dat Finnen in stilte haten, maar die tijd is voorbij. Na mijn hersenoperatie mocht ik een maand lang niet autorijden en was ik vaak van het openbaar vervoer afhankelijk. Op een dag nam ik de tram. Twee bejaarde vrouwen, van wie een met een rollator, vroegen de bestuurder, een zwarte immigrant, waar ze moesten uitstappen om hun bestemming te bereiken.

Hij antwoordde in het Fins, met een accent weliswaar, maar goed verstaanbaar. De twee oudjes gingen voor me zitten en oreerden luidkeels, zodat hij het zeker zou horen, dat die achterlijke zwarten eindelijk eens gewoon Fins moesten leren.

De oudjes oogstten bulderend gelach. Nu gingen alle remmen los en voelde een tiener zich geïnspireerd een grap te vertellen. 'Wat krijg je als je een zwarte met een zigeuner kruist? Een dief die te lui is om te stelen.' Gehinnik alom.

De bestuurder had al die lui uit de tram mogen zetten, maar hij reageerde niet. Hij was eraan gewend.

Om me heen staan een paar mooie jonge meiden te lachen en aan ijsjes te likken. Ze zwaaien heen en weer op het ritme van blèrende techno uit een gettoblaster. Zonder op haar te letten dansen de meiden om de Roma-bedelares heen, aan hun ijsjes likkend. Gezien het kille weer zijn ze nogal optimistisch gekleed, alsof het lente is, en er is enig bloot te zien. Ik stel vast dat het waar is wat ze zeggen: borsten groeien in het zonlicht. Ze nemen me met schuinse blikken op. Dat is vanwege de stok die ik bij me heb. Hij is gemaakt van essenhout en zo dik als een knuppel. Het handvat is een enorme leeuwenkop van massief goud die zeker een half pond weegt. Het ene oog is een robijn, het andere een smaragd. De bek staat wijd open, en ik hou de stok achter de vlijmscherpe, glimmende stalen hoektanden met mijn linkerwijsvinger vast.

Het licht verandert. Na een laatste blik op de meiden loop ik weg. Als ik de straat in kijk, herinner ik me dat ik op een steenworp afstand van hier ooit een man heb doodgeschoten. De trottoirs waren vol mensen, net als vandaag, maar toen was het een warme, zonnige zomerdag. Ooit had ik dat een deprimerende gedachte gevonden, maar nu kan het me niets schelen.

Aan de overkant van de straat, op de kruising van Mannerheimintie en Aleksanterinkatu, zie ik Jyri naar me toe komen. Ik loop naar de hoek en wacht tot het licht van het zebrapad op groen springt. Het

Rolling Stones-nummer 'Gimme Shelter' zit voortdurend in mijn hoofd. De Stones en de techno syncoperen, vibreren en irriteren.

Sulo, oftewel Sweetness, zoals mijn lieve Amerikaanse vrouw mijn nieuwe jonge protegé heeft genoemd, zou zeggen: ze boppen, beboppen, reboppen. Sweetness bewondert me en imiteert me. Sweetness laat op allerlei manieren merken dat hij me vereert; zo was hij eerst bezeten van death metal, maar nu is hij helemaal wous van jazz.

Jyri straalt zelfverzekerdheid uit in zijn soepele manier van bewegen. Zijn kostuum zit onberispelijk en hij is perfect gekapt. Ik ken hem niet goed, maar volgens mij is hij bij uitstek een narcist. Egocentrisch, genotzuchtig, amoreel, zelfgenoegzaam en onaangedaan door zijn volledige gebrek aan empathisch vermogen. Hoe dan ook, in elk geval vaart hij er wel bij. Zijn carrière wordt gekenmerkt door een reeks van successen. We treffen elkaar op de vluchtheuvel in het midden van de vierbaansweg en verspillen geen tijd aan begroetingen of handdrukken.

Hij geeft me een grote bruine envelop met dossiers van criminelen en hun geplande activiteiten. Ik geef de nationale politiecommandant twee enveloppen vol bankbiljetten, honderdvijftigduizend euro in coupures van honderd: de commissie voor Jyri en andere prominenten voor de overval van gisteren. Het was een memorabele Vappu. We wisselen de enveloppen uit.

'Zouden jij en die Amerikaanse vrouw van je geïnteresseerd zijn in een avondje uit met mij en een paar van mijn vrienden en collega's?' vraagt hij.

Dit is een fascinerend idee. Ik kan me niet voorstellen dat ik gezellig zit te kletsen met Jyri en zijn maatjes.

'Alles op mijn kosten. Er speelt een uitstekende jazzband, en er zijn mensen die je graag willen ontmoeten.'

Hij heeft dus over mij gekletst, en nu is onze geheime operatie hoe dan ook minder geheim. 'Het wordt moeilijk om nu nog een oppas te vinden, en ik moet het Kate vragen.'

'Bel haar meteen op en vraag het haar. Beloof haar maar dat ik een betrouwbare oppas zal regelen.'

Ik ga een paar passen van hem af staan en draai me om, zodat ik rustig kan bellen. Kate heeft een vreselijke kater en ik verwacht dat ze stellig zal weigeren. Ik breng de uitnodiging over en zeg dat ze mensen zal ontmoeten die nuttig kunnen zijn voor haar werk als algemeen manager van Hotel Kämp.

Tot mijn verrassing gaat ze zonder enig protest akkoord. 'Prima,' zegt ze, 'lijkt me heel leuk. Bedank hem voor de uitnodiging en zeg dat ik ernaar uitkijk.' Ze zwijgt even. 'Kan ik Aino meenemen?' Dat is haar assistent-restaurantmanager en sinds kort haar beste vriendin, op wie ik een oogje heb.

Kate moest vanochtend kotsen. Is ze echt enthousiast? We hangen op.

Ik draai me weer naar Jyri toe. 'We komen graag. Is het goed als ze een vriendin meeneemt? Ze ziet er goed uit,' voeg ik eraan toe, want ik weet dat die rokkenjager van een Jyri zelfs doordrenkt met benzine door de brandende hel zou kruipen als hij op die manier ook maar een glimp van een mooie vrouw zou opvangen.

Hij glimlacht, alsof hij echt blij is. 'Natuurlijk. Geweldig. Nodig je team ook uit en zeg tegen hen dat ze best iemand mee mogen nemen. De oppas meldt zich om halfnegen bij je thuis.' Hij draait zich spoorslags om en uit zijn vastberaden tred blijkt dat hij in de zevende hemel is, wat waarschijnlijk te danken is aan de anderhalve ton die hij in zijn handen heeft.

Het doel van de dossiers is mij en de andere leden van de geheime eenheid informatie te verschaffen om criminelen in het vizier te krijgen en die van hun geld, drugs en wapens te beroven.

Ik kan me het gesprek dat Jyri en ik tijdens het Filippov-onderzoek voerden nog bijna woordelijk herinneren. Hij wist me toen over te halen hoofd van een geheime speciale eenheid te worden, terwijl hij me smeekte het bewijs tegen hem achter te houden.

'Ik zal je alles geven wat je wilt,' zei hij, 'als je ervoor zorgt dat dit goed afloopt.'

'Dat is een ander probleem voor jou,' zei ik. 'Ik wil helemaal niets.'

Hij boog zich naar me toe. 'Ik zit eraan te denken een geheime speciale eenheid samen te stellen. Bestrijding van georganiseerde misdaad. Die eenheid krijgt het mandaat om met alle noodzakelijke middelen achter criminelen aan te gaan en om daarbij zelfgekozen methoden te gebruiken. Geen restricties.'

'Zo'n groep hebben we al. Dat is SUPO.'

'Er is een probleem met SUPO,' zei hij. 'Ze werken niet voor mij.'

'Dus jij wilt een soort Finse J. Edgar Hoover worden.'

'Ja.'

Ik lachte hem in zijn gezicht uit. 'Nee.'

'Je denkt dat ik je niet ken, maar dat is niet zo,' zei hij. 'Jij lijdt aan een pathetische behoefte om de onschuldigen te beschermen. Jij denkt dat je een soort barmhartige samaritaan bent, maar dat is niet zo. Je bent een smeris, een schurk en een moordenaar, zoals je hebt laten zien. Jij zult alles doen om te bereiken wat jij als gerechtigheid beschouwt. Ik zal je met een voorbeeld duidelijk maken hoe hard we zo'n eenheid nodig hebben. Slechts een stuk of zes agenten in Helsinki doen onderzoek naar mensensmokkel. In Finland en de omringende landen houden duizenden gangsters zich met de koop en verkoop van jonge meisjes bezig, en jaarlijks worden er honderdduizenden van die meisjes door dit land getransporteerd. Met onze beperkte juridische middelen kunnen we deze slavenhandel nauwelijks echt bestrijden. Denk eens aan al die slachtoffers met al hun stralende gezichten die je uit de ellende kunt bevrijden, die je van misbruik, voortdurende doodsangst en eindeloze verkrachtingen kunt redden.'

Het ontging hem niet dat ik geïnteresseerd was.

'Milo kent het stiekeme werk,' zei hij, verwijzend naar mijn collega. 'Hij is een geniale whizzkid en ook een moordenaar. Hij zou je eerste teammedewerker kunnen worden. En daarna kun je iedereen aannemen die je wilt.'

Milo heeft zich in stiekeme operaties bekwaamd omdat hij een voyeur is. Hij breekt in huizen in om de inboedel van de bewoners te doorzoeken. Hij is een gewelddadige idioot met een IQ van 172.

'Ik ga helemaal niemand doden,' zei ik.

'Dat laat ik aan jouw oordeel over.'

'Milo is een ongeleid projectiel en een blok aan het been.'

'Milo is een nerveuze puppy. Hij heeft een vaste hand nodig om hem te leiden. De jouwe.'

'Het zou een enorme hoop geld kosten,' zei ik. 'Computers. Auto's. Bewakingsapparatuur.'

'Over twee weken zullen Zweedse en Finse zigeuners een grote xtc-deal sluiten. Daarbij zal honderdzestigduizend euro van eigenaar wisselen. Jij kunt die deal onderscheppen en het geld gebruiken als beginnetje voor een geheim fonds.'

'Nee.'

Hij raakte nu zo geïrriteerd dat zijn stem begon te trillen. 'Ik zei tegen je dat ik je ken, en dat is ook zo. Ik kan in je ziel kijken. Je hebt een hekel aan je baan. Je bent gefrustreerd omdat je niet echt iets kunt betekenen. Je bent een mislukkeling. Voor je overleden zus.' Hij begon over het hoge aantal doden in een vorig onderzoek: 'Voor Sufia Elmi en haar familie. Voor brigadier Valtteri en zijn gezin. Voor je dode ex-vrouw. Voor je dode onvoldragen tweeling en in dat opzicht ook voor je vrouw. Voor die pathetische schoolschutter die Milo neerschoot. Je bent een mislukkeling voor jezelf. Je hebt bij iedereen die je hebt aangeraakt gefaald, en je zult verdomde veel mensen moeten redden voordat je dat goedgemaakt hebt. Je zult deze baan aannemen om je hachje te redden. Ik bied je alles wat je je maar wenst.'

'Waarom ik?' vroeg ik.

'Vanwege je al genoemde, ergerlijke onomkoopbaarheid. Jij wilt helemaal niets. Je bent een maniak, maar wel een betrouwbare maniak. Ik kan erop vertrouwen dat jij deze eenheid zult leiden zonder mij te bedonderen.'

'Ik zal erover nadenken.'

'Niemand zal hier ooit iets over vernemen,' zei hij. 'Ik zal alles organiseren, en jij krijgt de medewerkers.'

Omdat ik een naïeve dwaas ben, trapte ik in Jyri's mooie praatjes. Ik heb niemand geholpen, maar wel diverse mensen gekwetst, en daar zal het niet bij blijven. Het enige wat me gelukt is, is dat ik mijn vrouw van me vervreemd heb, juist degene die me verreweg het dierbaarst is geweest.

Vrijwel iedereen gelooft in de belachelijke mythe dat Finland een land zonder corruptie is. De politie en politici zouden brandschoon zijn en zich vooral inzetten voor het heil van de natie. Buitenlanders schrijven dat zelfs in reisgidsen voor toeristen. Het grote voordeel voor onze geheime eenheid is dat niemand zou geloven dat zoiets kon bestaan, of dat corruptie zo hoog in de hiërarchie van de overheid zo wijdverspreid zou zijn.

Ik ben leider van een overvalbende. Ik ben inspecteur van politie, gewiekst afperser en specialist in gewelddadige acties. Drie maanden geleden was ik nog een eerlijke smeris. Ik weet niet of ik echt geïnteresseerd ben in het hoe en waarom, maar toch vraag ik me af hoe ik in zo'n korte periode zo'n drastische verandering heb kunnen ondergaan.

Jyri wilde dat ik nog meer mannetjesputters in het team aanstelde, maar dat heb ik geweigerd. Meer dan vier man is te veel in een geheim team. De groep bestaat uit mij, Milo en Sweetness. Milo is een weirdo, maar vanwege zijn enthousiasme ben ik hem steeds meer gaan waarderen. Sweetness is een kolos met een babyface die ik niet alleen heb aangesteld vanwege zijn postuur en omdat hij in staat is gewelddaden te plegen zonder ervan te genieten, maar ook om Jyri te pesten. En dat lukt goed. Jyri verwijst naar hem als 'de sukkel'. Sweetness lijkt vaak een sul, maar dat is hij allerminst.

Om Sweetness te citeren: 'Het leven is er gewoon. Er is nergens een reden voor.'

1

Iets meer dan drie maanden voor mijn afspraak met Jyri, op 24 januari, beviel Kate van ons eerste kind. Het was een probleemloze bevalling, voor zover mogelijk, niet moeilijker dan een pitje van een watermeloen tussen je vingers uitknijpen, en er lag niet meer dan zestien uur tussen de eerste wee en het moment dat ik ons kind in mijn armen wiegde. Toen ik haar voor het eerst vasthield, voelde ik een stroom emoties waarvan ik het bestaan nooit had vermoed, en hoewel ik het niet voor mogelijk had gehouden, hield ik nog tien keer zoveel van Kate vanwege het geschenk dat ze mij had gegeven.

Ze was een makkelijke baby, die niet veel huilde. Vaak sliep ze de hele nacht door. Ze zou pas officieel een naam krijgen bij haar doop, maar we besloten haar Anu te noemen. Een eenvoudige, mooie naam, die zowel voor Finnen als voor buitenlanders gemakkelijk uit te spreken is – niet onbelangrijk in een bicultureel huwelijk.

Ik veranderde door ons biculturele huwelijk. Toen ik Kate net kende, kon ik de woorden 'ik hou van jou' niet over mijn lippen krijgen, zoals zoveel Finse mannen. Ik heb vrouwen nogal eens horen klagen dat hun echtgenoten nooit zeggen dat ze van hen houden. Het kenmerkende antwoord: 'Toen ik met je trouwde heb ik gezegd dat ik van je hou. Als er iets verandert, zal ik het je laten weten.' Maar zij zei het wel vaak tegen mij, oprecht en zonder enige schaamte. Ik heb geleerd tegen haar te zeggen dat ik hetzelfde voelde. Eerst vond ik dat lastig. Maar het duurde niet lang of ik leerde om dat als eerste te zeggen, en dat voelde heel natuurlijk en bevredigend. Ik kon niet begrijpen waarom dat eerst zo moeilijk was geweest.

Ik leed al bijna een jaar aan zware migraine. Ik dacht dat dat te maken had met stress in verband met Kates zwangerschap – in december van het jaar daarvoor had ze een miskraam van een tweeling gehad, en ik was bang dat zoiets weer zou gebeuren – maar Kate stond erop dat ik me liet onderzoeken. Mijn broer Jari is neuroloog. Ik maakte een afspraak met hem, en hij stuurde me door om een MRI te laten maken. Op de dag dat we Anu uit het ziekenhuis ophaalden, moest hij me vertellen dat ik een hersentumor had.

Kate en ik hadden altijd een geweldige relatie gehad. We waren niet alleen man en vrouw, maar ook heel goede maatjes. Toch bleek er iets tussen ons in te staan, namelijk dat ik haar nooit iets vertel over vroegere of recente gebeurtenissen in mijn leven, en zeker niet als het om onaangename zaken gaat. Ze is niet zo erg als die vrouwen in Amerikaanse praatprogramma's die in woede uitbarsten als ze erachter komen dat hun echtgenoot twintig jaar eerder een slippertje heeft gemaakt, vijf jaar voordat ze elkaar ontmoetten, en die geloven dat ze alles moeten weten van het leven van hun echtgenoten, met inbegrip van de intiemste gedachten en emoties. Maar een paar keer is Kate dingen van me te weten gekomen die haar geschokt hebben, en ze ziet graag dat ik iets openhartiger word, zodat ze me beter kan leren kennen en begrijpen. Dat is moeilijk voor me, want het ligt gewoon niet in mijn aard. Kate zei dat ze mijn onvermogen om haar over gebeurtenissen te vertellen die op ons gezamenlijke leven betrekking hebben als een vorm van liegen beschouwde. En ze vond het zorgwekkend dat ik een groot deel van mijn verleden voor haar verborgen hield.

Ik begreep wat ze bedoelde en beloofde mijn best te doen openhartiger te worden. Maar zij was net moeder geworden en straalde gewoonweg van levenslust. Ik piekerde erover hoe lang ik haar gelukkig zou laten zijn voordat ik haar zou vertellen dat ik misschien doodging. Ik besloot haar twee dagen te geven. Waarschijnlijk had ik het nog wel langer willen verzwijgen, maar de biopsie om de aard van de tumor te bepalen zou twee dagen later plaatsvinden, op de achtentwintigste. Het zou lastig zijn geweest om een verklaring te verzinnen waarom mijn haar deels afgeschoren was en ik een gehechte incisie op mijn hoofd had. Ik ging er ook van uit dat ze minstens een dag nodig had om aan het idee te wennen.

Ik ging naast Kate op de bank zitten, zei tegen haar dat ik geen goed nieuws had en pakte haar hand vast. 'De uitslag van de MRI is binnen,' zei ik, 'en ik heb een hersentumor.'

Haar gezicht betrok en in haar ooghoeken glinsterden tranen.

Ze probeerde iets te zeggen, maar dat lukte niet. Uiteindelijk wist ze met overslaande stem een paar woorden uit te brengen: 'Hoe erg?'

Ik probeerde de situatie zo goed mogelijk te schetsen, zoals Jari het mij had uitgelegd, en zei tegen haar dat er overmorgen een biopsie zou plaatsvinden die ons het antwoord op die vraag zou geven.

Ik zei dat ik in het beste geval een meningeoom had, een tumor die ontstaat in de hersenvliezen, de dunne membranen om de hersenen en het ruggenmerg. Zo ja, dan kon die via een craniotomie verwijderd worden, en met wat geluk zou ik er dan helemaal niets aan overhouden en binnen drie dagen weer thuis zijn. Mogelijk was ik binnen een paar weken zelfs weer aan het werk. Ik hoefde dan niet eens een chemokuur te volgen of bestraald te worden. Wel zou ik problemen met mijn spraak of evenwicht kunnen krijgen, me slap kunnen voelen en zelfs verlamd kunnen raken. Dat zou met fysiotherapie hopelijk op te lossen zijn, en met wat geluk zou ik dan binnen een paar maanden weer normaal kunnen functioneren, althans bijna.

In het ergste geval had ik een snelgroeiende, kwaadaardige tumor van de vierde categorie. Dan zou er weinig meer aan te doen zijn en had ik nog maar kort te leven, misschien niet meer dan een paar weken. Daartussen zaten nog allemaal andere mogelijkheden, die weer andere behandelingen vereisten, maar Jari had die niet allemaal toegelicht, want het was een lange lijst. In elk geval waren dit de twee extremen waartussen ik me bevond.

Kate nam het nieuws moedig op en slaagde erin kalm te blijven. Ze huilde weliswaar een beetje, maar stortte niet in. 'Hoe gaat het nu met je?' vroeg ze.

De migraine was echt vreselijk. Nadat ik bijna een jaar lang vrijwel voortdurend aan zware hoofdpijn had geleden, was ik werkelijk doodop. De langdurige pijn had me van mijn krachten beroofd en ik was inmiddels volkomen lethargisch geworden. Toch was ik nog aan het werk. 'Wel goed,' zei ik. 'Het baart me vooral zorgen dat ik jou hiermee moet confronteren.'

'Ben je niet bang?' vroeg ze.

Als je zo lang aan zware pijnen lijdt, gaat het verlangen naar het einde daarvan alles overheersen. 'Niet echt,' zei ik. 'Het enige wat ik wil, is dat het ophoudt.'

Ze nam me in haar armen en hield me een poosje vast. Er viel niets te zeggen.

We bleven een tijdje zo zitten. 'Er is nog iets waarover ik met je moet praten,' zei ik. Ik wilde er op dat moment niet over beginnen, omdat ik vermoedde dat ze het onderwerp wilde vermijden, en ik had het gevoel dat ik mijn mogelijke overlijden gebruikte om haar te manipuleren teneinde mijn zin te krijgen. Maar zo was het niet. Ik wilde aan haar wensen tegemoetkomen en dit niet voor haar geheimhouden, en ik moest Jyri uitsluitsel geven over de speciale eenheid. Hij wilde niet langer wachten. Hij zei dat het inderdaad mogelijk was dat ik overleed, maar hij had er vertrouwen in dat de verwijdering van de tumor niet meer voorstelde dan een teek uit een hondenoor halen.

Als onze wensen met elkaar botsen, probeer ik Kates geluk altijd boven het mijne te stellen. Ik had mezelf beloofd dat ik het werk nooit meer zou laten prevaleren boven onze relatie. Ik ben in wezen een romanticus. Ik zei tegen Kate dat de nationale politiecommandant, Jyri Ivalo, me een baan had aangeboden en me had gevraagd een clandestiene eenheid te leiden die van illegale methoden gebruik zou maken om de misdaad te bestrijden. Ik vergeleek het met het COINTELPRO-programma van J. Edgar Hoover, maar dan minder kwaadaardig. De illegale activiteiten zouden vooral neerkomen op het observeren van criminelen met allerlei hightechapparatuur, wat met de privacywetgeving in strijd was. Op basis van die informatie zouden we criminelen heimelijk van hun geld, drugs en wapens beroven, zodat het hun aan de middelen ontbrak om hun praktijken voort te zetten en wij met hun geld onze operatie konden financieren.

Ik vertelde haar wat Jyri had gezegd over daadwerkelijk hulp verlenen aan anderen, zodat jonge vrouwen niet langer tot slavernij en prostitutie werden gedwongen. Ik zei tegen haar dat ik in die baan echt iets kon betekenen en kon voorkomen dat het leven van een aantal meisjes in een hel op aarde veranderde.

Kate kwam nog wat dichter bij me zitten en drukte haar lichaam tegen me aan. 'Vraag je mij nu om toestemming?'

'Ja,' zei ik, 'want ik moet de wet overtreden en het is riskant werk. En als we in dit land blijven wonen, zal ik er ook toe verplicht zijn. Tijdens het Filippov-onderzoek heb ik veel belastende informatie over mensen in invloedrijke posities vergaard. Ik weet te veel. Als ik weiger, zullen ze een manier vinden om me in diskrediet te brengen en me te gronde te richten om hun eigen hachje te redden. In zekere zin doen ze me een aanbod om me bij hun mannenclubje aan te sluiten. Als jij niet wilt dat ik die baan aanneem, moeten we uit Finland vertrekken en naar Amerika emigreren. Ik wil dat jij de beslissing neemt.'

'Wil je dit echt?'

'Ja,' zei ik. 'Ik heb het gevoel dat ik voor het eerst in mijn leven de kans heb iets te doen wat echt van belang is. Ik zal waarschijnlijk nooit meer zo'n kans krijgen. Maar ik hoef niet per se iets van belang te doen. Als jij niet wilt dat ik eraan begin, doe ik het niet, en ik zal je daar echt niet op aankijken.'

Ze bleef een hele tijd stil zitten, zonder iets te zeggen. Ik keek haar bewonderend aan. Kate is een prachtige vrouw. Een klassieke schoonheid. Ondanks de zwangerschap was haar figuur nauwelijks veranderd; alleen haar borsten waren nu groter. Ze was nog altijd slank. Haar lange bruine haar hing los. Haar lichtgrijze ogen staarden in de verte; ze was in gedachten verzonken.

'Neem die baan,' zei ze, 'maar je moet je vandaag nog ziek melden.'

'Goed, maar ik wil me nog wel een beetje met de start van mijn nieuwe project bezighouden en het op gang helpen, alleen om iets te doen te hebben.'

Ze knikte instemmend, en op dat moment werd ik een corrupte juut, zonder het te beseffen.

2

Donderdagochtend was de biopsie. Gebruikmakend van zijn invloed en macht als alom gerespecteerd neuroloog regelde Jari dat de uitslagen zo snel mogelijk beschikbaar waren. Ik had de volgende dag al een afspraak met de chirurg die mijn tumor zou verwijderen. Hij zou me vertellen of ik zou blijven leven of doodging.

Ik stond erop dat Kate met me meekwam en erbij zou zijn als de chirurg me de prognose meedeelde. Ik wilde niet dat ze zou kunnen denken dat ik mogelijk slecht nieuws had afgezwakt om haar te sparen. Het was 28 januari en buiten was het met min achttien ijskoud. De stad was helemaal verijsd en de sneeuw lag in enorme hopen langs alle wegen, opgeworpen door de sneeuwruimers.

Tot mijn verrassing voelde ik me kalm. Ik bleek niet zo bang voor de mogelijkheid dood te gaan als ik had gedacht. Kate was daarentegen bloednerveus. Ze trilde en kon nauwelijks iets zeggen. Toen we voor de spreekkamer van de chirurg zaten te wachten, greep ze de stoelleuningen zo stevig beet dat haar knokkels helemaal wit werden.

De chirurg bleef zakelijk. Het nieuws was goed. Ik had een meningeoom van circa drie bij vier centimeter in mijn frontale kwab. Hij maakte het verhaal dat Jari me over meningeomen had verteld nog wat mooier.

Mogelijk groeide die tumor daar al een jaar of vijftien. Waarschijnlijk had die mijn geheugen, concentratie- en leervermogen en mogelijk ook mijn gedrag de hele tijd beïnvloed, maar zonder dat ik dat gemerkt had omdat het zo langzaam gebeurde, en uiteraard ook omdat ik geen vergelijkingsmateriaal had. Ik had geluk, zei hij, voor zover je daarvan kon spreken bij een hersentumor. Mijn overlevingskans was uitstekend en ik had een heel goede kans dat ik na de operatie een normaal leven kon leiden. Zoals Jari al had gezegd, waren er geen verdere behandelingen nodig. Hij zou de tumor wegsnijden en dat was alles. Ik zou mijn leven vervolgen alsof er nooit iets was gebeurd. Hij vroeg hoe vaak ik hoofdpijn had en hoe lang die duurde. Ik zei dat ik voortdurend hoofdpijn had en beschreef hoe erg die was. 'U hebt een uitstekende hoofdpijn,' zei hij glimlachend. Zijn idee van een grapje.

Vervolgens begon hij over onaangenamere zaken.

Na de ingreep kon ik me beroerder voelen dan daarvoor, maar dat duurde niet lang. Mijn hersenen zouden in elk geval opzwellen. Ik kon last krijgen van duizeligheid, motorische en coördinatieproblemen, verwardheid, flauwvallen, problemen met spreken, persoonlijkheidsveranderingen die behoorlijk ernstig konden zijn en gedrag dat voor anderen vreemd of zelfs schokkend kon zijn. Misschien had ik therapie nodig, maar deze effecten zouden na verloop van tijd moeten afnemen, al kon hij niet voorspellen hoe lang dat duurde. Het kon om een paar dagen of een paar maanden gaan. Maar als een effect langer dan een jaar aanhield, kon ik aannemen dat het blijvend was.

'Aan de andere kant,' zei hij, 'is het ook mogelijk dat het over twee weken lijkt alsof dit allemaal niet is gebeurd. Nog vragen?'

Kate noch ik kon iets bedenken. Maar de angst in Kates ogen vertelde me dat ze een vraag had die hij niet kon beantwoorden. Zou ik de operatie echt overleven, en zo ja, hoe zou ik dan daarna zijn?

'Goed dan,' zei hij, zijn agenda openslaand. 'Wat dacht u van dinsdag negen februari?'

'Prima,' zei ik.

Nog twaalf dagen voordat mijn schedel werd geopend. Tot op dat moment was ik niet bang geweest. Ik had alleen maar aan de mogelijkheid gedacht dat ik zou overlijden. De suggestie van de chirurg dat ik lichamelijke of psychische schade zou oplopen, dus gehandicapt zou worden, maakte me doodsbang. Ik probeerde er niet over na te denken en hield mezelf in een roes van kalmeringspillen en pijnstillers. Ik lag urenlang op de bank naar muziek te luisteren, films te kijken en te lezen, terwijl ik Anu onder mijn arm hield. Mijn duim was haar favoriete speelgoed.

Kate probeerde dapper te zijn. Geen moeite was haar te veel om me bij te staan. Ze maakte mijn favoriete gerechten en kwam op een dag thuis met *muikun mäti* – kuit van witvis ter grootte van mijn vinger, naar mijn idee lekkerder dan beloegakaviaar, en met een prijskaartje dat in overeenstemming is met de moeite die het kost om de eitjes uit die minivisjes te verwijderen – en een fles goede Russische wodka om erbij te drinken. Als hoofdgerecht had ze rendierfilet gekocht, en als dessert aten we eigengemaakte taart.

Als een gezinslid ernstig ziek is, kan er van een normaal leven geen sprake zijn, maar we deden ons best, en we genoten van momenten vol geluk, lachten samen en zaten op ons gemak in stilte bij elkaar. Hoe moeilijk het ook is een pasgeboren kind te hebben, Anu verlichtte onze problemen juist. Ze zorgde ervoor dat we actief bleven en ons optimisme bewaarden. Ik vond dat ze op Kate leek. Kate dacht dat ze op mij leek. Ondanks onze verstoorde relatie hoopte ik dat mijn ouders naar hun kleinkind kwamen kijken. Mijn moeder belde om ons te feliciteren. Mijn vader kwam niet eens aan de telefoon.

Kate kon niet met me vrijen omdat ze net bevallen was, maar ze gebruikte een Amerikaanse uitdrukking die ik niet kende: 'Er zijn meer manieren om een kat te villen.' Ik vroeg niet wat die uitdrukking betekende en bleef in onzekerheid over de relatie tussen katten villen en seks, maar iedere avond viel ik bevredigd in slaap. Vaak hoorde ik Kate 's nachts huilen. En op andere tijden eveneens. Als ze aan het koken of stofzuigen was, en op momenten dat ze dacht dat ik haar niet kon horen.

Een paar dagen voor mijn operatie kwam Kate thuis met een cadeau voor me. Een katje. Ze had hem uit het asiel gehaald. Ik weet niet wat Kate ertoe gebracht had hem aan mij te geven. Ik heb ooit eerder een kat gehad, die Katt heette – Zweeds voor 'kat' – en die ik een aantal jaren verzorgde, totdat ik op een dag thuiskwam en hem dood aantrof. Hij had geprobeerd een dik elastiek op te eten en was erin gestikt. Ik was echt gek op Katt, en zijn dood deed me verdriet. Ik noemde dit katje eveneens Katt, te zijner nagedachtenis.

Hij was bij de eerste aai al dol op me en liet me geen seconde alleen. Hij volgde me naar de badkamer en krabde aan de deur totdat ik eruit kwam. Als ik op bed of op de bank lag, klom hij erop, ging op mijn schouder zitten, zette zijn klauwtjes in mijn huid en begon te snorren, waarbij hij mijn hals en slaap als krabpaal gebruikte. Ik liet hem zijn gang gaan. Ik zag er intussen uit alsof ik door een groep kleine maar agressieve beesten was aangevallen en gemolesteerd. Anu was ook gek op hem. Ze voelde aan zijn vacht en trok aan zijn staart en oren. Katt nam het allemaal sportief op.

In die periode voor mijn operatie overstelpte Kate me met haar liefde, genegenheid en zorg. En daarachter loerde de angst. Ze straalde het gewoon uit. Ik had haar dolgraag willen kalmeren en geruststellen zodat haar angst getemperd werd, maar ik had geen idee hoe ik dat moest doen.

3

Op vrijdagavond 5 februari pleegden Milo, Sweetness en ik onze eerste overval. Als nationale politiecommandant is Jyri in staat een heleboel informatie van politiekorpsen in het hele land te verzamelen, en hij heeft ook een goede relatie met Osmo Ahtiainen, de minister van Binnenlandse Zaken. Een van de taken van Ahtiainen is leiding geven aan SUPO. Ahtiainen onderhoudt ook vriendschappelijke samenwerkingsrelaties met zijn collega's in zowel Estland als Zweden. Op grond van zijn eigen positie en relatie met Ahtiainen heeft Jyri toegang tot een overvloed aan informatie.

Jyri had me dossiers over de Finse en Zweedse zigeuners en informatie over de drugsdeal gegeven. Ze zouden elkaar om zeven uur 's avonds ontmoeten in het hondenpark op de heuvel in de buurt van Torkkelinmäki. Dat is een goede ontmoetingsplek. Het is een open ruimte, waar veel mensen hun honden laten rennen en met elkaar spelen.

Ik vertelde Kate waar ik naartoe ging. Ze trok een grimas en zei dat ik heel moest blijven, maar deed geen poging me op andere gedachten te brengen. Milo, Sweetness en ik verschenen om zes uur en gingen in een driehoek op banken verspreid over het park zitten. Mijn idee was om te wachten tot de zigeuners arriveerden, waarna we langzaam op hen toe zouden lopen. We zouden ze omsingelen, de wapens trekken en ze verrassen. Als ze gewapend waren, zouden we ze ontwapenen, de drugs en alle contanten van hen afnemen en hem direct smeren.

Terwijl ik zat te wachten, raakte ik ervan overtuigd dat het een slecht doordacht, gevaarlijk plan was. Ik ben een waardeloze schutter. Sweetness had nog nooit een schot gelost. Alle vier de doelwitten waren gestaalde criminelen, die waarschijnlijk gewapend waren en een vuurgevecht niet uit de weg gingen. Ik zag al voor me hoe we van dichtbij op elkaar zouden schieten, waarbij de rondvliegende kogels honden en hun eigenaren zouden treffen. En op het laatst zouden we allemaal dood op de grond liggen, terwijl de honden onze lichamen besnuffelden. We hadden afgesproken dat Milo voor onze actie gps-trackers aan hun auto's zou bevestigen, zodat we hen in de toekomst gemakkelijker van hun spullen konden beroven. Ik blies de gewapende overval af en zei tegen Milo dat hij alleen de gps-trackers aan hun auto's moest bevestigen. We zouden die later nog doorzoeken.

En zo gebeurde het. We zagen de mannen rugzakken uitwisselen, elkaar de hand schudden en afzonderlijk in twee auto's wegrijden. Nadat ze een afstand van circa zes stratenblokken hadden afgelegd, parkeerden ze, stopten het geld en de drugs in de kofferbak van hun auto en gingen samen een louche bar binnen om het succes te vieren. Wij volgden hen. Milo brak de autosloten open en binnen vijf minuten hadden we hun geld, drugs en drie pistolen.

De volgende avond deden we hetzelfde kunstje nog eens. Ditmaal doorzochten we een luxe huis in Vantaa, een buitenwijk van Helsinki. De dealer was een tandarts die ook een handeltje in drugs was begonnen. Sweetness hield zijn huis vanaf het begin van de avond in de gaten. De tandarts vertrok naar de stad om uit te gaan, het was zaterdagavond. We wisten niet wanneer hij weer terug zou zijn, en daarom wachtten we. Hij kwam om ongeveer halfvijf straalbezopen thuis met een taxi.

Toen hij het licht uitdraaide, gaven we hem een halfuur de tijd om onder zeil te gaan, waarna we het huis doorzochten alsof het van onszelf was. Daarbij maakten we gebruik van zaklantaarns die met rode lenzen gedimd waren. Achter een schoenenrek in een gangkast vonden we diverse boodschappentassen. Ze zaten vol losse, gebruikte bankbiljetten, meest kleine coupures. Milo schakelde de computer van de tandarts in en installeerde virussoftware, zodat hij alle toetsaanslagen en zijn e-mails kon monitoren. Vanuit zijn eigen huis kon Milo in alle rust de computer gebruiken alsof die van hem was. Hij installeerde ook software in de mobiele telefoon van de tandarts, zodat hij zijn gesprekken kon afluisteren en zijn sms'jes kon lezen. De tandarts was nu van ons. Deze technologische inbraken werden onze vaste werkwijze.

Toen ik thuiskwam, deed ik Anu een schone luier om en liet haar moedermelk drinken, die we in de koelkast bewaarden. Dit werd mijn vaste gewoonte na een geheime actie. Ik bediende gewoonlijk ook de borstpomp. Zo had ik het gevoel ook een bijdrage te leveren.

De volgende dag vroeg ik Milo en Sweetness me te helpen het geld van de tandarts te sorteren, bundelen en tellen. Vroeg in de middag kwamen ze bij me thuis.

Kate en Anu deden een dutje in de slaapkamer. Sweetness wilde voor dj spelen en zette een album van Thelonius Monk op. We schudden de bankbiljetten uit zeven boodschappentassen, gingen op de grond zitten en begonnen met sorteren.

Milo en ik gingen af en toe op het balkon staan voor een rookpauze. Sweetness gebruikt *nuuska*.

De eerste keer dat Kate zag dat Sweetness nuuska achter zijn lip stak, was ze nieuwsgierig, maar ze vond het ook walgelijk. Hij pakte een blikje snuiftabak, stopte er een injectiespuit zonder naald mee vol en drukte het spul achter zijn bovenlip. Ik legde haar uit dat het net zoiets was als Amerikaanse snuiftabak, maar dan droger, en dat gebruikers geen sap hoeven uit te spuwen. Ze vroeg waarom ze geen bobbel onder zijn lip zag op de plek waar hij het spul had gestopt. Ik zei tegen haar dat er zout of een andere irriterende stof in zat die het weefsel aantastte, zodat de nicotine sneller in het lichaam werd opgenomen.

Na verloop van tijd ontstaat er een diep gat in het tandvlees. Nuuska-gebruikers vinden het juist fijn als het tandvlees weggerot is en er een gat is ontstaan, omdat het spul dan niet meer te zien is en minder troep geeft. Ze vond het vreselijk. De verkoop van nuuska is in Finland verboden, en daarom kopen de gebruikers het in de winkel op de veerboot van en naar Zweden voor zichzelf en hun vrienden, en tabakswinkels bewaren het onder de toonbank voor vaste klanten. De politie valt nuuska-gebruikers nooit lastig. Sommige agenten gebruiken zelf nuuska. Toen ik nog een jonge sportman was, raakte ik erdoor verslaafd aan nicotine. Het wordt veel gebruikt door ijshockeyers.

Sweetness nam steeds weer een pauze en ging naar buiten om een luchtje te scheppen, zoals hij zei. Hij loog, en ik vroeg me af wat hij verborg.

Na een paar uur begon ik het toch wat vreemd te vinden dat er al een paar uur lang een auto – een Acura – aan de overkant van de straat geparkeerd stond op een plek die door een sneeuwschuiver was vrijgemaakt tussen de sneeuwhopen. Ik meende een glimp van een verrekijker te zien. Ik vroeg Milo en Sweetness naar buiten te gaan om poolshoogte te nemen.

'Ja, *pomo* – chef,' zei Sweetness. Hij trok zijn jas aan en liep naar de deur. Milo liep achter hem aan. Ik liep het balkon op om te kijken. Ik heb Sweetness al zeker tien keer gevraagd om me geen 'pomo' te noemen en hem voorgehouden dat hij me Kari moet noemen als hij me per se bij een naam wil aanroepen. Milo liep op het portier aan de chauffeurskant af, Sweetness op dat van de passagier. Milo hield zijn politielegitimatie voor de ruit. Het raampje aan de chauffeurskant werd omlaag gerold. De man wilde zijn hand in een binnenzak van zijn jas steken. Milo trok zijn pistool zo snel dat ik het nauwelijks zag. Milo mepte de man een paar keer op zijn gezicht en hoofd met de loop van zijn Glock. Ik hoorde hem schreeuwen.

De andere voyeur wilde zijn pistool pakken. Sweetness sloeg het raampje aan de passagierskant in met zijn elleboog – beschermd door zijn overjas – en stak zijn hand door het raam naar binnen. Hij greep de schouder van de man met zijn enorme kolenschop beet, waarop de man van pijn begon te kermen. Sweetness hield de man in bedwang. Milo pakte hun portefeuilles en bekeek hun persoonsgegevens. Hij gooide de portefeuilles terug in de auto. De mannen reden weg.

Milo en Sweetness kwamen weer binnen. Milo lachte. 'Ik heb net een SUPO-agent in elkaar gemept.'

'Ik had je gevraagd poolshoogte te nemen, niet om zijn gezicht te verbouwen,' zei ik.

'Hij stak zijn hand in zijn jas. Hij had net zo goed een pistool kunnen trekken.'

Ik liet het er verder bij zitten. Milo had gelijk gehad om in te grijpen, ook al was hij iets te ambitieus geweest.

De geheime politie hield ons dus in de gaten. Ik wist niet of dit belangrijk was. De volgende dag had ik een afspraak met Jyri. Ik zou het aan hem vragen. We waren klaar met geld tellen. Tweehonderdtweeënvijftigduizend euro. We hadden dat weekend bijna een half miljoen gejat. Een goed begin. Ik dacht: wat kan het mij ook schelen, en wierp ieder van de jongens een pakje van tienduizend euro toe. 'Dit is eenmalig. Zelf neem ik niets, maar dit zijn bonussen voor een goed uitgevoerde opdracht,' zei ik.

4

Het was een aangename zondagmiddag. Ik dronk koffie met Jyri in Café Strindberg, dat uitkijkt op Esplanade Park. De meeste bezoekers van Strindberg zijn rijke troela's van in de veertig met een facelift die met gemanicuurde schoothondjes op stap zijn. Jyri vroeg naar het weekend.

Ik zei hoeveel we hadden opgehaald, op tien procent na, niet omdat ik dat geld wilde stelen, maar omdat hij mogelijk elke cent wilde incasseren en we niet zonder een vorm van financiering konden. In dit scenario was het mogelijk dat hij alles zelf hield en ons een dikke vinger gaf. Echt, daar is hij toe in staat.

'Alles bij elkaar hebben we ongeveer drieënhalve ton binnengehaald,' zei ik. 'Het zit in de kofferbak van mijn auto. Ik geef het aan je als we vertrekken.'

Hij grijnsde zo breeduit dat ik dacht dat zijn gezicht zou scheuren. 'Hou het nog maar even. Drieënhalve ton, jezus christus, zeg. Dat is ongelooflijk!'

Hij is een rokkenjager met een casanovacomplex. Zodra er een vrouw langsliep, schoten zijn ogen richting raam. 'Nu we weten dat het werkt,' zei hij, 'kunnen we de details bespreken.'

Ik twijfelde er niet aan dat de 'details' niets met misdaadbestrijding te maken hadden.

Hij pakte een dunne, in drieën gevouwen bundel papieren uit de binnenzak van zijn onberispelijke colbertjasje en schoof die over de tafel naar me toe. 'Hiermee wordt alles duidelijk. De minister van Binnenlandse Zaken heeft ze zelf aan mij gegeven. Hij wilde zeker weten dat ik inderdaad bezig ben met wat ik hem heb beloofd.'

Uitsluitend bestemd voor: minister van Binnenlandse Zaken Osmo Ahtiainen

Samenvatting van Operatie Poronnussija – Rendierneuker (dit verwees naar mij en mijn Arctische afkomst) – door agent kapitein Jan Pitkänen, op verzoek van de minister van Binnenlandse Zaken.
Zoals de minister verwachtte, worden de buitenwettelijke activiteiten uitgevoerd door ten minste vier mannen, te weten de nationale politiecommandant, twee politiefunctionarissen onder het directe gezag van de nationale politiecommandant en een man die geen politiefunctionaris is. Alleen de voor onze doeleinden meest relevante informatie aangaande deze mannen en hun recente activiteiten wordt hier vermeld.

JYRI IVALO:
Geb.datum: 16-10-1964
Pers. nr.: 161064-4570
Lengte: 1.80 m
Gewicht: ca. 75 kg

Ivalo is sinds acht jaar nationaal politiecommandant. Ivalo kan zonder meer als zelfverzekerd en scherpzinnig worden beschouwd. Uit het onderzoek waarvan dit verslag de weerslag is, komt naar voren dat Ivalo een klein maar competent team heeft samengesteld, dat soms ook buiten de grenzen van de wet opereert, teneinde doelen te bereiken in gebieden waarop het nationale politiekorps onbevredigende resultaten heeft geboekt. Ivalo heeft kwetsbaarheden. Een licht drankprobleem. Zijn verlangen om in het gezelschap van belangrijke personen te verkeren, en vooral zijn voorkeur voor mooie jonge vrouwen zijn zijn grootste zwakheden.

KARI VAARA:
Geb.datum: 02-06-1968
Pers. nr.: 020668-2656
Lengte: 1.83 m
Gewicht: ca. 86 kg

Opmerkelijk is dat Vaara de enige momenteel werkzame politiefunctionaris is die tijdens de uitoefening van zijn functie tweemaal is neergeschoten. Hij is ook een van de twee politiemannen die tijdens de uitoefening van hun functie een verdachte hebben gedood. De andere is zijn collega bij Helsinki Moordzaken, Milo Nieminen. Zij dienen als gevaarlijk te worden beschouwd. Vaara werkt reeds tweeëntwintig jaar bij de politie en heeft onder meer bij de militaire politie gediend. Hij staat erom bekend individualistisch te werk te gaan, zonder respect voor het gezag van zijn meerderen. Vaara is gewelddadig. Hij heeft een verdachte neergeschoten en gedood en zou extreem veel geweld tegen anderen hebben gebruikt. Of dat geweld gerechtvaardigd was, is onbekend. Vermeldenswaard is wel dat hij ertoe in staat is. Hij dwingt bewondering van zijn ondergeschikten af.
Vaara heeft weinig zwakke punten. Hij heeft geen slechte gewoonten die het vermelden waard zijn en is in wezen een einzelgänger. Hij heeft een vrouw en een pasgeboren dochter. Zijn vrouw is Amerikaanse en woont in dit land met een tijdelijke verblijfs- en werkvergunning. In september woont zijn vrouw drie jaar in Finland en kan ze een permanente verblijfsvergunning aanvragen. Als het nodig is om druk uit te oefenen op Vaara, stel ik voor dat snel te doen, zolang uitwijzing van zijn vrouw nog steeds een reële dreiging voor Vaara is. Vaara's relatie met Arvid Lahtinen zou kunnen leiden tot een aanklacht tegen hem van samenzwering tot moord. Zie hieronder. Vaara lijdt aan zware migraine, veroorzaakt door een hersentumor. Hij zal op 9 februari een

hersenoperatie ondergaan. Gezien de aard van de tumor is het onwaarschijnlijk dat hij zal overlijden of invalide zal blijven, maar het is toch een mogelijkheid, waarmee de noodzaak van verder overleg aangaande zijn illegale operatie zou wegvallen, aangezien zijn collega's Milo Nieminen en Sulo Polvinen niet over de capaciteiten beschikken om zonder hem te functioneren.

MILO NIEMINEN:
Geb.datum: 23-04-1987
Pers. nr.: 230487-623L
Lengte: 1.70 m
Gewicht: ca. 61 kg

Na de middelbare school diende Nieminen in het leger als specialist in explosieven. Hij vervolgde zijn opleiding op de academie voor reserveofficieren. Zijn IQ is vastgesteld op 172 en hij is buitengewoon bedreven in de omgang met computers. Hij heeft er geen geheim van gemaakt dat hij een ervaren computerhacker is.
Dit alles wekt de indruk dat zijn ego zo groot is dat hij altijd over zijn prestaties zal opscheppen, zelfs al zou hij in grote problemen kunnen komen door dergelijke persoonlijke informatie te openbaren. Net als Vaara is hij in wezen een einzelgänger. Hij heeft geen intieme relaties. Zijn vader is dood. Zijn moeder leeft nog, maar uit de telefoonlogs blijkt dat hij alleen op belangrijke feestdagen belt.
Nieminens grootste probleem lijkt zijn roekeloosheid te zijn, en ik ben geneigd te denken dat voortdurende observatie, in plaats van een gerichte volgactie, tot ontdekkingen kan leiden die tegen hem gebruikt kunnen worden. Het lijkt aannemelijk dat Nieminen op grond van computervredebreuk en mogelijk van computerdatadiefstal veroordeeld zou kunnen worden.

SULO POLVINEN:
Geb.datum: 12-09-1987
Pers. nr.: 120987-357Y
Lengte: 1.88 m
Gewicht: ca. 120 kg

Polvinens dossier is zonder twijfel aangepast. Computerbestanden betreffende zijn middelbareschoolprestaties zijn gewijzigd, waarbij een aantal cijfers is opgehoogd en straffen wegens wangedrag zijn verwijderd. Hij heeft een rijbewijs dat volgens mij vals is, omdat het naar mijn mening onwaarschijnlijk is dat zijn familie genoeg geld had om hem op rijles te sturen. Ik vermoed dat Milo Nieminen dit allemaal heeft gedaan, maar omdat hij zich superieur waant heeft hij het onnodig geacht zijn sporen uit te wissen. Volgens zijn geredigeerde dossier zou Polvinen zich op basis van een cursus van zes weken gediplomeerd veiligheidsbeambte mogen noemen. Onderzoek heeft aangetoond dat dit onwaar is. Uit afgeluisterde telefoongesprekken is duidelijk geworden dat hij van plan is bij de Nationale Recherche te solliciteren. Aangezien hij niet aan de functie-eisen voldoet, moet worden aangenomen dat hij via nepotisme een baan denkt te krijgen. Polvinens broer is overleden tijdens een ruzie met twee beveiligers in een nachtclub. Deze uitsmijters werden later neergestoken en zo ernstig mishandeld dat ze in het ziekenhuis moesten worden opgenomen. Polvinens vader heeft beide uitsmijters in het ziekenhuis met messteken omgebracht en heeft ook schuld bekend aangaande de aanval in de nachtclub. Voor deze misdrijven zit hij momenteel een gevangenisstraf uit. Er wordt echter ook beweerd dat Polvinen, die vanwege zijn postuur gemakkelijk herkenbaar is, de uitsmijters als eerste heeft aangevallen en dat hij op grond daarvan wegens poging tot moord kan worden aangeklaagd. Polvinens moeder is half Russisch, half Ests, en ze haalde op school hoge cijfers in Engels, Zweeds en Duits. Uit een controle is gebleken dat deze cijfers kloppen.

ARVID LAHTINEN:
Geb.datum: 03-03-1920
Pers. nr.: 030320-259V
Lengte: 1.75 m
Gewicht: ca. 68 kg.

Lahtinens verdiensten als oorlogsheld zijn zo talrijk en algemeen bekend dat ik die hier niet vermeld. Ik vermeld hem hier uitsluitend vanwege zijn relatie met Vaara. Lahtinen heeft onlangs zijn vrouw verloren. Duitsland wil hem graag uitgeleverd krijgen op grond van medeplichtigheid aan moord vanwege zijn activiteiten in de oorlog. Lahtinen zal hier in Finland terechtstaan omdat hij onlangs een Russische zakenman heeft vermoord. Vaara was bij die moord aanwezig, vandaar dat hij mogelijk als medeplichtige vervolgd zal worden. Lahtinen beweerde dat de genoemde zakenman bij de Poolzee-affaire en de verkoop van atoomwapens betrokken was. Daarmee valt de zaak-Lahtinen onder de Nationale Veiligheidswet en zal de zaak zich nog wel een paar jaar voortslepen. Vaara en Lahtinen lijken met elkaar bevriend te zijn geraakt. Ze spreken elkaar dikwijls over de telefoon, en hoewel dat in de afgeluisterde gesprekken niet het geval is geweest, is het heel goed mogelijk dat Lahtinen opening van zaken heeft gegeven over de staatsgeheimen waarvan hij op de hoogte is, en dat zou schadelijke gevolgen kunnen hebben. Ook dit kan als een valide reden beschouwd worden om Vaara's vrouw uit te wijzen, teneinde op die manier niet alleen van haar, maar ook van hem af te komen.

Vaara, Nieminen en Polvinen hebben zowel vrijdag als zaterdag 's nachts inbraken gepleegd en huizen doorzocht. Ze

hebben drugsdealers beroofd en zijn ervandoor gegaan met zakken waarin waarschijnlijk drugsgeld dan wel narcotica zaten.
Ik moet de minister helaas meedelen dat mijn identiteit in deze zaak ontdekt is. Ik heb Vaara onderschat en meende dat zijn migraine zijn concentratievermogen en intellect zou hebben aangetast. Hij stuurde Nieminen en Polvinen naar buiten om uit te zoeken waarom we zijn appartement in de gaten hielden. Toen Nieminen dichterbij kwam, rolde ik het raampje aan de chauffeurskant omlaag. Toen ik mijn legitimatiebewijs wilde pakken, trok hij zijn pistool zo snel dat ik geen tijd had om te reageren. Hij sloeg me er een aantal keren mee in mijn gezicht. Het was mijn eigen schuld, omdat ik niet had aangekondigd dat ik me wilde legitimeren. Daarmee stond hij in zijn recht, want ik had evengoed naar een wapen kunnen grijpen. Mijn neus en jukbeen waren gebroken, evenals mijn rechteroogkas. Mijn collega probeerde ter verdediging zijn pistool te trekken. Polvinen verbrijzelde zijn portierraampje, stak zijn hand in de auto en kneep zo hard in de schouder van mijn collega dat zijn sleutelbeen verbrijzeld werd en zijn schouder uit de kom raakte. Ik wist niet eens dat zoiets mogelijk was. Nieminen pakte mijn politielegitimatie aan. Ik zei: 'Ik ben godverdomme zelf politieagent. Waarom deed je dat in godsnaam?' Hij antwoordde: 'Jij bent een boodschappenjongen die erop uit is gestuurd door winkeliers. Ik ben pistoolschutter. De volgende keer dat we elkaar tegenkomen zou ik daar maar aan denken als ik jou was.' Ik vermoed dat het een citaat uit een film was, maar ik kreeg tegelijk de indruk dat Nieminen niet helemaal jofel was.
Zoals ik al zei, ben ik tegen de lamp gelopen, dus hoe moeten we nu verder?

Met vriendelijke groet,
Kapitein Jan Pitkänen

Antwoord van de minister van Binnenlandse Zaken aan Pitkänen:

> Operatie Poronnussija beëindigd. Hoop dat alles goed komt met je gezicht.
>
> Met vriendelijke groet,
> Minister van Binnenlandse Zaken
> Osmo Ahtiainen

En ten slotte heb ik twee gele briefjes op de laatste bladzijde aangetroffen. Het ene was aan Jyri gericht. 'Goed idee. Ik wil hetzelfde als wat jij krijgt.' Het volgende was in Jyri's handschrift en voor mij bestemd. 'Poronnussija: vijftien procent de man voor mij, jou en de minister van Binnenlandse Zaken, vijf procent de man voor de waanzinnige wijsneus en de grote sukkel. De rest voor de financiering van de operatie. Neem van mij aan dat het een goede deal is. Ik zou het maar doen.'

De bonus voor Milo en Sweetness was eenmalig. Het was zeker niet mijn bedoeling een corrupte smeris te worden en dit project vanwege de verdiensten op te pakken. 'Bedankt, maar ik doe het niet,' zei ik. 'Mijn salaris is genoeg.'

Jyri lachte me uit. 'Verdomme zeg, wat ben jij naïef. Je bent verplicht dat geld aan te nemen. Als je niet meedoet, kunnen we je niet vertrouwen. Beschouw het gewoon als deel van je salaris. Neem van mij aan dat je eraan gewend raakt.'

Ik wist even niet hoe ik moest reageren. Ik struikelde over mijn woorden. 'En hoe zit het met je opmerking dat het erom ging anderen te helpen?'

Hij haalde zijn schouders op. 'Ga dan anderen helpen.' Hij grinnikte. 'Ken je die uitspraak over wat de drie grootste leugens zijn?'

Ontgoocheld schudde ik alleen mijn hoofd.

'Ik hou van je, de betaling is onderweg en ik zal niet in je mond klaarkomen.'

'Tjonge, wat een geweldige grap.'

'Het gaat erom dat die grap helemaal niet klopt. De grootste leugen is dat altruïsme bestaat.'

Ik keek hem zwijgend aan.

'Ik plaats jou en Milo van Helsinki Moordzaken over naar de Nationale Recherche,' zei hij. 'Je werkt direct onder mij en wordt niet meer op je vingers gekeken. En ik zal ervoor zorgen dat die lummel ook een baan krijgt. Verzin maar een of ander specialisme voor hem. Op het sollicitatieformulier staat geen vakje voor poging tot moord. Waarom wil je hem eigenlijk erbij hebben?'

'Vooral om jou te ergeren.'

'Mij kan het geen donder schelen,' zei hij, en hij stond op. 'Omdat je net een forse salarisverhoging hebt gekregen, mag jij de rekening betalen.'

Ik kreeg een idee. 'Vraag de minister van Binnenlandse Zaken of hij mij in ruil voor die vijftien procent af en toe een gunst wil bewijzen, te beginnen met deze. Vraag hem of hij me de dossiers van alle bekende criminelen kan geven die op vrijdag negentien februari de Tallink-ochtendveerboot naar Helsinki hebben genomen.' De datum die ik noemde was volstrekt willekeurig.

'Ik zal het vragen,' zei hij.

Hij liep weg, maar draaide zich weer om. 'En ik wil dat je een administratie bijhoudt.' Hij liep naar buiten, het Irving Berlinnummer 'Blue Skies' fluitend.

5

Ik liep door de voordeur naar binnen, knielde neer in de gang en deed mijn schoenen uit. Ik stopte het geld weg dat Jyri niet had willen aannemen. Kate zat aan de eettafel Anu te voeden. Een van de voordelen van mijn nieuwe functie was tot dusverre dat de werktijden grotendeels overeenkwamen met die van fabrieksarbeiders in ploegendienst. Ik was overdag vaak thuis en kon tijd met mijn gezin doorbrengen, en als ik 's avonds en 's nachts werkte, sliepen Kate en Anu meestal, behalve bij de nachtelijke voedingen. Kate had daar moeite mee. Ik zag de vermoeidheid in haar gezicht. Als ik thuis was, hielp ik zo goed mogelijk mee. We deden de gewone dingen. Tv-kijken. Eten klaarmaken. Met Anu in de kinderwagen wandelen. Ik hoopte dat ons leven altijd zo zou blijven, als een kind grootbrengen Kate eenmaal minder zwaar viel.

Ik liep naar hen toe en ging naast hen zitten. 'Hoe gaat het met mijn meisjes?' vroeg ik. Anu liet een wind en kirde, alsof ze antwoordde: 'Goed hoor, papa.' Ik boog me naar Kate toe om haar te kussen. Ze kuste me niet terug.

'Klein meisje goed,' zei Kate. 'Groot meisje niet goed.'

Ik zag dat Kate woedend was en dat een uitbarsting alleen maar uitbleef omdat ze Anu niet van streek wilde maken. Aan de lucht te oordelen wees het gekir van Anu op meer dan alleen een wind. Ik nam haar mee naar de andere kamer om haar een schone luier te geven. Ze plaste in mijn gezicht. Vanwege Kates pesthumeur hield ik mijn lachen in. Nadat ik mezelf opgefrist had, kwam ik met Anu terug in de woonkamer. Kates blik maakte duidelijk dat ze nog steeds woedend was.

'Mijn baas belde me vanaf het hoofdkantoor. Ze noemde me min of meer een incompetente trut en insinueerde dat het nog maar de vraag is of ik nog een baan heb.'

Ik wilde dichter bij haar gaan zitten om haar te troosten, maar bedacht me. 'Waarom?'

'Omdat ik de kwestie van mijn zwangerschapsverlof nooit officieel heb geregeld. Ik heb Aino' – de assistent-hotelmanager van Kate – 'gevraagd of ze het hotel kon leiden totdat wij de zaken met elkaar hadden geregeld.'

Kate wilde geen traditioneel zwangerschapsverlof van negen maanden en wilde het op zijn Amerikaans regelen. Bevallen, een paar weken verlof nemen, de baby naar de kinderopvang brengen en weer aan het werk gaan. En anders zou ik mijn vaderschapsverlof kunnen opnemen, omdat ik het toch al niet naar mijn zin had in mijn werk, maar vaderschapsverlof kan niet meer dan een paar weken duren, dus ik snapte niet goed hoe ze dat wilde aanpakken.

Maar toen ontstonden er familieproblemen toen haar broer en zus bij ons logeerden, zogenaamd om Kate bij te staan in de periode rond de bevalling, maar in werkelijkheid om aan hun eigen problemen te ontsnappen. Anu kwam te vroeg, en we ontdekten dat ik een hersentumor had, zodat ik wellicht helemaal niet voor een baby zou kunnen zorgen. Aino leek goed te functioneren in het hotel en daarom leek het niet nodig een officiële regeling op te stellen. Gezien de omstandigheden was dat zeker begrijpelijk.

'Ze veegde me de mantel uit,' zei Kate. 'Ze liet me weten dat ik als manager van het hotel de plicht had de regels aangaande de arbeidsvoorwaarden van mijn medewerkers te kennen en daarnaar te handelen.'

Dat ik er bij Kate op had aangedrongen gewoon negen maanden zwangerschapsverlof te nemen, maakte de zaak er niet beter op. Ik had nu eenmaal het gevoel gehad dat het anders allemaal niet goed zou lopen. Anu wisselde van tepel. Kate vervolgde haar verslag. 'Ze zei dat er niemand van het hoofdkantoor was om over mijn schouder mee te kijken, en of ik nu uit het buitenland kwam of niet, ik moest verdomme de Finse arbeidswetgeving kennen en daarnaar handelen. Onder geen enkele voorwaarde kon Aino mijn functie voor een onbepaalde periode uitoefenen zonder dat ze een contract kreeg waarin dat als zodanig werd geregeld en zonder dat haar salaris in overeenstemming daarmee werd aangepast. Ze zei dat ze een contract van negen maanden had opgesteld, dat Aino had ondertekend. Mijn baas zei letterlijk: "We mogen van geluk spreken dat ze een positieve instelling heeft. Ze had bij de vakbond kunnen klagen. Ik heb haar met terugwerkende kracht tot aan de laatste dag dat jij het je verwaardigde op je werk te komen extra uitbetaald." En dat stomme mens besloot met: "Als ik jou was zou ik maar heel goed oppassen als je terugkomt, mocht het ooit nog zover komen." En toen hing ze op.'

'Goddomme,' zei ik. 'Wat een kutzondag.'

'Ja. Wat een kutzondag. Moet je ons zien. We zitten aan een eettafel met plaats voor tien mensen, die we hebben gekocht zodat we etentjes konden geven, maar we hebben niet eens vrienden om uit te nodigen voor een etentje. Ik weet niet of ik nog werk heb. Ik moet hier het grootste deel van het jaar voor melkkoe spelen en mijn man kan overmorgen op de operatietafel overlijden.'

Ze besefte hoe kwaadaardig de woorden waren die ze net had uitgesproken en hoe wreed het was mij met die waarheid te confronteren. Ik dacht dat ze in huilen zou uitbarsten, maar ze hield het droog. In plaats daarvan keken we elkaar lange tijd aan. Haar gezicht verried geen emotie. Voor het eerst realiseerde ik me met een schok dat ze diep vanbinnen woedend op me was omdat ik ziek was. Dat maakte me verdrietig. Ik probeerde me in haar positie te verplaatsen, overweldigd door zorgen, verwarring, vrees voor het onbekende en eenzaamheid.

Ik voelde me schuldig omdat ik ziek was en omdat ik haar dit aandeed, vooral omdat ik naar de operatie uitkeek, want of ik die nu overleefde of niet, de pijn zou in elk geval voorbij zijn. Ik had geleerd die goed te verbergen, zelfs voor Kate, maar de migraine bonkte onverminderd door in mijn hoofd. Ik slikte pijnstillers bij de vleet, sliep zoveel ik kon en zocht vergetelheid om aan de pijn te ontsnappen. Dat was nu al bijna een jaar continu het geval. Dat had zoveel van me gevergd dat ik als ik geen verantwoordelijkheden had gehad en een operatie geen oplossing had kunnen bieden, zelf een eind aan mijn leven had gemaakt. Nog maar twee dagen. Twee dagen maar.

Anu was in slaap gevallen. We brachten haar naar haar slaapkamer en legden haar in haar wieg. De kastdeur stond half open. Kate zag een open geritste rugzak staan waar bankbiljetten uitstaken. Ernaast stonden boodschappentassen vol geld. Haar stem klonk kalm. 'Wat is dit allemaal?'

'De opbrengst van het weekend,' antwoordde ik.

Ze opende de deur helemaal, stak haar handen in de rugzak en wierp de biljetten als confetti in de lucht. Ze keek er nog eens in, stak weer haar hand erin en haalde er een Bulldog-revolver uit, die we hadden gestolen. Ze hield die voor haar gezicht omhoog en staarde ernaar.

'Voorzichtig,' zei ik, 'hij is geladen.'

Ze stopte hem weer in de rugzak en haalde er nu een doorzichtige plastic zak met xtc uit. 'Dus dit is de nieuwe Kari Vaara.'

'Ik heb je alles eerlijk verteld.'

'Vind jij het normaal om de klerenkast van je dochter vol te stoppen met drugsgeld en vuurwapens?'

'Ik heb geprobeerd het geld aan Jyri te geven, maar hij wilde het niet aannemen. Met dat geld moeten we ons project financieren, en die andere spullen heb ik nog niet kunnen lozen.' Dit was in elk geval grotendeels de waarheid. Ik zou een deel ervan zelf houden. 'En ik twijfel er niet aan dat Anu niet weet wat het allemaal is. Ze kan nog niet eens op haar buik rollen, dus ik kan me niet voorstellen dat ze een overdosis neemt of zichzelf doodschiet.'

Ze fluisterschreeuwde. 'Daar gaat het niet om, en dat weet je heel goed. Haal deze troep uit mijn huis weg.'

Ik wist niet wat het probleem was, maar als zij het per se wilde was dat genoeg, gezien haar humeur. Ik belde Milo en vroeg hem om langs te komen om de spullen op te halen en bij hem thuis te bewaren.

'Je weet toch hoe klein het bij mij thuis is?' zei hij. 'Waar moet ik dat allemaal laten?'

'Kom nou maar,' zei ik. 'En als je het niet druk hebt, graag nu meteen.'

Hij snapte het. Het huiselijk geluk was verstoord. Hij woont op niet meer dan tien minuten lopen. 'Goed,' zei hij, 'ik ben er over een paar minuutjes.'

Ik liep naar het balkon en rookte twee sigaretten, wachtend tot hij er was. Kate had ook tijd nodig om af te koelen, en ik had haar nog meer te vertellen.

Milo arriveerde met twee sporttassen die in een derde tas opgeborgen waren. Ik hielp hem bij het overpakken, waarbij ik honderdduizend euro achterhield voor noodgevallen. De tassen waren zwaar, en ik vroeg of ik hem moest helpen ze naar zijn huis te brengen. Hij snapte dat ik met Kate moest praten en sjokte de deur uit, zwaarbeladen met vuurwapens, drugs en bijna een half miljoen euro.

Kate was naar onze slaapkamer gegaan om alleen te zijn. Ze was niet meer boos. Ze zag er alleen maar intens treurig uit. Ik zei dat ik haar het een en ander moest vertellen over mijn bespreking met Jyri en vroeg of we even konden praten. Ze keek schuldbewust, ik denk vanwege de manier waarop ze tegen me had gesproken en omdat ze haar best had gedaan redelijk te blijven tegenover mij, maar zich toch door haar emoties had laten meeslepen. Het was onnodig. Vrijwel iedereen zou onder zo'n enorme druk hetzelfde hebben gedaan. Ze knikte en klopte op het bed. Ik legde een paar kussens op elkaar en ging half achterover op het bed liggen.

'Ik ga weg bij Helsinki Moordzaken, en Milo ook. Onze geheime speciale eenheid wordt ondergebracht bij de NBI.'

'En wat is dat?' vroeg ze.

'De NBI is de Nationale Recherche, die de zwaarste georganiseerde en professionele misdaad bestrijdt. De eenheid biedt een reeks gespecialiseerde technische diensten, zoals forensische faciliteiten, technische expertise en operationele analyses. Ze bieden bij de moeilijker zaken assistentie aan de plaatselijke politie. Maar ze beschikken over meer expertise: financiële misdrijven, witwassen, computercriminaliteit. Ingewikkelde moordzaken en in het algemeen de meer gecompliceerde zaken. De NBI is ook verantwoordelijk voor internationale politiesamenwerking en uitwisseling van informatie, wat voor mij heel nuttig is, omdat ik me wil richten op het internationale transport van meisjes die tot slavernij en prostitutie worden gedwongen. Het is eigenlijk net zoiets als de FBI bij jullie in Amerika.'

'Dus je komt weer een trede hoger op de ladder? Is het een promotie?'

'In zekere zin wel. De NBI is minder zichtbaar. Ik ben een bekend persoon, en zo kan ik buiten de schijnwerpers blijven. En ik bestrijd de professionele georganiseerde misdaad, dus ons project past in het NBI-mandaat. Daar komt bij dat er geen eisen aan de opleiding worden gesteld, maar alleen aan de expertise waarover je beschikt, dus Sulo kan daar officieel een functie krijgen.' We voerden dit gesprek voordat Kate Sulo zijn bijnaam Sweetness gaf.

Kate lachte. 'En wat is zijn expertise dan wel?'

'Dat verzinnen we nog wel. De minister zal er in elk geval zijn fiat aan geven.'

Ik zei niet dat mijn rol zou lijken op die van Hoover met zijn smerige manipulaties. Hoewel het in ons gesprek niet aan de orde was geweest, was het impliciet duidelijk dat ik gebruikt zou worden voor inbraken, afpersingspraktijken en het verzamelen van belastende informatie over personen die als vijanden van het establishment werden beschouwd. Ik was nu Jyri's hulpje, en nog voordat ik was begonnen, moest ik een manier vinden om me uit deze situatie te bevrijden. Ik realiseerde me dat Jyri me niet eens het beste had gewenst met mijn operatie. Als ik stierf, zou hij daar geen seconde over treuren maar meteen een ander zoeken voor de baan.

'Gefeliciteerd,' zei Kate. 'Ik had niet over die spullen in de kast moeten klagen. Je bent openhartig geweest over wat je ging doen en hebt mijn toestemming gevraagd. Ik had de kans om nee te zeggen.' Het schuldgevoel kwam terug. Ze wilde nee zeggen, maar berustte omdat ik binnenkort dood kon zijn, en ze wilde me niets ontzeggen. Ik kneep in haar hand. 'Het maakt niet uit. En dit is allemaal niet zo mooi als het klinkt. Jyri deed het voorkomen alsof we bij deze operatie geld van criminelen zouden stelen om de financiering rond te krijgen. Het zou de publieke zaak ten goede komen. Dat was een leugen. We zijn ook naar de NBI overgeplaatst omdat die onder de minister van Binnenlandse Zaken valt en hij en Jyri een soort illegale partners zijn. Niet al het geld dat we hebben gestolen gaat naar de financiering van de eenheid. Jyri krijgt een deel, de minister krijgt een deel, en ze staan erop dat ik ook een bepaald percentage krijg.'

Kates mond viel open. 'Dat betekent dat je een corrupte smeris bent.'

Ik knikte. 'Ja, klopt. Ik zei dat ik het niet wilde. Hij zei dat ik het moest aannemen, want als ik dat niet deed, was ik geen medeplichtige, en als ik geen medeplichtige was, was ik niet te vertrouwen.'

'Dat kun je toch niet doen?' zei Kate.

Ik zuchtte. 'Je hebt geen idee hoe teleurgesteld ik ben. Ik ben zo verdomd stom en naïef. Misschien moet ik gewoon ontslag nemen.'

'Nee,' zei ze, 'nog niet. Je weet dat je bewijs over de nationale politiecommandant in handen hebt dat het eind van zijn carrière zou betekenen. Jij hebt hem in je macht, en dat weet hij. Hij kan je nergens toe dwingen.'

Ik wist me helemaal geen raad meer. 'Wat moet ik dan doen?'

'Je laat je opereren. Je komt thuis. Je laat je door mij verzorgen en je herstelt. Dan zoeken we het samen verder uit.'

Dat bracht een glimlach op mijn gezicht. Ik rolde naar haar toe en knuffelde haar.

'Mä rakastan sinua,' zei ze. Haar Fins werd steeds beter.

'Ik hou ook van jou. Wat vervelend van je werk.'

'Het maakt niet uit.'

Ze haalde Anu uit haar wieg en legde haar in ons bed, waarna we alle drie een dutje deden.

6

Die avond kwamen Milo en Sweetness langs voor een planningsbijeenkomst. Ik zou ze pas na de operatie terugzien. Ik vroeg hun om langs te komen zodat ik opdrachten kon geven en duidelijkheid kon scheppen. Als ik weer aan de slag was, ervan uitgaande dat het zover zou komen, moest alles gladjes verlopen.

Ze gingen aan de eettafel zitten. Katt had zich bij mijn schouder geïnstalleerd. Kate zat op de bank Anu de borst te geven, met haar rug naar ons toe. Ik vroeg haar niet ons alleen te laten tijdens de bijeenkomst, in het kader van mijn nieuwe voornemen om eerlijk te zijn.

Milo en Sweetness verschenen in chique kostuums. 'Plannen voor vanavond?' vroeg ik.

'Jazeker,' zei Milo. 'We gaan een avondje de stad in, te beginnen met het casino. Ik heb een voorgevoel dat Vrouwe Fortuna met ons is.'

'Mooie pakken,' zei ik.

Sweetness zei: 'Ik heb nog nooit een pak gehad. Milo heeft me geholpen er een uit te kiezen. Het is een Hugo Boss. Die worden niet in mijn maat gemaakt, en het kostte hun moeite het te vermaken. Vind je dat ze het goed hebben gedaan?'

'Je ziet er geweldig uit,' zei ik, en dat meende ik. 'Maar je kunt niet naar het casino.'

Milo werd meteen kwaad en voelde zich aangevallen. De donkere kringen onder zijn ogen verdiepten zich tot zwarte holten. Ik vroeg me af of hij ooit sliep. 'Jij kunt ons niet vertellen wat wij met ons geld doen.'

Ik had hun het geld niet moeten geven. Het kon niet anders of ze zouden ermee te koop gaan lopen.

In de binnenstad van Helsinki staat een groot casino. Een voornaam gebouw, waar het grote geld graag komt. 'Ben je al eens in het casino geweest?' vroeg ik.

'Nee.'

'Er wordt een foto van je gemaakt zodat ze je kunnen registreren en je een lidmaatschapskaart kunnen geven. Elke beweging die je maakt wordt met videocamera's geregistreerd, dus ook dat je een duizendje neerlegt terwijl het balletje rolt. Met het salaris van een politieman de bloemetjes buitenzetten. Als je er ooit van beschuldigd wordt een corrupte smeris te zijn, wat je intussen bent, dan kun je er zeker van zijn dat je bezoekje aan het casino ontdekt wordt en als bewijs tegen je wordt gebruikt. Die SUPO-agent die je halfdood hebt geslagen, moet zijn gezicht helemaal laten oplappen. Denk je dat ze dat vergeten en dat je niet in de gaten wordt gehouden? We kunnen er allemaal van uitgaan dat alles wat we doen nauwkeurig wordt gevolgd. Ga er maar van uit dat alles wat je doet bij de geheime politie bekend is.' Ik wees naar Sweetness. 'En formeel gezien ben jij werkloos. Je hebt zelfs geen inkomstenbron, wat de voornaamste reden is dat ik je geld heb gegeven, en niet om het te verbrassen. Hoe denk jij je plotselinge entree in de high society te verklaren?'

Hij antwoordde niet, maar stak in plaats daarvan wat nuuska achter zijn lip.

'Wat hebben we dan in godsnaam aan dat geld?' vroeg Milo.

'Geld is altijd goed. Zorg alleen dat het onzichtbaar blijft.'

Hij krabde in verwarring op zijn hoofd. 'Als we in de gaten worden gehouden, hoe moeten we dan die overvallen op drugsdealers plegen?'

'Daar wordt voor gezorgd. Breek daar je mooie hoofdje maar niet over. En hoe knap je er ook in uitziet, maak er geen gewoonte van om dure kostuums te dragen. Laat alles achterwege waarmee je de aandacht op je vestigt.'

Milo en Sweetness keken elkaar aan en grijnsden elkaar toe.

'Wat?' vroeg ik.

Sweetness lachte luid.

Milo zei: 'Waar moet ik beginnen? Eens kijken. Een paar weken geleden waren jij en ik nog in het nieuws omdat we ingrepen bij die schietpartij op die school en een man neerschoten. Je bent vanaf een kilometer afstand te herkennen aan je gehink en dat litteken van die kogelwond op je gezicht is gewoon eng. Je bent een wandelend reclamebord dat "Kijk naar me!" roept. En onze reusachtige collega maakt ook de nodige indruk op anderen. Jullie zijn gewoon dom bezig.'

Het team had de gewoonte aangenomen in Kates aanwezigheid uit beleefdheid Engels te spreken.

'Ze hebben gelijk,' zei Kate, en ik zag dat het tot hen doordrong dat ze overal van afwist. Ze keek naar Sulo. 'Sweetness,' zei ze, 'zou je zo goed willen zijn me een kopje koffie te brengen, met een wolkje melk erin?' Sulo betekent 'zoet', en daarom leek het vanzelfsprekend dat ze hem aansprak met de Engelse term voor 'zoet'. Ze had geen idee wat ze had gedaan.

Milo gierde het uit. 'Sweetness, dat is geweldig! Sweetness, mag ik ook een kopje?' En zo werd Sulo voorgoed Sweetness. Hij wist zijn waardigheid te bewaren en deed alsof er niets was gebeurd. Hij vroeg me of ik ook een kop wilde. Hij serveerde ons allemaal koffie, zelfs Milo.

'Dank je, Sweetness,' zei Milo.

Sweetness stond op, liep naar de kast om mijn cd-verzameling te bekijken en bleef met zijn rug naar ons toe staan, zodat we niet zagen hoe rood zijn gezicht werd. 'Pomo, vind je het goed als ik een muziekje opzet?'

Ik zei tegen hem dat dat prima was, en even later zaten we met zijn allen zwijgend naar de saxofoon van Charlie Parker te luisteren. De groep bezat een merkwaardige dynamiek. Milo en Sweetness probeerden me allebei te evenaren en wedijverden om mijn aandacht. Ik had het gevoel dat ik een soort vaderfiguur voor hen was geworden. Ze brachten veel meer tijd dan noodzakelijk in ons huis door en kwamen onder allerlei voorwendselen langs. Ze waren net in de buurt en kwamen even binnenvallen. Hadden we nog iets nodig van de supermarkt?

In hun houding tegenover Kate lieten ze merken dat ze een soort moeder voor hen was en haar kalme, waardige houding, vooral als ze

Anu in haar armen hield, versterkte dat nog. Hoewel Kate niet het weelderige figuur bezat dat in die periode meestal geportretteerd werd, deden zij en Anu samen mij vaak aan afbeeldingen van de Madonna met Kind uit de renaissance denken. Milo en Sweetness kibbelden en beledigden elkaar voortdurend, maar op zeker moment nam Milo Sweetness mee naar de winkel om kleren te kopen. Zo leken ze wel broers van elkaar. En ten slotte belde Arvid Lahtinen me om de paar dagen, en de toon van onze gesprekken leek veel op die tussen een opa en zijn kleinzoon.

Ik kende Arvid nog maar een paar weken, en onze relatie was getekend door criminele activiteiten en moorden. Zo had hij bijvoorbeeld zijn vrouw, die aan kanker leed, geholpen met sterven, en ik had dat voor hem weggemoffeld. Daar komt bij dat hij mijn grootvader in de Tweede Wereldoorlog had gekend. Ze waren vrienden en hadden samen een hoop mannen gedood.

En nu waren we telefoonvrienden. Ik had nog nooit een telefoonvriend gehad, maar ik genoot ervan als hij me belde.

Mijn relatie met Sweetness begon eveneens met een gewelddadig incident. Twee uitsmijters hadden zijn broer per ongeluk gedood. Hij zette hun dat betaald door hen met een stanleymes te steken en hen diverse malen met een sleutelbos in het gezicht te slaan, waarbij de sleutels tussen zijn vingers door staken. Dat veroorzaakte vreselijke steekwonden en verminkte hen voorgoed. Ik gaf hem een kans en bood hem in een dronken bui een baan aan, omdat hij een waardeloze jeugd had gehad en ik medelijden met hem had, en ook omdat zijn gewelddadige karakter voor mij nuttig was.

Ik pakte de telefoon en belde mijn broer Jari, die neuroloog is. Hij nam op. 'Hallo, grote broer,' zei ik tegen hem. Ook al is hij half zo groot als ik, hij is wel vier jaar ouder.

Het was twee dagen voor de hersenoperatie, en in zijn stem klonk bezorgdheid door. 'Alles goed?' vroeg hij.

'Ja, prima, maar ik heb een besluit genomen. Ik ben in elk geval een tijdje uit de running. Ik wil al mijn problemen tegelijk oplossen.'

'Zoals?'

'Ik wil me vroeg in het ziekenhuis melden. Morgen al. Ik wil het litteken op mijn gezicht laten verwijderen en mijn knie via een operatie zo goed mogelijk laten oplappen.'

Hij lachte me uit. 'Ziekenhuizen en chirurgen bieden geen eendaagse service, en je knie moet onderzocht worden om te weten te komen hoe de schade het best te herstellen is, hoeveel schade nog te herstellen is en of er wel herstel mogelijk is.'

'Mijn uiterlijk staat mijn werk als rechercheur in de weg. Als ik alles tegelijk kan laten doen, ben ik niet zo lang van mijn werk weg, en ik heb ook nog een baby om voor te zorgen. Ik weet dat jij het voor elkaar kunt krijgen als je om een wederdienst vraagt. Ik vraag je om een gunst.'

Kate kon nog steeds maar nauwelijks geloven dat medische zorg in Finland in wezen gratis is. De hersenoperatie, alle bijkomende onderzoeken en het ziekenhuisverblijf zouden me niets kosten. De politie heeft een particuliere verzekering, dus ik krijg betere zorg. Ik vergeet nog dat ik misschien vijftig euro per jaar betaal, aftrekbaar. Meer niet. Voor een onverzekerde burger die van de gezondheidszorg gebruikmaakt, kost een ziekenhuisverblijf vijftien euro per dag. Doktersbezoek kost ongeveer hetzelfde. Specialisten kosten niets extra. Onderzoeken zijn goedkoop dan wel gratis. Medicijnen kunnen duur zijn, maar de meeste mensen hier kunnen het zich gemakkelijk permitteren ziek te zijn.

'De verwijdering van het litteken zou je evengoed een behandeling als een operatie kunnen noemen. We kunnen je knie laten onderzoeken, en als de tumorverwijdering slaagt, kunnen we je knie kort daarna opereren. Ik ga een paar telefoontjes plegen en kom bij je terug,' zei hij.

Ik hing op. Iedereen staarde me aan, te geschokt om mijn besluit te bekritiseren, zelfs Kate.

Sweetness verruilde Charlie Parker voor Charlie Christian en ging weer zitten. Ik deelde mijn opdrachten uit. Milo had de leiding. Tijdens mijn afwezigheid zouden er geen berovingen, invallen, huiszoekingen en dergelijke plaatsvinden. Met overvallen maakte je vijanden, en die konden problemen veroorzaken. Milo zou geen gewelddaden plegen, omdat hij daarvan geniet. Als geweld noodzakelijk was, zou het onder Sweetness' domein vallen, omdat hij er niet van geniet. Ook was Milo beroemd en Sweetness een onbekende.

Hij zou onze eerste man zijn, het gezicht van het team, als we daaraan behoefte hadden.

Ik vermoed dat Sweetness psychopathische neigingen heeft en dat het hem niet interesseert of hij anderen pijn doet of niet. Milo werd een worst voorgehouden. Hij moest Sweetness leren met de computer om te gaan. In ruil daarvoor zou hij langzaamaan een grotere rol krijgen in de spectaculairdere, gewelddadiger aspecten van het werk, als dat nodig was. Ik bespeurde een zekere wrevel tussen Milo en Sweetness. Geen van beiden was blij met deze regeling, maar ze knikten dat ze akkoord waren.

'En dat geldt ook voor je hobby,' zei ik tegen Milo. 'Geen inbraken omwille van voyeurisme. Je mag hoe dan ook niet in de problemen komen.'

Milo's hobby is voor de grap inbreken in huizen. Hij steelt niets. Hij snuffelt rond en doorzoekt de huisraad.

Hij vertelde me dat hij het gewoon leuk vindt om te zien hoe mensen leven en wat ze allemaal verborgen houden. Het is een soort fetisj. Hij begon te blozen en keek over zijn schouder om Kates reactie te peilen. Ze deed alsof ze niets had gehoord.

'Je mag niets verduisteren of stelen,' zei ik. 'Dat hoef je ook niet. Jullie krijgen allebei vijf procent van de opbrengst. En dat blijft zo, zolang je er niet mee te koop loopt.'

Ik zei tegen hen dat zolang ik uit de running was en aan mijn herstel werkte, Milo ons moest uitrusten met alles wat we nodig hadden om de misdadigers van Helsinki vleugellam te maken.

'Investeer vooral in bewakingsapparatuur,' zei ik. 'We trekken niet ten strijde tegen de criminelen van Helsinki, maar we jatten alles bij ze vandaan totdat ze geen cent meer te makken hebben.'

'Ik weet wat we nodig hebben,' zei Milo. 'En dat kost ons klauwen met geld.'

'Klauwen met geld of niet, gewoon kopen. We hebben poen zat.' Ik ging verder: 'Ik vertrouw de mensen voor wie we werken niet. Sweetness, jij moet Jyri, de nationale politiecommandant, in de gaten houden, en de minister van Binnenlandse Zaken, de leiding van Kokoomus' – de conservatieve partij waartoe ze behoren – 'en alle andere politici met wie ze banden aanknopen. Je moet ze gewoon willekeurig een tijdje observeren, en dan maar zien wat eruit komt.' Ik had wel mijn vermoedens over wie er corrupt waren, op grond van mijn gesprekken met Jyri en de stukjes en brokjes info die ik tijdens het Filippov-onderzoek had vergaard. Sweetness heeft niet het postuur om te observeren. Hij is van een kilometer afstand te herkennen. 'Koop een camera met een lange zoomlens,' zei ik, 'en zorg dat je absoluut niet gezien wordt.'

Milo zei: 'Ik zal een richtmicrofoon met apparatuur voor je kopen zodat je hun gesprekken kunt opnemen.'

'En nog iets, Milo,' zei ik, 'zorg voor circa tien kluizen in verschillende steden en bij verschillende banken. Kate,' vroeg ik, 'wil jij met hem meegaan om mee te ondertekenen, zodat wij ook toegang hebben?'

Ze toonde zich verrast, maar knikte toch.

Mijn telefoon ging. Jari zei: 'In mijn praktijk, om zeven uur morgenochtend. Ik zal je naar de juiste plekken brengen en de hele dag met je meelopen.'

'Waarom?' vroeg ik.

'Omdat ik dat wil.'

Milo en Sweetness gaven me een hand en wensten me het beste voordat ze vertrokken. Sweetness kon zich niet inhouden en omhelsde me, waarbij hij me bijna dooddrukte.

Ik ging op de bank naast Kate zitten. 'Had ik met je moeten bespreken wat er morgen gaat gebeuren, voordat ik de andere operaties afsprak?' vroeg ik.

Ze sloeg een arm om me heen. 'Nee. Ik was zo blij voor je. Je zou het niet gedaan hebben als je er niet echt in geloofde dat je blijft leven.'

Misschien was ik in de war door de migraine. We hadden een pasgeboren baby in ons huis. Ik dacht er geen moment aan hoe ongelooflijk oneerlijk het tegenover haar was om voor een knieoperatie te kiezen en een tijdlang invalide te zijn, nog los van de schade die de hersenoperatie kon toebrengen. Ik zadelde haar met een vreselijke last op.

7

Van de dagen daarop herinner ik me slechts schimmige beelden. Het was maandagochtend 8 februari. Niet al te koud, net onder het vriespunt, maar wel winderig. Ik nam de tram naar Jari's kantoor in de stad, niet ver van het spoorwegstation. Door de hersenoperatie van de dag daarop zijn de meeste herinneringen aan die dag uitgewist.

Het litteken van het pistoolschot in mijn gezicht werd met laserapparatuur verwijderd. Er waren onderzoeken, röntgenfoto's, operaties. Nachten in het ziekenhuis, waarin ik wakker werd zonder te begrijpen waar ik was. Ik zie een wazig beeld van Kates gezicht op het moment dat ik op een brancard werd gelegd en naar een operatiezaal werd gereden.

Vanwege de operatie moest ik aan alle lijkschouwingen denken waarvan ik getuige ben geweest. Het geraas en de stank van een elektrische boor. Het zachte zoeven van een scalpel dat door het vlees snijdt. Ik was duizelig, duf en verward.

Uiteindelijk kwam ik weer bij mijn positieven. Er kwam een chirurg binnen die me liet weten dat de knieoperatie geslaagd was. Na de nodige weken fysiotherapie zou ik mijn knie weer vrij kunnen bewegen tot aan de grenzen die de prothese stelde, wat betekende dat ik slechts licht zou hinken. Binnen zes weken zou ik de knie met behulp van een stok weer volledig kunnen belasten.

Er kwam een andere chirurg binnen, die me vertelde dat ze de hele tumor hadden kunnen verwijderen. Geen complicaties. Ik weet nog dat ik Kate, Anu en Jari heb gezien. Ik weet nog dat ik aan Kate vroeg of ik in haar make-upspiegeltje naar mezelf mocht kijken. Nu het litteken verdwenen was en er een kaal plekje met een gehechte incisie voor op mijn hoofd zat, herkende ik mezelf haast niet meer. Het grootste deel van de tijd sliep ik.

Toen ik de volgende ochtend wakker werd, waren de symptomen

van de vorige dag vrijwel verdwenen. Mijn hoofdpijn was weg. Een jaar lang had die me gekweld, en nu leek het alsof die er nooit was geweest. En in mezelf was er heel veel veranderd. Ik voelde me alsof ik iemand anders was. Ondanks de medicatie die ik had gekregen – pijnstillers en kalmeringsmiddelen – leek het alsof mijn gedachten mijn hele leven vertroebeld waren geweest en ik nu op wonderbaarlijke wijze opeens helder en ongemeen scherp van geest was.

Jari waarschuwde me dat mijn gedrag en inzichten zouden kunnen veranderen. Dat was kenmerkend voor patiënten die een hersenoperatie hadden ondergaan en kon een hele tijd duren. Ik vroeg me af of mijn idee dat ik helderder kon denken foutief was en slechts het gevolg van de operatie, of dat ik werkelijk intelligenter was geworden. Tegelijk met dit nieuwe besef van helderheid voelde ik me veel zekerder, alsof met de verwijdering van de tumor ook mijn angsten en frustraties waren weggehaald.

Ik merkte dat ik volstrekt geen emoties had. Geen liefde. Geen haat. Nada. Kate en Anu kwamen op bezoek. Ik voelde niets. Ik glimlachte en deed alsof ik blij was hen te zien. Het was moeilijk dat voor te wenden. Ik was blij dat ze weer vertrokken. De weken daarna oefende ik een glimlach om mijn gebrek aan emoties te verbergen. Ik wist dat ik van hen moest houden, omdat ik me herinnerde dat ik van hen hield. Ik kon de intense genegenheid en het verlangen naar hen dat ik nog maar een paar dagen eerder had bezeten voelen, maar alleen als herinnering.

Door dit gebrek aan gevoelens veranderde mijn gedrag. Ik lag in mijn eentje in bed en analyseerde mezelf. Tot dusverre was wroeging de allesoverheersende emotie in mijn leven geweest. Mijn leven was een voortdurende strijd geweest om al mijn missers goed te maken. Meer dan dertig jaar lang had ik dagelijks om het verlies van mijn zusje Suvi getreurd en mezelf de schuld gegeven van haar dood, omdat ik op haar had moeten letten – ook al was ik maar een jaar ouder dan zij – toen we op het meer aan het schaatsen waren en het ijs onder haar wegbrak. Nu was dat gevoel verdwenen.

Ik was niet verantwoordelijk voor haar dood. Onze vader was de verantwoordelijke volwassene. Maar hij had het veel te druk met een fles whisky leegzuipen en ijsvissen om nog op zijn kinderen te letten. Ik herinnerde me nu zelfs dat ik Suvi niet eens mocht. Ik had een hekel aan haar omdat ik vaak op haar moest letten, ook al was er maar een gering leeftijdsverschil tussen ons, terwijl ik liever met mijn vriendjes ging spelen. Na haar dood begon mijn vader me hardhandig te slaan voor de kleinste voorvalletjes, als een onuitgesproken bestraffing omdat ik haar niet had weten te beschermen. Hij sloeg mijn drie broers ook, en af en toe mijn moeder, maar niet zo fanatiek als mij.

Ik weet nog dat ik een stuk taart op de vensterbank had laten liggen om af te koelen. Als straf liet hij me de hele taart opeten, zodat ik moest kotsen. Toen moest ik mijn braaksel ook nog opeten. En hij lachte erom.

Ik dacht dat ik mijn vader had vergeven dat hij mij als kind zo had mishandeld. Waarom zou ik hem moeten vergeven? Mijn vader heeft zich nooit zelfs maar verontschuldigd voor zijn mishandelingen. Ik was vergeten hoe vaak en hoe hard hij me sloeg. De herinneringen kwamen weer naar boven. Ik wilde naar zijn huis in Kittilä gaan, zijn broek omlaag trekken, zoals hij bij mij had gedaan, hem over dezelfde stoel heen leggen als hij zelf bij mij zo vaak had gedaan en hem met een riem afranselen, zoals hij bij mij had gedaan.

Hij heeft me nooit zo vreselijk geslagen, maar ik zou hem net zo lang slaan totdat het bloed op de muren spatte om alle mishandelingen in één keer te wreken. En dan nog zou elke slag voor zeker honderd keer zijn dat mijn vader me had geslagen, maar in elk geval was het een symbolische genoegdoening. Ik zou mijn moeder laten toekijken, zoals ze zonder iets te doen had toegekeken terwijl mijn vader me sloeg. Misschien zou ik de hele familie voor de gelegenheid bij elkaar moeten brengen en iedereen laten toekijken, zoals ze ook toekeken als hij me sloeg. Ik besefte dat ze bang voor hem waren, maar met zijn allen hadden ze hem kunnen tegenhouden.

In mijn kindertijd hadden we geen riolering in huis. 's Winters moest ik naar buiten om te plassen, en daarom hield ik het zo lang mogelijk op. Af en toe wachtte ik te lang en plaste ik in mijn broek. Ooit liet hij me in een volgeplaste broek naar school lopen. Het vroor twintig graden, en onder het lopen begon mijn kruis eerst pijn te doen en te branden, en even later werd het gevoelloos. Toen ik op school aankwam, ging ik naar de wc en bekeek mijn piemel. Die was grijs, wat een eerste teken van bevriezing was. En toen mijn broek later op de dag warmer werd, begon mijn piemel verschrikkelijk pijn te doen en stonk ik steeds meer naar pis. Het duurde maanden voordat ik eroverheen was. Ik overwoog hem een paar liter water te laten drinken, hem een afranseling te geven voordat hij naar zijn werk ging en te wachten totdat hij in zijn broek plaste, waarna ik hem zou dwingen naar zijn werk te lopen. Een ervaring die vader en zoon met elkaar deelden.

Ik voelde geen woede of andere emotie terwijl ik dit plan bedacht. Ik beraamde geen wraak, maar wilde simpelweg recht doen. Een straf op grond van een logische gedachtegang.

Jari kwam op bezoek om te kijken hoe het met me ging. Hij controleerde mijn motoriek en zei dat alles in orde was. Hij vroeg hoe ik me voelde. Zonder er gedetailleerd op in te gaan of over de aard van mijn gedachten uit te weiden zei ik tegen Jari dat ik geen enkele emotie meer voelde. Jari zei dat ik daar niet te veel aandacht aan moest besteden. Het zou wel weer overgaan. Hij zei dat het een veelvoorkomend symptoom was als er een tumor verwijderd was. Waar ooit weefsel in mijn hoofd zat, was nu alleen nog maar een lege ruimte ter grootte van een klein ei. Het duurde een tijdje voordat die ruimte weer gevuld was, en dit was soms het gevolg.

'Hoe lang duurt het?' vroeg ik.

'Dat kunnen we niet zeggen,' zei Jari, 'maar waarschijnlijk een tot zes maanden. Je emoties kunnen langzaamaan terugkomen, of ze kunnen opeens weer in alle hevigheid terug zijn. Dat moment kan door een bepaalde gebeurtenis worden opgewekt, maar het kan ook spontaan gebeuren.'

'En misschien gebeurt het wel nooit,' zei ik.

Hij nam met een ernstig gezicht op de rand van het bed plaats. 'En misschien gebeurt het wel nooit.'

'Ik wil graag dat dit tussen ons tweeën blijft. Ik kan mijn vrouw niet vertellen dat ik niets om haar of ons kind geef.'

'Ik zal niet proberen je te vertellen hoe je met je herstel moet omgaan, maar je moet begrijpen dat dit probleem het gevolg van een ziekte is. Het is niet jouw schuld, en de steun van je gezin is belangrijk in deze moeilijke periode. Geheimen bewaren en je symptomen verbergen is zonder twijfel een vergissing.' Hij legde zijn hand op mijn schouder.

'Misschien wel. Maar ik kan haar dat gewoon niet aandoen. Dat zou gemeen zijn.' Tot mijn verbazing had ik trek in een sigaret. 'Neem me mee naar buiten om te roken,' zei ik.

'Dat is geen goed idee. Blijf nou maar in bed liggen. Over een paar dagen kun je paffen totdat je erbij neervalt.'

Ik ontdekte het tweede belangrijke symptoom van de nasleep van de operatie. Ik was een kinderlijke, binaire wereld binnengegaan. Willen of niet willen. Doen of niet doen. Graag of niet.

'Als je me niet mee naar buiten neemt, wacht ik totdat je vertrokken bent, hang al die intraveneuze troep aan dit ding dat jullie gebruiken om rond te lopen en ga in mijn eentje.'

Hij hield zijn hoofd scheef en keek me een tijdlang aan. Ik zag dat hij zich realiseerde dat mijn koppige houding aan de operatie te wijten was en sprak me als een kind toe. 'Als ik je meeneem om een sigaret te roken, blijf je dan de rest van de dag in bed?'

'Ja.'

Het was nogal een gedoe met de intraveneuze slangen, de infuusstandaard en de rolstoel, maar ik kreeg mijn sigaret.

Hij legde me weer in bed, bracht mijn medische attributen in orde, zei dat hij zo snel mogelijk weer terug zou komen en vertrok.

Ik lag in bed over het doel en de waarde van het leven na te denken, zonder dat ik daar iets bij voelde. Mijn wroeging was verdwenen, maar mijn passie evenzeer. Als mijn wroeging en schuldgevoelens verdwenen waren, wat was daarvoor dan in de plaats gekomen?

Ik kende geen emoties, althans nauwelijks. Wat kon me nu nog motiveren in het leven? Misschien dezelfde dingen die me altijd hadden gemotiveerd. Een verlangen naar evenwicht, naar rechtvaardigheid. Misschien kon ik die doelen nu zelfs met een zekere gelijkmoedigheid nastreven. Voor mij waren plichtsbesef en liefde altijd nauw met elkaar verbonden geweest. Ik betwijfelde of Kate dat zou begrijpen. Ik nam alvast één besluit. Ik zou Sweetness onder mijn hoede nemen en hem helpen zijn eigen ik te vinden en te ontdekken wie hij werkelijk was, en hem helpen die persoon te worden, of dat nu goed of slecht uitpakte. Precies wat mijn vader voor mij had moeten doen. Ik bleef twee dagen lang in bed liggen, oefende mijn valse glimlach en dacht na over de veranderingen die ik had ondergaan.

Ik dacht aan Gregor Samsa in Kafka's *De gedaanteverwisseling*, die op een ochtend wakker werd en ontdekte dat hij in een monsterlijk insect was veranderd. Was ik een variant van Gregor Samsa of een operatief verbeterde Kari Vaara?

8

Op vrijdag kwam ik thuis. Ondanks alle ingrepen die ik had ondergaan, had ik maar vier dagen in het ziekenhuis gelegen. Ik hing thuis rond, slikte mijn pijnstillers en kalmeringsmiddelen volgens voorschrift, keek naar domme tv-programma's en speelde met Anu en de kat. Ik voelde me goed, maar wel een beetje vermoeid, en sliep veel. Ik had een maand lang ziekteverlof, dat zo nodig verlengd kon worden, maar als ik wilde kon ik over twee weken weer aan het werk gaan. Op zaterdag keek ik weer eens naar het tv-journaal.

Over iets meer dan een jaar zijn er parlementsverkiezingen, en een nieuwe partij wint snel terrein. De Ware Finnen. Officieel wordt die geleid door Topi Ruutio, een ervaren politicus die lid is van het Europees Parlement. Er is nog een tweede leider, Roope Malinen. Hij heeft geen officiële functie, maar zijn blog is de populairste van Finland. Het is onduidelijk wat de Ware Finnen precies beogen, behalve dat ze tegen buitenlanders en tegen immigratie zijn. De Ware Finnen hebben een eufemisme voor racisten bedacht. Beschuldigingen dat ze racistisch zijn ontkennen ze met klem en ze noemen zich '*maahanmuuttokriitikot*', critici van immigranten. Onze bevolking vergrijst, het geboortecijfer is laag en zonder immigranten die hier werken en belasting betalen, kunnen de pensioenen van onze gepensioneerden niet meer betaald worden. Het antwoord van de Ware Finnen: Finse vrouwen moeten meer kinderen krijgen, op grond van hun patriottische plicht.

Afgezien daarvan is hun programma niet duidelijk. Ze beogen een terugkeer naar de traditionele Finse waarden. Ik weet niet wat traditionele Finse waarden zijn, en ik denk niet dat iemand anders dat wél weet.

Ware Finnen geloven dat de overheid moet beslissen wat goede kunst is om voor overheidssubsidie in aanmerking te komen. Ze beschouwen de negentiende-eeuwse Finse klassieke werken als het ideaal. Ze doen fantastische beloften om de welvaart te spreiden, die ze nooit kunnen waarmaken. Ze willen uit de EU vertrekken. Hun retoriek doet me denken aan de vroege nazipropaganda. Zoals ik Kate ook heb verteld, zijn de Ware Finnen een fanatiekere variant van de Amerikaanse Tea Party.

De Ware Finnen hebben een razendsnelle opmars gemaakt omdat de wereldwijde financiële crisis, in combinatie met de hebzucht van onze eigen vooraanstaande kapitalisten – ondanks gemanipuleerde statistieken dat we de sterkste economie ter wereld zijn, zodat de wereld is gaan geloven dat Finland een soort financieel paradijs is –, onze economie in het verval heeft gestort. Bijna twintig procent van de Finnen leeft nu onder de armoedegrens. Hun banen worden via outsourcing naar andere landen geëxporteerd. De inflatie is hoog, de lonen zitten op de nullijn. De mensen zijn bang, en ze richten die angst op de immigranten, die ze overal de schuld van geven.

Ik geloof niet dat ze werkelijk de Ware Finnen willen steunen. Ik denk dat ze doodsbang zijn en zich tegen het establishment keren, dat hen in deze positie heeft gebracht. Ik wilde op de hoogte blijven van de fratsen van de Ware Finnen omdat hun meningen voortdurend veranderden, wat me amuseerde. Maar echt grappig is het niet, want omdat de andere partijen veel kiezers verliezen aan de Ware Finnen, proberen ze het tij te keren door hun standpunten aan te passen. Keskusta, een middenpartij, koos de slogan *'Maassa maan tavalla'* – 'Pas je gedrag aan het land aan' – maar maakte de bekende zegswijze niet af: *'tai maasta pois'* – 'of verlaat het land'. Haat, gericht tegen buitenlanders.

Ruutio is een charismatisch figuur, die het imago heeft van een aardige kerel met sterke, zij het ietwat verwarde overtuigingen. Hij houdt zich verre van discussies over immigratie en vreemdelingen. Malinen schrijft goed. In zijn blog weet hij racistische gedachtekronkels als redelijke meningen over te brengen. Hij kan vooral zijn haat goed formuleren. In een echt gesprek weet hij bijna geen woord uit te brengen, en wat er toch nog uit zijn mond komt is agressief, verdedigend en vaak onbegrijpelijk. Uit interviews ontstaat de indruk dat hij een maniak is die dringend medicijnen nodig heeft. Ruutio doet alsof hij zich van Malinen en zijn extremisme distantieert, maar in werkelijkheid werken ze samen. Geen van beiden kan zonder de ander.

De volgende dag sliep ik lang door en werd ik door de deurbel gewekt. Het was Valentijnsdag. Een rechercheur overhandigde me een dikke envelop, een pak dossiers over drugsdealers en hun plannen. Er zat een briefje voor mij bij. De onuitgesproken boodschap: je bent met ziekteverlof, maar doe wat je wilt. Nadat ik wakker was geworden en koffie had gedronken, belde ik Milo en vroeg hem om langs te komen. Ik wilde niet over de telefoon overleggen, omdat de onze waarschijnlijk afgetapt werd.

Kate was bepaald niet blij om Milo's gezicht te zien op Valentijnsdag, op de tweede dag van mijn ziekteverlof. Hij zag eruit alsof hij een kater had. De zwarte kringen rond zijn ogen waren opgezet, zijn ogen bloeddoorlopen.

Ik gaf hem de envelop. 'Dit is mogelijk materiaal voor overvallen. Je kunt ze naar eigen goeddunken uitvoeren. Maar je mag geen risico's nemen. Als je roekeloos te werk gaat en iemand daardoor iets aangedaan wordt, stuur ik je de laan uit.'

Ik zou maar al te graag zelf gaan. Hij is goed in geheime operaties. Degelijk. En hij is handig met deursloten; in minder dan een minuut kan hij een gemiddelde deur openen. Ik kan nog het nodige van hem leren. Ik wil niet weten hoeveel inbraken ter bevrediging van zijn voyeuristische verlangens hij heeft gepleegd om zo'n grote vaardigheid te kunnen bezitten.

Uitdagend stak hij zijn kaak naar voren. 'De baas wilde me bij dit team hebben. Je kunt me niet ontslaan.'

'Daag me niet uit.'

Hij stemde geïntimideerd in. 'Laat maar. Ik ben niet van plan roekeloos te werk te gaan.'

'Mooi.' Ik gaf hem een hint om te vertrekken. 'Hou me op de hoogte.'

'Ik zal alles op een rijtje zetten, zodat we meteen spijkers met koppen kunnen slaan als je terug bent. Ik wil een "welkom terug"-feest voor je geven. Lijkt dat je iets?'

Ik liet de glimlach zien die ik in de spiegel had geoefend. 'Natuurlijk. De datum bepalen we later nog wel.'

Hij grijnsde tevreden. 'Geweldig. Dat feest wordt echt een superknalfuif.'

De schijn ophouden. Net doen alsof je iets voelt, alsof het je kan schelen. Zonder emoties heeft het leven geen betekenis. Ik heb een levensles geleerd door mijn verlies. Niets heeft een intrinsieke betekenis. We geven de dingen die belangrijk voor ons zijn betekenis. Het lijkt andersom te zijn, namelijk alsof dierbaren, materiële bezittingen waarvan we genieten en wat we als onze successen beschouwen ons leven betekenis geven. Maar zo is het niet. Die dingen hebben betekenis omdat we er een emotionele betekenis aan verleend hebben. Door onze emoties blijven we lopen, praten, functioneren, ons inspannen.

Ik beloofde mezelf dat ik mijn leven zou blijven leiden alsof ik emoties voelde, in de hoop dat ik ze op een dag weer zou voelen. Ik beloofde mezelf dat ik niet zou vergeten dat ik zelf weliswaar geen emoties voelde, maar dat anderen die wél voelden, en dat die emoties belangrijk bleven. Ik zou niet vergeten dat de belangrijkste dingen in het leven buiten mijn eigen innerlijk lagen. Ik moest mijn plichten vervullen, of ik er nu betekenis in zag of niet.

Maar ik functioneerde zuiver en alleen op verlangen, alsof ik een kind was. Dat betekende dat er nog enige emotie in mij over was, alleen het was een basale, bijna dierlijke, primitieve emotie. Ik probeerde die te onderdrukken. Maar de kinderlijkheid die nu een deel van me was, gaf me een vertekend besef van goed en kwaad. Die was daar niet in geïnteresseerd. Ik moest me wapenen tegen dat deel van mezelf, ervoor oppassen en het onderdrukken. Ik besefte dat ik moest proberen te handelen via de herinnering aan emoties. Op die manier kon ik in elk geval naar buiten toe dezelfde persoon blijven als voor de operatie.

Vroeg in de middag ging Kate naar de supermarkt. Anu sliep. Ik had beloofd die avond te koken en zou *linguine alla carbonara* maken. Zoiets als zoute Amerikaanse bacon is pas sinds een paar jaar verkrijgbaar in Finland, en daarom is carbonara een relatief nieuw gerecht voor me. Bacon, ik ben er dol op.

Ik hinkte op krukken door de kamer met een krant onder mijn arm om die op de bank te lezen. Opeens gebeurde er iets vreemds: ik werd duizelig en licht in mijn hoofd. Ik kreeg het benauwd op mijn borst. De wereld leek te vertragen. Ik zakte in elkaar. Een paar minuten later kwam ik weer bij kennis, languit op de grond liggend. Het maakte me bang.

Ik volgde mijn eerste aandrang en belde Jari. Hij zei dat ik een insult had gehad en dat ik vooral kalm moest blijven. Vooral in de eerste week na de operatie kon dit eenmalig voorkomen. Voor alle zekerheid moest ik echter met anti-insultmedicijnen beginnen, en afhankelijk van het verloop mocht ik drie tot zes maanden niet autorijden, in plaats van de standaardperiode van een maand na een niet-problematische verwijdering van een hersentumor.

Ik verwierp dat idee automatisch. Ik wilde mijn vrijheid terug, mijn auto. Ik zei tegen hem dat als het nog een keer zou gebeuren, ik de medicijnen zou innemen, maar dat ik eerst wilde afwachten. Hij zei dat dat in orde was.

Maar ik was bang om Anu op te pakken uit angst dat ik een insult zou krijgen terwijl ik haar met me meedroeg. Kate zou zo meteen thuiskomen, dus ik moest snel iets verzinnen.

Me voortbewegen was al moeilijk genoeg. Ik had een babydrager die aan de voorzijde paste, tegen mijn borst. Ik zette haar erin en liep zo op krukken rond. Ik kon gewoon niet geloven dat dit mij was overkomen. Eerst had ik elk gevoel voor mijn eigen kind verloren en nu was ik bang om haar op te pakken.

Mijn eerste idee uitvoerend belde ik Arvid en legde de situatie uit, zonder te vertellen dat ik geen gevoelens meer bezat, en zei tegen hem dat ik niet wilde dat Kate te weten kwam dat ik een insult had gekregen, want dan zou ze erop staan dat ik de medicijnen innam.

Het leek me niet echt goed te lukken Kate altijd volledig de waarheid te vertellen.

'Kun je hierheen komen en een paar dagen blijven?' vroeg ik.

'Wat heeft dat voor nut, en met welke smoes?'

'Het heeft nut omdat ik niet met de baby op de grond wil vallen. Jij moet haar voor me dragen. Als smoes zeg je dat je in Helsinki was en zomaar besloot om langs te komen. Je lijkt somber, dus ik nodig je voor het avondeten uit. Je neemt de uitnodiging aan, en later doe je net alsof je op de bank in slaap valt. Je bent tenslotte een oude man.'

'Ik betwijfel of ik net alsof hoef te doen,' zei hij. 'Ik ben nu eenmaal een oude zak. Ik val heel vaak in slaap.'

'Ik zal voorstellen dat je vannacht in het logeerbed slaapt. En morgenochtend vertrek je gewoon niet. Je helpt me door de baby voor me te dragen, en ik wijs erop hoeveel gemakkelijker het leven daarmee voor me wordt. Ik zeg dat je waarschijnlijk eenzaam bent, dat je net je vrouw bent verloren na een huwelijk van vijftig jaar.'

Ik wachtte op een reactie, maar die kwam niet. Ik had dat laatste niet moeten zeggen. Het sneed dwars door zijn ziel. Hij was zo eenzaam en verdrietig dat het ondraaglijk was. Daarom belde hij me zo vaak op.

'Ik kan wel een paar dagen vrijmaken,' zei Arvid. 'Maar hoe zit het dan met de kleren die ik moet meenemen? Ik kan niet met een koffer aan de deur verschijnen.'

'Als het duidelijk wordt dat je blijft logeren, stuur ik een van de jongens langs om spullen voor je op te halen.'

'Oké. Het duurt niet lang. Ik kom met de taxi.'

'Waarom? Een taxi kost honderd euro.'

'Ik was toch al van plan om langs te komen. Ik heb wat spulletjes voor de baby en die kan ik niet naar de bushalte dragen.'

'Wat aardig van je om aan haar te denken. Ik betaal de rekening.'

'Geen sprake van.' Hij hing op.

Kate kwam thuis met een vracht boodschappen. Nadat ze die had opgeborgen, zei ik: 'Ik heb een valentijnscadeau voor je.'

Ze glimlachte. 'Ik heb er ook een voor jou, maar ik wilde tot na het avondeten wachten om ze aan elkaar te geven.'

Ik had alles gepland en al weken geleden cadeautjes gekocht, die ik aan haar wilde geven op een moment dat we nog met elkaar alleen waren, voordat Arvid kwam. Ik liet de glimlach zien die ik had geoefend. 'Ik doe het liever nu.' Ik hobbelde naar de slaapkamer om het geschenk uit de geheime bergplaats in de garderobekast te halen en kwam terug met een pakje in cadeaupapier.

Ze had twaalf witte rozen in haar handen. 'Gewoon als blijk van mijn liefde,' zei ze. 'Ik heb nog iets voor je, maar dat is fysiek van aard. Je zult er nog even op moeten wachten, zodat je je er alvast op kunt verheugen.'

Een pijpbeurt. Zo ongeveer het zorgzaamste cadeau dat ze me op dit moment kon geven. Sinds de operatie had ik het gevoel dat als ik het niet kon eten, drinken of neuken, ik het niet wilde.

Mijn knie deed pijn. We gingen op de bank zitten. Ze maakte haar cadeautje open. Een Kalevala-halsketting met een zilveren eikenblad en bijpassende oorbellen.

Ik legde de ketting om haar hals. Ze ging voor de spiegel in de hal staan en deed de oorbellen in. 'Ze zijn prachtig,' zei ze. 'Verfijnd en vrouwelijk, maar met een Vikinguitstraling.'

'Traditionelere Finse oorbellen zul je niet vinden. Kalevala-sieraden zijn gebaseerd op oude Noord-Europese ontwerpen, gecombineerd met moderne designs.'

De deurbel ging. Kate deed open. Arvid stond voor de deur met de taxichauffeur, die hem had geholpen een berg pakjes de trap op te dragen. De chauffeur vertrok.

Arvid stak zijn hand uit naar Kate. 'Ik ben Arvid Lahtinen. Ik heb al zoveel over u gehoord, en het is me een genoegen eindelijk kennis met u te kunnen maken.'

'Dat is wederzijds. Kari heeft alleen maar goede dingen over u verteld.' Kate gebaarde naar de stapel pakjes in cadeaupapier. 'Wat is dat allemaal?'

Hij lachte verlegen. 'Wat spulletjes voor de baby, voor Anu.'

Ik kon ze niet helpen. Arvid en Kate zetten de pakjes midden in de woonkamer op de vloer.

'Fijn je te zien, Kari,' zei Arvid. 'Je ziet er goed uit. En ook jonger. Zonder dat litteken zie je er iets minder als een schurk uit.'

'Dat is vriendelijk opgemerkt van je.'

Kate zei ook dat ik er jonger uitzag. Het litteken was niet helemaal weg, maar wel bijna. De huid was glad, maar er was nog een lichte rode verkleuring, die nauwelijks zichtbaar was. De chirurg zei dat het resultaat zelden zo goed was. Verder was ik al een paar maanden niet meer naar de sportschool geweest. Ik was ook minder breed.

'Maak de dozen maar open,' zei Arvid.

Kate en ik stonden versteld. Er zaten kleertjes in verschillende maten in, waarmee Anu zeker een jaar toe kon. Verder een antieke muziekmobiel, versierd met houten fantasiedieren. Een Jumperoo. Een verzameling speelgoedbeesten. Alles van gerenommeerde merken, het beste van het beste. Toen we het laatste pakje hadden geopend, haalde Arvid er nog eentje uit zijn jaszak en gaf dat aan Kate. Er zat een zilveren doosje in met Anu's naam en geboortedatum erop gegraveerd. Het was bestemd om Anu's babytandjes in te bewaren. Arvid had hieraan zeker duizend en misschien wel tweeduizend euro uitgegeven. Ik was overdonderd. Kate had tranen in haar ogen. Die oude man wist hoe hij indruk moest maken.

Hij was overigens negenentachtig, niet negentig zoals hij meestal beweerde. Uit zijn geheime politiedossier, dat ik las toen hij verdachte was in een moordonderzoek, wist ik dat hij op 3 maart negentig zou worden. Maar afgaande op zijn uiterlijk en bewegingen zou je zeggen dat hij een verzorgde man van in de zeventig was. Ondanks zijn gevorderde leeftijd was hij reuze scherpzinnig en had hij een goed gevoel voor humor. We gingen met zijn drieën zitten om koffie te drinken en *pulla* te eten, zoete broodjes, gekruid met kardemom. Hij vroeg of hij Anu mocht vasthouden en terwijl we praatten, was hij met haar aan het paardjerijden op zijn knie. Hij vertelde verhalen over zijn leven en zijn reizen. Hij was sociaal vaardig en sprak te veel noch te weinig. Hij wond Kate helemaal om zijn vinger met zijn charmes. Als hij vijftig jaar jonger was geweest, had ik hem niet met haar in dezelfde kamer alleen gelaten.

Met een flinke schreeuw, gevolgd door gegiechel, gaf Anu te kennen dat haar luier verschoond moest worden.

Toen we alleen waren, vroeg ik hoe Arvids vier katten gevoerd moesten worden terwijl hij bij ons logeerde.

'Dat hoeft niet,' zei hij.

Het was moeilijk voor te stellen dat hij ze had weggegeven, nadat zijn vrouw Ritva nog maar een paar weken geleden was overleden. Ze waren het enige gezelschap dat hij nog had, en ze waren heel wat jaren bij hem en Ritva in huis geweest.

'Hoezo?' vroeg ik.

'Ze treurden om Ritva en miauwden voortdurend. Heb je ooit het verhaal "Het verraderlijke hart" van Edgar Allan Poe gelezen?'

'Ja.'

'Zo voelde het. Ze bleven maar om haar jammeren. Ik werd er helemaal gek van. Ik kon ze niet weggeven. Ze waren van Ritva. Dus uiteindelijk heb ik ze in een jutezak gestopt en ze in de badkuip verdronken. Afgezien van de hulp die ik Ritva heb geboden om te sterven, was dat het moeilijkste wat ik ooit heb gedaan.'

En hij heeft in de oorlog honderden mannen gedood, dus dat zegt nogal wat. Arvid moet wel de meest meedogenloze man zijn die ik ooit heb ontmoet. Het beeld dat bij me opkwam was ronduit weerzinwekkend. De katten die naar adem snakkend kronkelen terwijl hij ze onder water houdt. Luchtbellen uit hun leeglopende longen stijgen op naar het wateroppervlak, totdat ze uiteindelijk verslappen.

'Ik heb een houten grafkist gemaakt,' zei hij, 'en die in de sneeuw ingegraven. In het voorjaar, als de grond zachter wordt, zal ik achter het huis een graf voor ze graven.'

'Waarom heb je al die spulletjes voor Anu gekocht?' vroeg ik.

'Ik heb je al verteld dat je volgens mij een goede jongen bent. Je doet me denken aan je grootvader, beste vriend. Ik wilde gewoon iets aardigs doen.'

'Dat was meer dan aardig.'

Hij glimlachte alleen maar.

Zonder dat ik haar daartoe aanzette, vroeg Kate een tijdje later aan Arvid of hij wilde blijven eten. Hij speelde zijn rol goed en deed Anu zelfs een keer behendig een schone luier om. Hij zei tegen Kate dat hij en Ritva twee zoons hadden, die allebei waren overleden voordat ze volwassen waren. De een aan kanker, de ander bij een auto-ongeluk. Toen hij dat vertelde, kreeg ze tranen in haar ogen. Nadat we na de maaltijd met een glas cognac nog wat hadden gepraat, ging het zoals Arvid had gezegd. Hij soesde langzaam weg. Het was een veel drukkere dag voor hem geweest dan hij gewend was. Ik maakte hem voorzichtig wakker en vroeg of hij de nacht in het logeerbed wilde doorbrengen. Hij knikte bevestigend, wist Anu's kamer te bereiken en sliep weer binnen een paar minuten.

Voordat we naar bed gingen, vroeg ik Kate of ze het goedvond als ik Arvid uitnodigde een paar dagen bij ons te blijven.

'Waarom?' vroeg ze.

'Omdat hij eenzaam is, en omdat hij met wat gezelschap de dood van zijn vrouw eerder zal kunnen verwerken. Ze zijn vijftig jaar samen geweest. Hij heeft enorm veel verdriet.'

'Daar is hij veel te trots voor. Je kunt dat niet tegen hem zeggen.'

'Ik kan zeggen dat hij me met Anu kan helpen en dat jij op die manier wat meer vrijheid hebt, en dat zou de waarheid zijn. Het is lastig om Anu te dragen terwijl ik op krukken loop.'

'Is hij echt een massamoordenaar?' vroeg ze.

'Ja.'

'Hij is heel sympathiek en gaat heel leuk met Anu om, maar toch heeft hij in koelen bloede een man vermoord in een restaurant dat onder mijn leiding staat. Ik vermoed dat hij een charmante psychopaat is. En nu slaapt hij in ons huis. Wat een bizarre situatie. Ik heb daar wel wat... bedenkingen bij.'

'Hij doodt alleen Russen, geen baby's. Zelfs geen Russische baby's,' zei ik.

Die grap, gecombineerd met de vreemde situatie, maakte haar

aan het giechelen. 'Een paar dagen,' zei ze. 'Ik wil geen permanente logé.'

'Bedankt.'

Ze kuste me en gaf me mijn cadeau voor Valentijnsdag.

9

De volgende ochtend vroeg ik Arvid in het bijzijn van Kate omstandig of hij een paar dagen bij ons wilde logeren. Na een paar weigeringen voor de vorm ging hij aarzelend akkoord.

Sweetness was die dag mijn chauffeur. Eerst een rit naar het NBI-hoofdkantoor om zijn sollicitatieformulier in te vullen, dan naar Arvids huis om kleren op te halen en vervolgens naar mijn fysiotherapie, waar ik een enorme hekel aan had vanwege de pijnlijke oefeningen.

We namen Sweetness' auto, een Toyota Corolla uit 1998 met bijna twee ton op de teller. Hij had net leren autorijden. Milo had in de computers van het rijbewijzenregister ingebroken en een rijbewijs voor hem gecreëerd. Sweetness was apetrots geweest toen hij het had ontvangen. Als je alle lessen die voor een rijbewijs noodzakelijk zijn – overdag rijden bij normaal weer, rijden in de winter, rijden in het donker et cetera – moet volgen, ben je behoorlijk wat tijd kwijt, en voordat alles geregeld is, ben je een paar duizend euro verder. Arme mensen kunnen geen rijbewijs betalen. De auto was van zijn vader geweest, maar omdat die een lange celstraf wegens moord uitzat, kon die hem niet gebruiken.

Hij haalde me voor ons huis op. Het was lastig om op krukken over het ijs zelfs maar van onze trap naar zijn auto te lopen. We reden weg en sloegen scherp links af, Helsinginkatu op. We stopten voor een rood licht bij Vaasanaukio – het Vaasa-plein, dat vaak Piritori wordt genoemd, Speedplein – omdat het een beruchte verzamelplek is van de zuipschuiten en drugsverslaafden die in Sörnäinen, niet ver van ons huis, rondhangen.

Alcohol is de belangrijkste doodsoorzaak in Finland. Volgens de statistieken hebben we ondanks ons geringe aantal inwoners meer heroïnegebruikers dan de overige Noord-Europese landen bij elkaar. Ik weet niet of dat waar is of dat we als echte cijferfetisjisten de statistieken beter bijhouden dan de andere landen in de regio. We hebben ook problemen met verslaafden aan amfetamine en kalmeringspillen. En ongeveer een kwart van de Finnen gebruikt antidepressiva, of heeft die gebruikt. Uit onderzoek blijkt dat depressies nog altijd veel te weinig behandeld worden. Wat is er toch met dit land aan de hand, dat zovelen van ons vergetelheid zoeken en zich ellendig voelen?

Vanwege de kou is het 's winters rustig op het plein. Min tien en een briesje die ochtend, maar volop leven in de zomer. Junks en dronkenlappen hangen er rond en drinken bier, naar gettoblasters luisterend. De politie is vaak aanwezig met geparkeerde busjes om de boel in de gaten te houden, maar bemoeit zich meestal nergens mee zolang er geen geweld wordt gebruikt. De ene kant van het plein wordt gedomineerd door een grote S-market-supermarkt. Aan de overkant is een metrostation met op de hoek een seksshop die Seksipiste – het Sekspunt – heet. Die zit daar al jaren. Ik zie er nooit iemand naar binnen of naar buiten gaan. Het grootste deel van de business zal wel via het internet plaatsvinden.

Kate en ik doen vaak boodschappen in de S-market. Het is interessant te zien hoe snel we ons aan van alles in het leven aanpassen. De junks vallen ons niet lastig en worden eigenlijk onzichtbaar, tenzij ze ruziemaken of overlast veroorzaken. Zoals zo vaak in Helsinki leven de middenklasseburgers en zelfs de rijken vlak bij het uitschot.

Naast de S-market is een geldautomaat in de muur. Een verwaarloosd ogend meisje stak haar kaart in de gleuf. Het apparaat gaf haar kaart terug, in plaats van geld te geven. Een jonge man in een zwart bomberjack en met een opgezet alcoholisch gezicht sloeg haar. Ik zei tegen Sweetness dat hij op het plein moest stoppen. We keken toe.

Het uitgemergelde wicht had slechts een versleten jas aan, had kleine oren en een laag voorhoofd, puntige tandjes in een vieze rode mond en zweren op haar gezicht. Door crystal meth of heroïne was er nog maar weinig van haar over. Het leek er sterk op dat ze dope van hem wilde kopen.

De man zag er aapachtig uit en in zijn gemene ogen stond een wazige blik. Ze probeerde iets te zeggen. Hij greep haar bij haar korte vuile haar en trok haar hoofd heen en weer. Ze gleed uit, viel op het ijs en begon te snikken.

Optreden was noodzakelijk. Zelf kon ik niets doen. 'Sweetness,' zei ik, 'ga daarheen en geef die vent een knal tegen zijn kanis. Raak hem goed.'

'Oké, pomo.'

Hij stak zijn hand in zijn jaszak, haalde er een heupfles uit, nam een flinke slok en stopte hem weg. Ik keek op mijn horloge. Kwart voor elf.

Sweetness banjerde naar de overkant. De aapachtige man lette niet op hem. Ik rolde mijn raampje omlaag en luisterde. Sweetness trof hem met een bliksemsnelle rechtse hoek. Het ging zo snel dat ik het gezien zijn lengte voor onmogelijk had gehouden. De aap klemde woedend zijn tanden op elkaar. Ik hoorde de beide kaakhelften breken. Zijn mond hing op een vreemde manier omlaag. Het bloed spoot uit zijn mond als water uit een gebarsten ballon.

Toch wist hij op de been te blijven. De tanden vlogen de straat op. Hij spuwde een paar bruggen uit.

Hij kokhalsde omdat hij een tand inslikte, die in een verkeerd keelgat kwam. Hoestend en proestend spuwde hij de tand uit en begon met een vragende blik op zijn gezicht te jammeren. Hij boog zich voorover met zijn handen op zijn knieën. Het bloed droop in een stroompje uit zijn mond en vormde een plasje op het ijs voor zijn voeten.

Sweetness gaf hem nog een oplawaai. Een vuistslag die recht op zijn gezicht was gericht. De voortanden van de aapachtige braken uit zijn mond. Zijn neus was platgeslagen. Hij vloog achterover tegen de geldautomaat aan en zakte in elkaar.

Ik riep Sweetness. 'Doorzoek zijn zakken.'

Sweetness pakte zijn portemonnee. Dope in pakjes van acht bolletjes. Een stiletto.

'Zit er geld in de portemonnee?' vroeg ik.

Hij pakte hem op en telde het geld. 'Driehonderdzestig.'

'Geef alles aan het meisje, behalve de stiletto en de portemonnee. Gooi die in een afvalbak.' Zo dwongen we de aapachtige tot een hoop moeite en kosten om zijn pasjes en identiteitskaart te vervangen.

Het uitgemergelde wicht griste de drugs en het geld weg zonder dankjewel te zeggen, zo snakte ze naar een shot. Zo zijn gewonde dieren. Ze rende het metrostation in.

Sweetness stapte in de auto en nam weer een slok, waarna we wegreden.

'Jij bent snel,' zei ik. 'Heb je geoefend?'

Hij grijnsde. 'Nee, dat is een van mijn natuurlijke talenten.'

We reden een tijdje in stilte door de straten. Er rolde iets heen en weer onder mijn stoel. Aan het geluid te horen was het een fles drank om de heupfles gedurende de dag aan te vullen.

'Hoeveel drink jij?' vroeg ik.

Hij haalde zijn schouders op. 'Dat hou ik niet bij.'

'Drink je al lang zoveel?'

'Meer sinds mijn broer is vermoord. Het gaat er niet om dat ik graag dronken word. Ik voel me er alleen rustiger door.'

Sweetness is een van die zeldzame gasten bij wie je nooit weet wanneer ze dronken zijn: ze praten nooit met dubbele tong en hun blik blijft helder. Hij lijkt altijd nuchter. Hij reed snel en manoeuvreerde met kalme precisie op de verijsde wegen door het verkeer. Ik zei niets en wilde er nog even over nadenken. Het maakte trouwens niet uit wat ik zei. Ooit zou er een moment komen waarop hij moest kiezen of hij zichzelf helemaal de vernieling in zou helpen of toch een leven wilde opbouwen.

Op het NBI-hoofdbureau in Vantaa vulde hij het sollicitatieformulier voor een baan als taalkundige in. Hij kreeg de baan via vriendjespolitiek, maar het was geen bedrog.

Ons team had echt een taalkundige nodig die precies zijn kennis en vaardigheden bezat om de elektronisch afgeluisterde gesprekken van buitenlandse criminelen te vertalen. Hij kent alleen geen Nederlands. We konden best iemand gebruiken die die taal spreekt, omdat er zoveel wiet en xtc uit Amsterdam komt. Nadat we dit afgewikkeld hadden, reden we naar Arvids huis. Zijn Toyota zouden we niet meer nemen. De schokbrekers waren versleten, en bij elke hobbel in de weg trok er een hevige pijnscheut door mijn knie. Ik heb een Saab 9-5, model 2007, waar ik dol op ben. Daar zouden we voortaan in rijden.

Onderweg vroeg ik hem naar zijn plannen om een opleiding te volgen. Omdat hij nu NBI-medewerker was, hoefde hij niet naar de politieacademie in Tampere. Hij kon hier blijven en aan de universiteit van Helsinki of een technische hogeschool gaan studeren.

'Ik heb een baan,' wierp hij tegen. 'Waarom zou ik dan nog een opleiding volgen?'

'Dat was onze afspraak toen ik je aannam. Ik verwacht dat je een diploma haalt. Maar wat je gaat studeren, is verder jouw zaak.'

'Kan me niet schelen,' zei hij. 'Zoek jij maar wat voor me uit.'

Opeens snapte ik het. Hij zou zich aanmelden voor de studie die ik voorstelde, maar voor het toelatingsexamen zakken, waarna hij kon beweren dat hij het toch echt geprobeerd had.

'Nee,' zei ik. 'Het is jouw leven, en het werk dat we nu doen, blijft niet eeuwig. Jij beslist zelf en gaat keihard studeren voor het toelatingsexamen. Als je geen opleiding volgt, kun je niet voor me werken. Einde verhaal.'

Nu werd hij kwaad. Hij sprak een uur lang geen woord meer tegen me.

Nadat we Arvids kleren hadden opgehaald, vroeg ik hem of Milo hem had geleerd met computers om te gaan. 'Nee. Ik blijf liever bij hem uit de buurt als het kan. Hij scheldt me uit, maakt mijn manier van praten belachelijk en zegt dat ik stom ben. Ik ben niet stom.'

Sweetness spreekt met een Oost-Helsinkisch accent en gebruikt veel slang uit die buurt. Soms snap ik niet wat hij zegt. Helsinki is wat dat betreft eigenaardig. De dialecten verschillen zo sterk dat je vaak tot op een kilometer nauwkeurig kunt bepalen waar iemand vandaan komt. Het dialect van Oost-Helsinki is overduidelijk van de lagere klasse.

'Ik pik die praatjes echt niet veel langer van hem,' zei Sweetness.

'Wil je dat ik hem erop aanspreek?'

Hij lachte spottend. 'Pomo, ik kan heel goed voor mezelf opkomen.'

'Maar takel hem niet zo toe als die drugsdealer van daarnet.' Ik was nieuwsgierig. 'Deed dat je iets?' vroeg ik.

'Neu, hij verdiende het. Het liet me hartstikke koud.' Hij veranderde van onderwerp. 'Milo heeft me het een en ander over observeren geleerd. Ik heb een paar mooie foto's voor je.'

'Ik had gezegd dat je in de auto en uit het zicht moest blijven.'

'Milo zei dat dat nonsens was en dat ik moest leren om – wat zei hij ook alweer? – steels te werk te gaan. Ik moet zeggen dat hij gelijk had. Ik heb een paar geweldige foto's.'

Na de fysiotherapie bracht Sweetness me naar huis, en ik nodigde hem uit met ons mee te eten. Het leek wel alsof we naar een varken bij de trog zaten te kijken. Hij at razendsnel, bleef met een leeg bord zitten kijken totdat we genoeg hadden en schraapte de pannen die nog op het fornuis stonden helemaal leeg. Waarom had ik het idee dat mijn relatie met Sweetness op die van Henry Higgins en Eliza Doolittle in *My Fair Lady* ging lijken?

10

Donderdag 18 februari. Negen dagen sinds mijn hersentumor verwijderd was. Ik was een enorme geluksvogel. Mijn hoofdpijn was verdwenen. Ik had geen last van veelvoorkomende fysieke bijwerkingen. Geen zwakte of problemen met mijn motoriek of coördinatie. Geen spraakproblemen. Geen verdere insulten. Geen psychische gebreken. Integendeel zelfs. Ik merkte dagelijks dat mijn verstandelijke vermogens en geheugen verbeterden. Maar ik had nog steeds geen gevoelens.

Mijn ziekteverlof van een maand was nog niet voorbij. Dat verliep overigens niet zoals Kate en ik het ons hadden voorgesteld, als een rustige tijd met elkaar, wij met zijn tweeën en ons kind. Milo en Sweetness liepen ons voortdurend voor de voeten. Arvid wist daarentegen hoe hij zich onopvallend moest gedragen. Kate begon hem steeds meer te mogen. Hij zat meestal in zijn eentje naar muziek op zijn mp3-speler te luisteren, zorgde voor Anu, deed boodschappen en kookte vaak. Hij was een uitstekende kok en leerde Kate veel over de traditionele Finse keuken. Omdat hij veel over de wereld had gereisd, sprak hij goed Engels.

Sweetness speelde voor chauffeur en bracht me driemaal per week naar fysiotherapie. Verder kwam hij zo'n beetje om de tien minuten langs om te kijken of we iets nodig hadden. 's Nachts observeerde hij prominenten. Hij kocht een goede camera. Trots liet hij me zijn gefilmde overwinningen zien. Hij had een close-up van Hanna Nykyri, hoofd van de Sociaaldemocratische Partij, met een pik in haar mond. Uit een minder ver ingezoomde opname bleek dat die pik niet aan haar man toebehoorde. Hij had een foto van Daniel Solstrand, de minister van Buitenlandse Zaken, met een pik in zijn mond. De eigenaar van die pik leek minderjarig. Sweetness had foto's van de nationale politiecommandant en de minister van Binnenlandse Zaken met een reeks vrouwen, werkelijk een hele schare aan lekkere meiden.

De minister, Osmo Ahtiainen, is een corpulent varken dat niet kieskeurig is als het om zijn liefjes gaat. In een video was de dikke minister te zien terwijl hij op een vrouw lag met een postuur als een bootwerker. Met een afstandsbediening zette ze een andere tv-zender op. Het geluid stond uit. Hij merkte het niet. Hij kwam piepend en grommend klaar. Ze deed net alsof ze tegelijk met hem klaarkwam en gaf hem een klopje op zijn rug, alsof ze zei: 'O, schatje, je bent geweldig.'

Toen we op een ochtend alleen waren, had ik een gesprek met Arvid. Ik vroeg hem of hij onze boekhouder wilde zijn, omdat Jyri wilde dat er een administratie werd bijgehouden. 'De moord waarvan je wordt beschuldigd valt onder de Nationale Veiligheidswet,' zei ik. 'Als ik gepakt word en jij de boekhouding hebt, kan die niet tegen mij worden gebruikt.'

'Je zult niet worden gepakt, om de simpele reden dat corruptie bij de politie in elk geval in het publieke bewustzijn zo zeldzaam is dat het geen factor van betekenis is, en daar komt bij dat jij de beroemdste politieman van het land bent, dus niemand zou het geloven. Je zou net zo goed kunnen proberen de mensen ervan te overtuigen dat Jezus pedofiel was.'

Dat is waar. Sinds ik in diensttijd tweemaal ben beschoten en beide malen wegens betoonde moed ben onderscheiden – vooral omdat Milo en ik een eind hadden gemaakt aan een schietpartij op een school en in de pers werden bejubeld nadat we de levens van de kinderen hadden gered – ben ik een landelijk gerespecteerd persoon.

'Maar ik doe het natuurlijk wel,' zei hij. 'Het lijkt me leuk. Ik zal de administratie met een code uit de oorlog bijhouden, en die zal ik jou leren; dan wordt het weer net als vroeger.'

Arvid had het grootste deel van de oorlog doorgebracht in Valpo, onze geheime politie in die periode.

Daarna bracht ik het onderwerp ter sprake waarover ik het echt wilde hebben, en ik vertelde Arvid dat ik gevoelloos was geworden en geen enkele emotie meer voelde. 'Ik ben bang dat ik de schijn niet zal kunnen ophouden en dat het me mijn huwelijk gaat kosten,' zei ik, 'of ik zal op zeker moment een beoordelingsfout in mijn werk maken en iemand pijn doen.'

Ik had hem al over mijn geheime operatie verteld waarin we drugsdealers chanteerden en hun geld afpakten.

'Ik heb je al verteld dat jij het familiebloed hebt geërfd, jongen,' zei hij. 'Je bent een moordenaar; je hebt alleen de juiste rechtvaardiging nodig, zodat je de schijn kunt ophouden. Er zijn perioden in mijn leven geweest dat ik niets voelde. Het begon tijdens de Winteroorlog. Ik voelde geen angst, geen vreugde of ellende, geen schuld. Na verloop van tijd verdween dat, maar soms, als ik last heb van stress, word ik volkomen gevoelloos. Onze omstandigheden zijn verschillend, want jouw probleem is neurologisch van aard en ik heb last van een posttraumatisch stresssyndroom. Ik zeg alleen dat ik wel een idee heb van wat je doormaakt. Je houdt van je vrouw. Maar dat je dat op dit moment niet voelt, betekent niet dat het niet zo is. En wat die geheime operatie betreft, heb je jezelf een rad voor ogen gedraaid. Er zullen mensen sterven en dat wist je toen je die baan aannam. Misschien ben je beter af als je een tijdje niets voelt.'

Arvid was een mentor voor me geworden. Mijn eerste en ongetwijfeld ook laatste.

Hij is de enige man in mijn leven die ik zo diep vertrouwde en respecteerde dat ik bij hem de wijsheid zocht. Ik zei niets, maar bleef zwijgend zitten en probeerde te verwerken wat zonder twijfel de waarheid was. Hij klopte op mijn knie en liep naar de keuken om de vaat te doen. Hij liet me alleen met mijn gedachten.

Milo belde. Hij was observatieapparatuur en een nieuwe computer aan het bouwen en zei dat hij in zijn krappe flatje geen ruimte had om te werken. Hij vroeg of hij de ene helft van mijn eetkamertafel als werkbank kon gebruiken.

Hij woont in een schamel appartement waarin je nauwelijks je kont kunt keren. Wij hebben een enorme eettafel, en hij deed dit voor de groep. Het was moeilijk om nee te zeggen.

'Ga je een hoop rotzooi maken in mijn huis?'

'Nee. Ik hoef alleen de ene kant van de tafel een paar dagen te hebben.'

Een uur later stond hij voor de deur met dozen vol onderdelen. Hij begon die in de hoek op elkaar te stapelen. Het was een enorme berg. Het was duidelijk dat hij een enorme klerezooi ging maken in mijn huis. Arvid kwam de kamer binnen. Toen Milo hem zag, kwam er een blik op zijn gezicht alsof hij net het meisje van zijn dromen had gezien. Hij had dus een heimelijk motief voor zijn vraag om hier te mogen werken. Hij wilde Arvid ontmoeten.

Milo beschouwt zichzelf als een patriot bij uitstek en is gefascineerd door de rol van Finland in de Tweede Wereldoorlog. Hij leest alles wat los en vast zit over de Winteroorlog van 1939-1940, waarin Finland de Russen bij drommen afslachtte. Arvid is een van de grote helden van de Winteroorlog en heeft persoonlijk honderden Russen gedood. Ook heeft hij zes tanks vernietigd door ze met molotovcocktails te bestoken.

Milo stoof de kamer door, greep Arvids hand en begon die krachtig te schudden. 'Het is me een genoegen, meneer. Een grote eer. Als Fin wil ik mijn persoonlijke dankbaarheid voor uw moed en opofferingen uitspreken.'

Arvid trok met een zucht zijn hand los. 'In godsnaam zeg, geen geslijm.'

Milo's euforie was van korte duur. Hij had nog niet bedacht dat Arvid mogelijk helemaal niet zou genieten van de voortdurende kritiekloze bewondering van iedereen met wie hij in contact kwam. 'Het spijt me, meneer. Ik wilde gewoon...' kon hij alleen nog uitbrengen.

Arvid bespaarde hem een verdere vernedering. 'Het is al goed, til er niet te zwaar aan.'

Milo hield verder wijselijk zijn mond en begon zijn dozen uit te pakken.

Kate kwam binnen. Toen ze de troep zag, werd ze kwaad. 'Wat heeft dit in godsnaam allemaal te betekenen?'

Ik zei: 'Ik heb tegen hem gezegd dat hij hier kan werken, omdat zijn appartement zo klein is.'

Kate leek buitengewoon geïrriteerd. 'En wat ben je dan aan het bouwen, als ik vragen mag?'

Hij glimlachte, als was hij een kind in een snoepwinkel. 'Kun je nog een momentje wachten?' Hij pakte een langwerpig apparaat met draaiknoppen en schakelaars erop. Hij stak de stekker in het stopcontact en draaide aan een paar knoppen. 'Dit is een apparaat om afluisterapparatuur te detecteren,' zei hij. 'Het detecteert radiosignalen en datapakketjes om zenders op netstroom, telefoonzenders, videozenders, mobiele telefoons, tracking-apparaten en nog veel meer op te sporen. Je kunt er laagfrequente en infrarode laserapparatuur mee zoeken. Het vangt ook signalen van geavanceerdere apparaten op die slechts een moment lang uitzenden en je laten weten dat er een signaal gedetecteerd is; burst transmitters die informatie verzamelen en die in een fractie van een seconde doorsturen.'

'Je beseft hopelijk wel,' zei ik, 'dat je uitleg voor ons allemaal een halve minuut vol onbegrijpelijke technospeak was.'

De zwarte kringen rond zijn ogen plooiden zich vergenoegd. 'Sta me toe dit te demonstreren.' Hij liep de kamer rond met een ding dat leek op een reusachtige mobiele telefoon met een antenne en een overvloed aan knoppen. Toen hij in de buurt van Kates tas was, begon het ding steeds sneller te piepen naarmate hij dichterbij kwam. Hij vroeg haar of ze haar mobiele telefoon uit haar tas wilde halen. Constante pieptoon.

De deurbel ging. Het was Sweetness, die even kwam kijken of we iets nodig hadden.

Toen Milo bij hem kwam, begon het gepiep weer. En het werd sterker naarmate Milo dichterbij kwam. Milo stak zijn hand in Sweetness' jaszak en haalde zijn telefoon eruit. Constante pieptoon. Dit was bij ons allemaal het geval, zelfs bij Arvid.

'Het appartement is veilig,' zei Milo, 'maar SUPO heeft al onze telefoons afgetapt.'

Ik was niet verrast. Arvid lachte. Kates mond viel open. Sweetness had de implicaties nog niet doorgrond.

Milo trok de tape van een andere doos af. Er zaten nieuwe Nokia-telefoons in. 'Dit zijn N95's met encryptiesoftware. De encryptie is door het Israëlische ministerie van Defensie gecertificeerd,' zei hij. 'Onmogelijk om te hacken. De encryptiesleutels worden willekeurig door de software gegenereerd en kunnen aan niemand worden doorgegeven, of het nu een particulier, een private onderneming of de overheid is. Het is een tweevoudige combinatie van asymmetrische en symmetrische encryptie met wederzijdse bescherming, van de ene naar de andere telefoon, voor zowel gesprekken als sms-berichten. Per contact wordt een willekeurige 1024-bits hoofdsleutel gegenereerd, die bij elk nieuw telefoontje wordt vervangen, en een willekeurige 256-bits sessiesleutel wordt elke seconde vervangen.'

Hij zweeg even, wachtend tot we ons geluk zouden bejubelen.

'Dat is geweldig nieuws,' zei Sweetness.

Milo begreep niet dat Sweetness hem plaagde. 'Stop de simkaarten van de telefoons die je nu hebt erin, dan is je privacy gewaarborgd. We kunnen zelfs groepsgesprekken voeren als we willen.'

'Krijg ik er ook een?' vroeg Arvid. 'Waarom? Het enige wat ik doe is luiers verschonen en koken.'

'Wat ons aangaat, gaat u ook aan,' zei Milo. 'Ik heb nog een cadeautje voor jullie, maar daar wacht ik mee tot Kari's "Welkom terug in de wereld"-feestje, als hij officieel weer aan het werk gaat.'

Ik was vergeten dat tegen Kate te zeggen.

'Feestje?' vroeg ze.

'Als je het goedvindt,' zei Milo, 'wil ik dat hier op achtentwintig maart laten plaatsvinden. Ik heb tijd nodig om alles te regelen. Dat zal een paar weken duren. En voor jou heb ik ook cadeautjes.' Haar nieuwsgierigheid was gewekt. 'Natuurlijk kunnen we hier een feestje organiseren.'

Ze was geïrriteerd omdat er zoveel mensen in huis waren. En ook nog eens gewelddadige, criminele types, zelfs al werkten ze voor de politie of hadden ze voor de politie gewerkt, zoals Arvid. Later vertelde ze me dat ze het gevoel had een kind groot te moeten brengen in de schuilplaats van een terroristische cel. Maar Milo had bewezen dat hij geen loze beloften deed en voorlopig kreeg hij van haar het voordeel van de twijfel.

'Waar werk je verder nog aan?' vroeg ze.

'Ik ben drie programmeerbare VHDL-modellen van exacte oplossingen voor driedimensionale hyperbolische plaatsbepalingssystemen aan het bouwen,' zei hij.

'Nog meer technospeak,' antwoordde ze.

'Dat zijn mobiele stations om gsm's af te luisteren, dus we kunnen de criminelen dan een koekje van eigen deeg geven. Ze functioneren niet echt geweldig. Het bereik is maar een paar kilometer en ze kunnen niet meer dan drie of vier mobieltjes tegelijk verwerken, maar meer krijg ik niet voor elkaar. En ik ben een nieuwe computer aan het bouwen die voor onze doeleinden geschikt is. Er zijn geen computers in de handel die precies de componenten hebben die ik wil, en het bespaart ook een hoop geld.'

'We spreken het volgende af,' zei ze. 'Mijn man is herstellende van twee zware operaties. Hij heeft rust nodig. We hebben een pasgeboren kind. Zij en ik hebben allebei rust nodig. Je kunt hier voor een beperkte periode je speeltjes bouwen, maar het huis moet netjes blijven en je moet je rustig gedragen.' Ze wendde zich tot Sweetness. 'Je bent echt een lieverd en we zijn je dankbaar dat je Kari rondrijdt, boodschappen doet en verder heel behulpzaam bent. Maar voortaan moet je eerst bellen voordat je langskomt, en bel dan geen drie keer per dag. Dit is ons huis, geen politiebureau.'

Milo en Sweetness staarden met hun handen in hun zakken berouwvol naar de grond.

'Kate, zal ik naar huis gaan?' vroeg Arvid.

Ze liep naar hem toe en legde haar hand op zijn schouder. 'Blijf nog een paar dagen, alsjeblieft. Je hebt ons geweldig geholpen en we zijn je dankbaar.'

Hij toonde zijn charmante glimlach weer en knikte instemmend.

Kate liep de kamer uit om naar Anu te kijken.

Ik vroeg Milo: 'Hoeveel overvallen heb je gepleegd sinds ik je dat informatiepakket heb gegeven?'

'Twee.'

'En hoe is dat afgelopen?'

Sweetness en hij keken elkaar ongemakkelijk aan. 'Toen we het appartement vannacht observeerden, bleek de dealer verdwenen, dus opende ik het slot en gingen we naar binnen. Er lag een vrouw in haar bed te slapen. Ze hoorde dat de deur openging, werd wakker, kwam de slaapkamer uit en zag ons.'

'Wat gebeurde er toen?'

'Ik vond een rol duct-tape en heb haar gemummificeerd. Ze had een pyjama aan, maar het zou nog altijd enorm pijnlijk zijn geweest om het eraf te trekken, en daarom hield Sweetness haar rechtop en rolde ik de tape andersom om haar heen, met de kleefzijde naar buiten. Alleen haar mond plakten we dicht, en we bonden een sjaal om haar ogen. Toen plakten we haar tegen de keukenmuur. En nadat we dat allemaal hadden gedaan, vonden we niet meer dan drieëntwintigduizend euro.'

'Kan ze jullie identificeren?'

'Nee. We hadden de hele tijd bivakmutsen op.'

Het moest een interessant tafereel zijn geweest. 'Milo, ga jij maar een tijdje verder met je contrapties. Maar wel in stilte. Sweetness, ga een tijdje naar huis of zoek nog wat belastende info over politici of zo. Melden jullie je allebei morgen om drie uur weer hier. Milo, welke wapens hebben we geconfisqueerd?'

'Vier pistolen, een geweer met afgezaagde loop en een Daddy MAC.'

De MAC-10 konden we voor een speciale actie bewaren. Illegaal bezit van volautomatische wapens levert meer gevangenisstraf op. 'Neem een paar pistolen mee,' zei ik, 'om valse beschuldigingen te arrangeren.'

Sweetness vertrok. Milo pakte zijn spullen uit, legde de componenten in nette stapeltjes in de hoek en gooide de dozen weg, zodat de eetkamer er inderdaad netjes uitzag. Hij vertrok en zou die dag niet meer terugkomen, zodat we in overeenstemming met Kates wensen een rustige avond met elkaar doorbrachten.

11

De volgende ochtend kwam Kates assistente Aino, die Kates plaats innam zolang ze op afgedwongen zwangerschapsverlof was, bij ons thuis langs om papieren af te geven. Haar prachtige blauwe ogen waren omringd door warrig blond haar. Ze heeft een heel ander postuur dan Kate. Klein en mollig, in plaats van lang en slank. Een eindeloze, sexy bovenlip. Haar trui accentueerde haar magnifieke borsten. Ik kreeg meteen een stijve. Ik kon maar aan één ding denken: met haar neuken.

Dat verraste me. Ik had nog nooit een andere vrouw begeerd sinds ik een oogje kreeg op Kate, en sinds mijn puberteit had ik nooit meer zo op een vrouw gereageerd. Ik probeerde niet te staren en gewoon te blijven doen. Ik zat op de bank en bedekte mijn kruis met de ochtendkrant. Ik had een nieuwe dimensie in mijn postoperatieve symptomen gevonden. Mijn primitieve verlangens strekten zich ook uit tot andere vrouwen.

Jyri belde. De komende weken zou er een aantal drugsdeals plaatsvinden waarmee veel geld gemoeid was. Hij wist dat ik nog zwak was en op krukken liep. Hoeveel kon ik aan? Konden Milo en Sweetness zonder mij werken? Konden we die klussen klaren? Hij wist niet hoeveel ze al gepresteerd hadden. Ik wilde meedoen. Ik verveelde me te pletter en zei dat we vast een manier zouden vinden. Tenzij ik op sterven na dood was, zou ik meedoen. Ik telde de dagen.

Nog twee weken voordat ik weer kon autorijden. Nog een maand voordat ik de krukken kon wegwerpen.

Aino bleef koffiedrinken en vertrok pas na ruim een uur. Zij en Kate hadden een intense vriendschap. Ik was blij dat ze vertrok. Zolang zij er was, had ik het gevoel dat mijn pik zou barsten.

Rond twee uur werd er een pakket met dossiers bezorgd. Er zat informatie in over criminelen die afkomstig was van de passagierslijst van de *Baltic Princess*, de veerboot uit Tallinn die om halfvijf in

Helsinki moest aankomen. Ik had ermee ingestemd om aan deze geheime operatie deel te nemen omdat ik anderen wilde helpen. Op deze dag zou ik mijn eerste poging daartoe doen.

Milo verscheen rond negen uur en begon zijn nieuwe computer in elkaar te zetten. De kringen rond zijn ogen waren zo donker dat het leek alsof hij camouflageverf ophad.

'Hoeveel uur slaap jij normaal gesproken?' vroeg ik.

'Twee of drie uur.'

'Waarom?'

'Meer heeft mijn lichaam niet nodig.'

Hij heeft problemen waarover ik niet eens wil nadenken.

Terwijl hij met zijn elektronica aan de slag ging, prentte ik me de gezichten in van de misdadigers die aan boord van de *Baltic Princess* het land zouden binnenkomen.

De veerboten zijn cruiseschepen die alle mogelijke faciliteiten bieden. Op de grotere schepen vind je nachtclubs en amusementsproducties op grote bühnes. Er zijn hutten in diverse soorten en maten. Cafés. Winkelcentra. Een keur aan eetgelegenheden, waaronder exclusieve restaurants. Een buffet dat ten minste vijftig gerechten biedt. De hoofdattractie is spullen kopen voor Estische prijzen. Alcohol, tabak en luxeartikelen, vooral parfum en make-up, worden voor circa de helft van de Finse prijs aangeboden. De overtochten zijn goedkoop, en een groot deel van de passagiers bestaat uit groepen die op zee feestvieren en zich voor een schijntje in een coma zuipen.

Per dag maken ook zo'n honderd criminelen de reis van Tallinn naar Helsinki. Er is geen controle zoals op vliegvelden. De veerboten vervoeren dagelijks duizenden reizigers tussen de twee steden, maar er is vrijwel geen beveiliging. De criminelen brengen drugs, vuurwapens en vrouwen die tot prostitutie worden gedwongen mee. Het budget van de vreemdelingenpolitie die de havens bewaakt is onlangs met elf procent gekort, dus dit zijn feitelijk wetteloze zones geworden.

We namen Milo's Nissan Sentra. Niet geschikt voor Sweetness, de bullebak met de babyface, en een grote man op krukken. Mijn plan was om een paar pooiers hardhandig aan te pakken en hen in de val te laten lopen, ze in een Finse gevangenis te stoppen en hun hoeren terug te sturen naar Estland.

Het was een koude dag met harde windvlagen, met af en toe sneeuwvlokken. De hele parkeerplaats lag vol smerig grijs ijs. We parkeerden en gingen tegen de auto aan staan. Milo en ik rookten. Sweetness stopte nuuska in het gat in zijn tandvlees en nam een slok uit zijn heupfles. Hij bood hem aan ons aan. We bedankten.

Het schip meerde aan. De passagiers stapten van boord. De meesten droegen zware tassen met boodschappen die ze in Estland hadden gekocht. Sommigen gingen in de rij staan voor een taxi. Anderen liepen naar de tramhalte. Aan hen hadden we niets. We konden in de meute geen mensen oppakken. Anderen begaven zich naar de bar aan de overkant van de parkeerplaats om het feestje voort te zetten. Ik keek naar hun gezichten. Een tijdlang leek het op een teleurstelling uit te draaien. Er verschenen geen criminelen met bekende gezichten. Maar toen het schip bijna leeg was, liepen er toch nog twee pooiers met vier meiden in de richting van de bar. Ze waren allemaal goed gekleed, jong en knap.

Sweetness hield mijn arm vast om te voorkomen dat ik viel, en midden op de parkeerplaats hielden we hen tegen. We trokken onze pistolen. We lieten onze politielegitimatie zien. De mannen vloekten, protesteerden, dreigden. De meisjes bleven rustig. Milo en Sweetness zetten de mannen tegen een auto aan, schopten hun benen uit elkaar, fouilleerden hen en namen hun paspoorten in. Ik nam de paspoorten van de meisjes in, schreef hun namen, persoonsnummers en paspoortnummers op zodat ik later hun gegevens kon natrekken en gaf hun paspoorten terug. Twee van hen waren minderjarig.

Milo pakte de bankbiljetten van de pooiers af en gaf die aan mij. Ik telde zo'n zevenduizend euro, verdeelde die in vieren en gaf de biljetten aan de meisjes. Sweetness vertaalde voor mij. 'Ga terug naar Estland. Vertrek uit Tallinn. Als je niet meer wilt tippelen, moet je verdwijnen. Zorg dat je een baan krijgt. Dit is je startkapitaal.'

Ze staarden me zwijgend aan. 'Opkrassen!' riep ik, en Sweetness riep het me na. Ze renden terug naar de terminal.

Milo pakte twee pistolen uit zijn jas en stak die naar de pooiers uit. Ze snapten wat de bedoeling was. Valstrik zetten en logeren in een Finse gevangenis. Ze weigerden de pistolen aan te raken.

We drukten de Glocks tegen hun borst. Ik zei: 'We stoppen ze in je handen terwijl je nog leeft of als jullie dood zijn. Het komt op hetzelfde neer.' Sweetness vertaalde. Ze pakten de pistolen met tegenzin aan. We riepen de vreemdelingenpolitie erbij en droegen de pooiers aan hen over. We hadden de meisjes geholpen. Sterke arm, chantage en valstrik. Het leek gerechtvaardigd. Missie volbracht.

12

De volgende avond pleegde ik een telefoontje met de politie in Estland. Ik gaf hun de paspoortgegevens van de hoeren die we hadden teruggestuurd om daar een nieuw leven te beginnen. Drie van hen lagen verkracht en zwaar toegetakeld in het ziekenhuis, met gebruikte condooms in hun mond. De andere was dood; vermoord in haar appartement. Ze had haar handen in een keukengootsteen, gevuld met water. Er was een tostiapparaat in gegooid. Haar gezicht was glimmend zwartgeblakerd door de elektrische stroom. Ze was vijftien. Ze waren van de boot meteen naar een hoerentent gegaan. Binnen een paar uur was daar bekend dat de pooiers gearresteerd waren. Zij kregen de schuld. Ik had geprobeerd recht te doen. Nu zat hun bloed aan mijn handen. Het was een experiment dat ik niet nog eens zou uitvoeren. Arvid had gelijk: er zouden mensen de dupe van worden. Ik was een dwaas.

Milo had zijn speelgoed in elkaar gezet. Zijn laptop en de mobiele afluisterapparatuur waren verbonden met de computer die hij had gebouwd. Intussen hadden Milo en Sweetness gps-trackers aan de auto's van de belangrijkste criminelen van Helsinki bevestigd. Op een computerscherm konden we al hun ritten volgen.

De capaciteit werd beperkt door het bereik en het aantal telefoons dat ze op een bepaald moment konden volgen, maar Milo had zijn mobiele afluisterapparatuur zo afgesteld dat die de telefoons van criminelen die op onze lijst van komende overvallen stonden in de gaten kon houden. Hun telefoongesprekken werden opgenomen, evenals hun sms'jes. Als ze in het Russisch of Estisch waren, vertaalde Sweetness ze. Milo kon zijn telefoon laten overgaan als de telefoon van een bepaalde crimineel in gebruik was, wat handig was als we die crimineel op een bepaald tijdstip wilden beroven. De criminelen vertelden ons waar ze waren, wat ze bij zich hadden en wanneer we hen moesten beroven.

Bijna elke avond pleegden we overvallen en inbraken. Vanwege mijn geringe mobiliteit moest ik in de auto blijven zitten en met mijn mobieltje in de hand de omgeving in de gaten houden, om te voorkomen dat Milo en Sweetness iemand tegen het lijf liepen. Omdat de invallen bijna altijd in het holst van de nacht plaatsvonden, vertrok ik als Kate sliep en was ik alweer thuis voordat ze wakker werd.

Mijn gezinsleven bleef ogenschijnlijk in elk geval intact. Kate wist het. Ik hield niets verborgen. Ik voelde dat ze het afkeurde, maar ze klaagde niet.

Tijdens de invallen kopieerde Milo de harde schijven van de computers van de criminelen, stal hun pincodes, maakte zich meester van hun financiële administratie en besmette hun computers met virussen, zodat hij hun computers vanaf zijn eigen computer kon manipuleren. We trokken hun bankrekeningen leeg, zodat ze geen cent meer hadden. Zo ging het wekenlang door. We hadden een klein fortuin vergaard.

Dat bleef niet zonder gevolgen, waarvan sommige voorzien en andere onvoorzien waren.

Ik meende dat geweld niet noodzakelijk zou zijn, en op dat moment was dat ook een juiste veronderstelling. Deze diefstallen zouden onder criminelen als verraad worden beschouwd, die vervolgens op grond daarvan de strijd zouden aanbinden. Buitenlandse criminelen zullen elkaar in Finland niet snel vermoorden. Russische en Estische criminelen vermoorden elkaar liever in hun vaderland, waar de corruptie welig tiert en ze niet bang hoeven te zijn voor vervolging, terwijl ze in Finland vrijwel zeker gearresteerd en in de cel gezet worden. De conduitestaat van Helsinki Moordzaken boezemt hun angst in. Sinds 1993 is er in Helsinki geen enkele moord onopgelost gebleven.

Maar als er in de criminele wereld een grote hoeveelheid geld of drugs zoek is, leidt dat tot wantrouwen. Diefstal is geen acceptabel excuus. Wantrouwen en onzekerheid eindigen maar al te vaak in een moord. In Tallinn en Sint-Petersburg woedden maffiaoorlogen.

Het aantal slachtoffers in beide steden stond tot nu toe op zeventien. En natuurlijk betrof dat alleen de lichamen die gevonden waren. Ik vond het allemaal best.

Milo luisterde naar de dreigementen die tijdens hun telefoongesprekken werden geuit. Als de dieven gepakt waren – wij dus – zouden we dagenlang gemarteld worden en langzaam fysiek worden vernietigd, maar we mochten niet sterven. Ze zouden onze penissen afsnijden, die we dan zelf moesten opeten. Enzovoort.

Als ik criminelen wilde laten opsluiten, of ze nu Fins of buitenlands waren, had ik diverse opties. Drugs of vuurwapens die tijdens invallen ontdekt werden, konden ter plekke blijven of naar het huis van een crimineel die ik buitengewoon verachtte overgebracht worden en als vals bewijs worden gebruikt. Een simpel telefoontje met de politie zou voldoende zijn voor een arrestatie. Ik had deze optie nog niet toegepast. Gangsters die vrij rondliepen konden nogmaals beroofd worden.

Onvoorziene gevolgen waren er ook. We deden ons werk zo goed dat er bijna geen dope meer was in Helsinki. Het aantal zelfmoorden onder junks en inbraken in apotheken steeg tot astronomische hoogten. Er werd zelfs een apotheker doodgeschoten.

Milo en Sweetness hielden de schijn van kameraadschap niet meer op. Milo noemde Sweetness 'de nar', 'dombo', 'clown', 'de andere helft van een halvegare'. Sweetness reageerde met een lange lijst beledigingen waarmee hij suggereerde dat Milo verwijfd was: 'mietje', 'nicht', en mijn favoriet: 'juffrouw FrouFrou'.

Op 3 maart ging ik naar Fazer, de beste bakker in Helsinki, en kocht de mooiste taart die ze hadden. Fazer is een van de beste chocolatiers ter wereld, en dit was Karl Fazers eerste winkel. Hij opende zijn zaak in 1891. Ik nam een kop koffie met een gebakje terwijl ik daar was, omdat de achterzaal onder een echoënde koepel ligt. Je kunt de gesprekken in de zaal prima afluisteren omdat de stemmen zo weerkaatst worden.

Daarna ging ik naar Alko, de staatsslijterij. Ik had speciaal een fles Rémy Martin Louis XIII-cognac besteld. Prijs: vijftienhonderd euro. De jongste cognac in de blend is vijftig jaar oud. De oudste zo'n honderd jaar. Ik verborg de cadeaus tot het avond was en zette ze toen op tafel. Kate en ik wachtten tot Arvid binnenschuifelde. 'Gefeliciteerd met je negentigste verjaardag,' zei ik, waarna we hem toezongen.

Dit ontroerde hem zo dat hij het bijna niet droog hield. Hij opende de cognacdoos en haalde er de kristallen karaf uit. 'Dit was het enige cadeau dat ik kon vinden dat ouder is dan jij,' zei ik. Hij moest lachen, en we brachten een gezellige avond met elkaar door.

Op 7 maart werd Anu gedoopt en kreeg ze officieel haar naam. Het leek of er nooit een eind aan de winter kwam. Het was die dag min tien. We vroegen mijn broer Jari en zijn vrouw Taina Anu's peetouders te zijn. Het zijn beste mensen, die zelf twee geweldige jongens hebben. Ik nodigde Jyri Ivalo uit voor de plechtigheid, en na afloop bij ons thuis voor koffie en cake. Hij vatte dit als een teken van respect op, een gebaar van mijn kant dat ik onze relatie wilde verstevigen. Hij kwam langs en gaf Anu het traditionele cadeau: een zilveren bestekset.

Milo was er niet. Tijdens de plechtigheid was hij Jyri's huis aan het doorzoeken. Hij maakte een kopie van Jyri's harde schijf en fotografeerde documenten die van belang konden zijn. We hadden nu de gebruikersnamen en wachtwoorden voor alle informatie die de nationale politiecommandant tot zijn beschikking had. Milo zei dat Jyri zo'n enorme oetlul was dat hij zijn eigen computer thuis niet eens met een wachtwoord had beschermd. Hij legde ook een MAC-10 en acht bolletjes heroïne en cocaïne op diverse plekken in het huis neer. Dat was een extra verzekering, mocht Jyri ervoor kiezen mij te verraden.

Op 15 maart eindigde mijn ziekteverlof officieel en ging ik weer aan het werk, wat dat ook mocht betekenen. Ik nam aan dat ik een kantoor in het NBI-hoofdbureau had met mijn naam op de deur. Ik was volstrekt niet van plan ooit daarheen te gaan om dat te checken. De datum, de iden van maart, trof me als een voorbode.

13

Woensdag 17 maart. De ochtend liep ten einde. Ik lag nog in bed. Katt was in mijn shirt gekropen, had mijn borst met zijn klauwen bewerkt en was in slaap gevallen. Anu kauwde op de pink van mijn linkerhand. Ik deed niets en ik dacht niets. Ik bestond alleen maar. Mijn mobiel ging. Ik pakte de telefoon van het nachtkastje, erop lettend dat ik Katt niet wakker maakte. Het was Jyri Ivalo. Opnemen of niet? Ik nam op.

'Goedemorgen,' zei ik.

'Jij ook goedemorgen. Ik heb een klus voor je.'

We hadden de hele stad schoongeveegd. Ik had niets te doen en wilde niets doen. 'Ik zit tot over mijn oren in het werk,' zei ik.

'Lisbet Söderlund is vermoord. Haar hoofd is met de post naar het Finse Somalië Netwerk verstuurd. Gewoon via de normale post, verpakt in piepschuim en krantenpapier. Er zat een briefje bij. Daarop stond "nikkerliefje", en de letters van dat woord waren uit krantenkoppen geknipt. De forensische dienst is hier nu. De zaak is van jou. Je moet meteen hiernaartoe komen.'

Ik dacht na over de relevante feiten en over de implicaties als ik de zaak zou aanpakken. Zoals de naam doet vermoeden is het Finse Somalië Netwerk een politieke groepering die Somalische immigranten in Finland vertegenwoordigt. Söderlund was een Zweedssprekende Finse – en dus blanke, uiteraard – politica van de Zweedse Volkspartij. Söderlund was al een jaar of tien lid van het Europees Parlement. Na de verkiezingen van 2007 werd ze tot minister van Immigratie en Europese Zaken benoemd. Ze was een symbool geworden in haar zelfverkozen rol als voorvechter van immigrantenrechten, die ze veel fanatieker vervulde dan voor haar functie noodzakelijk was, en ze werd het mikpunt van verachting en haat van extreem rechts en racisten. Een tijdlang bestond er een Facebookpagina met de naam 'Ik zou twee jaar van mijn leven geven om

Lisbet Söderlund te vermoorden', die later werd verwijderd omdat die illegaal was. De Facebook-groep telde enkele honderden leden.

Dat haar hoofd nu bij de post zat, was een escalatie na een eerder incident rond het Finse Somalië Netwerk. Vorig jaar rond de kerstdagen werd hun een varkenskop toegestuurd met daarbij een briefje met de tekst 'Vrolijk Kerstmis'.

Ik zei: 'Dit is een politieke zaak, met veel publiciteit. De moord op haar zal in de geschiedenisboeken komen en de ogen van de wereld zullen op het onderzoek gericht zijn. Dat zal ook de aandacht op mij vestigen, en daar zit ik allerminst op te wachten. En jij schiet er ook niets mee op. Het is een slecht idee.'

'Dit is de meest geruchtmakende moord in de regio sinds Olof Palme in 1986 werd vermoord. Dat klopt, en ik wil jou er ook niet in betrekken. Maar de president wel.'

'Waarom denkt Tarja Halonen in godsnaam dat ik deze zaak voor mijn rekening moet nemen?'

Jyri zuchtte geërgerd. 'Dat heeft te maken met de moord op Sufia Elmi. Immigranten zullen hiertegen te hoop lopen. Er zullen protesten volgen en misschien zelfs misdrijven ter vergelding. Jij hebt de enige zaak in onze geschiedenis opgelost waarbij een prominente zwarte was vermoord. Daarom denkt Halonen dat de immigrantengemeenschap er vanwege jouw betrokkenheid vertrouwen in zal hebben dat de overheid alles op alles zet om de moord op Söderlund op te lossen, en dat zal hun woede temperen. En ze heeft waarschijnlijk gelijk."

'Dan zal ik eraan moeten geloven,' zei ik. 'De president krijgt wat de president wil.' Daar waren geen argumenten tegen in te brengen. 'Maar laten we het zo doen. Jij zegt dat dit een zaak van nationale veiligheid is, en ik kan niet met de pers spreken totdat de zaak opgelost is. Jij fungeert als bliksemafleider voor mij.'

'Dat was ook mijn plan. Het adres is Kuninkaantie 38. Hou me op de hoogte van de gebeurtenissen. Ik moet de president informeren.' Hij hing op.

Ik overwoog Milo mee te nemen, maar zag daar toch van af. Hij zou aan één stuk door blijven praten en over de kleinste bijzonderheden een uitgesproken mening hebben. Ik had er geen behoefte aan die te horen. Ik belde Sweetness en hij bracht me met de auto naar de plaats delict. Het was inmiddels vijf weken na mijn operaties. Over een paar weken, als ik iets sterker was geworden in mijn knie, kon ik deze krukken voor een wandelstok inruilen en weer autorijden.

Onderweg probeerde ik Sweetness van de ernst van de zaak te doordringen en herhaalde ik Jyri's vergelijking met de moord op Olof Palme.

'Wie is dat?' vroeg Sweetness.

Jezus, dit was ongelooflijk. Was deze jongen ooit naar school geweest? Had hij lijm zitten snuiven tijdens de geschiedenisles?

'Dat was een Zweedse premier, die in 1986 vermoord is. Hij had zware kritiek op zowel de Verenigde Staten als de Sovjet-Unie, en ook op andere regeringen. De moord is nooit opgelost. Volgens samenzweringstheorieën is hij door de CIA dan wel de KGB vermoord. Het punt is dat deze twee moorden met elkaar vergeleken zullen worden, en dat heel de wereld zal toekijken om te zien wat er gebeurt.'

'Worden we beroemd?'

'Waarschijnlijk wel.'

'Gaaf.'

Langs de straten in de stad lagen nog altijd grote hopen sneeuw en ijs, maar er was al een poosje geen verse sneeuw gevallen, zodat die nu smerig en grijs waren geworden, met zwarte modder aan de randen.

Voor het hoofdkwartier van het Finse Somalië Netwerk had zich een grote menigte gevormd, merendeels bestaande uit zwarten. Sweetness maakte de weg voor ons vrij en hielp me met lopen totdat we binnen waren. Twee forensisch experts en een patholoog waren het hoofd van Lisbet Söderlund aan het onderzoeken. De kartonnen doos waarin het had gezeten, lag op een andere tafel. Ik stelde me voor hoe groot de schok moest zijn geweest voor degene die de doos had geopend. Hoofden zijn zwaar, dus het pakket zou zeker de nieuwsgierigheid hebben gewekt. Als je tussen piepschuimchips en proppen kranten zoekt en een afgehakt hoofd vindt, geeft dat je ochtend ongetwijfeld een heel nieuwe dimensie. Het briefje lag in de doos. Het leek wel alsof de letters met een schaar waren uitgeknipt en met een kinderplakstift op een vel papier waren bevestigd. 'Nikkerliefje'. Gevoelvol verwoord.

Ik vroeg de technici of ik Lisbets hoofd kon aanraken. De patholoog zei dat het in orde was. Ik pakte het bij haar haren op; die waren donker, met een dikke grijze lok aan de voorzijde. Ze was een aantrekkelijke vrouw van in de vijftig. Ik draaide het hoofd langzaam rond. Niets ongewoons. Haar ogen waren gesloten. Ik draaide het hoofd om en bekeek de wond die door de onthoofding was ontstaan. Die zag er schoon en netjes uit, er was niet grof gehakt. Ik leende een vergrootglas en onderzocht de ruggengraat van dichtbij. Die was doorgesneden en niet geknakt, en ik herkende afdrukken van zaagtanden. De moordenaar was goed voorbereid geweest, had het juiste gereedschap gehad en de tijd genomen. Hij of zij had goed werk geleverd. Sweetness onderzocht het hoofd samen met mij. Hij vroeg of hij het mocht vasthouden. Ik gaf het aan hem. Hij keek er langdurig naar, een en al aandacht.

De gladde snede vertelde me een hoop over de moord. Slechts weinig mensen kunnen een hoofd van de romp scheiden en hun kalmte bewaren, zodat het geen troep wordt. Ik vroeg de patholoog of ze me al iets meer kon vertellen. Nog niet. Ik had alles gezien wat ik moest zien, en we vertrokken.

Ik ging naar huis, zette de laptop aan en bekeek de internetsite van *Helsingin Sanomat*, de belangrijkste krant van het land. Het was inmiddels bekend dat ik het onderzoek zou leiden. Er stond een artikel online over mij, over mijn kracht en vastberadenheid, nu ik ondanks een recente hersenoperatie toch het onderzoek naar het geruchtmakendste misdrijf van het land op me nam. Er werden andere zaken van internationaal belang genoemd die ik had onderzocht. Ik zette de tv aan. De zaak – en mijn gezicht – was in alle nieuwsuitzendingen te zien.

Met mijn verandering van uiterlijk leek ik blijk te hebben gegeven van een vooruitziende blik.

Er waren diverse artikelen over Lisbet Söderlunds carrière. Daarin werden de moed en vastberadenheid genoemd die ze in haar leven in de openbare dienst had getoond, en die er uiteindelijk toe hadden geleid dat ze haar overtuigingen met haar leven had moeten betalen. Ik was meer geïnteresseerd in de lezerscommentaren bij de artikelen dan in de artikelen zelf. De verhouding tussen degenen die blij waren dat ze dood was en beweerden dat ze had gekregen wat ze verdiende en degenen die haar dood betreurden was ongeveer twee op een. Hoewel de site een moderator had, werden de meningen kennelijk niet gecensureerd. Er waren al een paar honderd reacties, die ik vluchtig doorlas. 'Zwarten eruit. Blanke mannen verenig je.' 'De moordenaar is een blanke held en patriot.' 'De immigranten parasiteren op de Finse belastingbetaler.' 'Verkrachtersbende.'

Ik keek op een paar racistische websites: de populairste, die van Finse Trots, en een paar minder bekende, waarvan sommige al een tijd bestonden en andere alleen een Facebook-pagina hadden.

De langer bestaande sites moesten zich inhouden, omdat het strafbaar is in het openbaar tot rassenhaat aan te zetten; daarom zijn de extremere haatspuiers vaak op Facebook te vinden.

Als er een klacht binnenkomt en de pagina uit de lucht gehaald moet worden, wordt die onder een andere naam weer heropend totdat de volgende klacht en opdracht tot verwijdering binnenkomt. Op deze pagina's vond ik verwijzingen naar moord en allerlei creatieve propaganda: 'De woekerende zwarte kanker'. 'Pus van de negerzwijnen'. 'Finse hoeren die zwarte baby's fokken met misdadig zwart sperma moeten sterven'.

Sweetness kwam naast me zitten en las met me mee. Arvid kwam met een volgepakte tas binnen. Hij keek naar Sweetness. 'Kun je me misschien een lift naar huis geven?'

Hij was oorspronkelijk voor een week gekomen en was een maand gebleven, en nu was hij een deel van het gezin geworden. Diep vanbinnen wist ik wel beter, maar het leek een permanente situatie te zijn geworden.

'Waarom zo plotseling?' vroeg ik.

'Helemaal niet plotseling. Ik maak al veel te lang misbruik van jullie gastvrijheid.'

Ik wilde protesteren.

Hij schudde zijn hoofd. 'Jij staat weer volop in de belangstelling, en het zal voor jou niet meevallen om goed te praten dat er een moordenaar bij je logeert die je zelf hebt gearresteerd.'

Daar had hij gelijk in. 'Bedankt voor alles wat je hebt gedaan,' zei ik.

'Ik heb er veel aan gehad.' Hij stak zijn hand uit en ik schudde die.

'Heb je Kate al gedag gezegd?'

'Ze slaapt. Zeg tegen haar dat ik snel weer langskom. Ik bel wel, en ik kom op je feestje.' Daarna vertrok hij.

Ik belde Milo. 'Heb je het al gehoord van de moord op Söderlund?'

'Natuurlijk. Waarom mocht ik niet naar haar hoofd komen kijken?'

Ik loog. 'Sweetness was hier en ik had haast. Neem van mij aan dat je voordat deze zaak opgelost is meer over haar hoofd weet dan je je ooit had kunnen voorstellen. Op dit moment heb ik behoefte aan informatie. Er was een Facebook-pagina waarop opgeroepen werd haar te vermoorden. Kun je Facebook hacken en de leden van die site identificeren?'

'Nee. En iemand anders ook niet.'

'Je had me toch verteld dat elke site gehackt kan worden?'

'Geef me een jaar, en als ik dan mijn hele leven eraan wijd, is er een kleine kans dat ik daar binnenkom.'

'Volgens mij zit het zo,' zei ik, 'degene die haar heeft vermoord, deed dat uit prestige, om op te scheppen tegen zijn haatzaaivriendjes, en in die groep is het een publiek geheim. We moeten uitzoeken in welke kringen de moordenaar verkeerde en die lui onder druk blijven zetten totdat iemand de moordenaar erbij lapt. De leden van die site zijn voorlopig het beste startpunt.'

'Waarschijnlijk wel. We zoeken er eentje op, jagen hem de stuipen op het lijf, en dan geeft hij de anderen aan. Zo moeilijk hoeft het niet te zijn.'

'Misschien niet, maar tot het zover is moeten we ons op het ouderwetse handwerk richten. Hou er rekening mee dat je je leven aan het bekijken van strafdossiers moet wijden, totdat er zich iets aandient.' Ik zei tegen hem dat ik de volgende ochtend zou terugbellen en hing op.

Volgende telefoontje: Jyri Ivalo. 'Je moet je onmetelijke macht gebruiken om me dossiers over elke bekende racist in Finland te leveren. Met inbegrip van iedereen die de afgelopen jaren een haatmisdrijf heeft gepleegd of daarvan beschuldigd is, en verder de lidmaatschapslijsten van alle racistische organisaties in Finland.'

'Aangezien je me belt, beschik je kennelijk over een telefoon. Kom met je luie reet uit je stoel en ga lekker zelf bellen.'

'Als ik zou kunnen, zou ik dat doen. Als ik zelf bel, kunnen collega's met racistische sympathieën in het korps informatie achterhouden of enorm gaan tijdrekken. Als de nationale politiecommandant belt en zegt dat ze moeten springen, vragen ze alleen nog hoe hoog.'

'Kan ik verder nog iets voor u doen, hoogheid?'

'Ik moet naar duizenden mensen kijken. Als ik papieren dossiers heb, is dat vrijwel onmogelijk. Laat alles inscannen zodat ik een databank kan opbouwen.'

'Dus je wilt een heel leger aan secretaresses.'

'Nee, de president wil dat de zaak wordt opgelost.'

'Oké. Denk je dat het lastig gaat worden?'

'Hangt ervan af.' Ik legde het hem uit zoals ik het ook aan Milo had uitgelegd. 'Ik moet iemand hebben die uit de school klapt. Dat gaat me niet lukken als ik de vriendelijke oom agent speel.'

'In mijn ervaring,' zei hij, 'bereik je zelden iets met vriendelijk zijn. Je kunt de dossiers vanaf morgenochtend verwachten. Ik begin te snappen waarom je die sukkel hebt aangesteld.' Hij hing op.

14

De volgende ochtend om halfzes kreeg ik een telefoontje van kolonel Alexander Nilsson van de Finse strijdkrachten. Hij had opdracht gekregen me te bellen omdat een van zijn soldaten tijdens de wachtdienst was vermoord. De moord hield mogelijk verband met de moord op Lisbet Söderlund, en hoewel de moord onder de jurisdictie van de Finse militaire politie viel, zoals hij meermalen benadrukte, kon ik de plaats delict onderzoeken, als ik dat wilde. De moord was gepleegd op een bebost oefenterrein bij Vantaa. Ik bedankte hem en zei tegen hem dat ik zo snel mogelijk zou komen.

Ik belde zowel Milo als Sweetness. Milo kon van nut zijn omdat hij – hoewel hij een irritant ego en een overdosis aan zelfvertrouwen bezat – een scherpzinnig rechercheur was, en omdat ik hem niet had meegenomen om Lisbet Söderlunds hoofd te onderzoeken, zou hij terecht beledigd zijn als ik hem nogmaals passeerde. En Sweetness nam ik mee omdat het misschien onmogelijk was in het bos op krukken door de diepe sneeuw te ploegen. Dan zou hij me min of meer moeten dragen.

Tweemaal per jaar, in januari en juli, melden zich nieuwe lichtingen in het leger, maar conservatieven in regeringskringen maken zich er sterk voor dat Finland zich bij de NAVO aansluit. In dat kader houdt het leger manoeuvres die niet tot het normale programma behoren, teneinde zijn goede wil aan andere landen te tonen. Er zijn diverse uitgestrekte oefenterreinen in heel Finland. Dat de manoeuvres bij Helsinki plaatsvonden, was simpelweg geluk.

We namen mijn Saab. Toen we in het oefengebied aankwamen, wees de militaire politie bij de controleposten ons de juiste richting, en rond halfacht kwamen we aan. Toen kolonel Nilsson ons had begroet, deed hij een stap opzij, waarmee hij aangaf dat we onze eigen gang konden gaan.

De zon was nog maar een uur op en wierp lange schaduwen. De

forensische technici waren inmiddels klaar met het lichaam en kamden de omgeving uit, op zoek naar bewijs. Sneeuw is een tweesnijdend zwaard in een moordonderzoek. Iedere rechercheur droomt van verse sneeuw. Zelfs de kleinste voorwerpen vallen onmiddellijk op, tenzij ze zelf wit zijn. Vastgestampte sneeuw is daarentegen de nachtmerrie van de diender.

Dit gebied, in een berkenbos, was de afgelopen dagen door honderden militairen aangestampt. Naast de wandelroutes was de sneeuw grijs, grotendeels doorploegd en vol diepe voetafdrukken. Zelfs als het terrein grondig uitgekamd werd, zou alleen het opvallendste bewijs aangetroffen worden. Dit gebied was in gebruik geweest bij een sectie. Na de moord hadden ze de opdracht gekregen het terrein vrij te maken. Alleen een soldaat die wacht had toen de aanval plaatsvond moest achterblijven. Slechts hun lege tenten en een geweerrek van gekruiste boomtakken stonden er nog. En in het rek rustten nog twee geweren.

Dit was allemaal nieuw voor Sweetness. Hij had gebruikgemaakt van het recht om vervangende dienstplicht te vervullen. Nadat hij eindexamen middelbare school had gedaan, werkte hij een jaar op een kleuterschool, terwijl de meeste van zijn mannelijke klasgenoten negen maanden lang hun dienstplicht in het leger vervulden. Hij had liever potloden dan granaten in handen, zelfs als dat betekende dat hij drie maanden langer moest blijven en in de ogen van de meeste mannen een mietje was. Het slachtoffer was een jonge man wiens keel was doorgesneden. Sweetness leek betoverd door het lichaam. Hij kon er zijn ogen niet vanaf houden.

Milo knielde neer en onderzocht de wond. 'Niets bijzonders,' zei hij. 'De keel is in één beweging van links naar rechts doorgesneden. Het wapen had een lang, scherp lemmet. Hij is waarschijnlijk vanachteren beetgepakt, en het was voorbij voordat hij besefte wat er gebeurde.'

De overgebleven soldaat zat op de stam van een gevelde boom, kettingrokend. De as en uitgedrukte sigaretten stopte hij in zijn jaszak, zodat hij de plaats delict niet verder besmette.

Ik had gelijk. Sweetness moest me min of meer ronddragen, wat lichtelijk vernederend was. De militaire patholoog zei dat ik een kijkje moest nemen bij het lichaam. Zijn voorlopige onderzoek was voltooid. De moord sprak voor zichzelf, zei hij. Het slachtoffer was met zijn gezicht naar boven op een stretcher gelegd. Met zijn armen over elkaar. Ze wachtten totdat ik hem had bekeken voordat ze hem afvoerden. De snee in zijn hals was diep en reikte bijna tot aan zijn ruggengraat. Zijn tong kwam door de opening naar buiten.

Ik ging op de boomstam naast de soldaat zitten en stelde mezelf en de anderen voor. Milo en Sweetness stonden voor ons, te luisteren.

'Hoe heet je?' vroeg ik.

'Harri.'

'Kun je een beetje ontspannen en me vertellen wat er is gebeurd? We zijn hier niet om een oordeel te vellen of jou te beschuldigen. We willen alleen uitzoeken wie dit heeft gedaan.'

We staken allemaal een sigaret op, behalve Sweetness. Hij nam een slok uit zijn heupfles en stopte nuuska achter zijn lip.

Harri wees naar het lijk. 'Rami en ik liepen om de beurt wacht. Alle anderen lagen in hun tenten te slapen. Ik voelde een stroomstoot en daarna was alles wazig. Ik denk dat ik een paar keer met een hoog voltage werd getaserd, want op mijn rug en in mijn nek zitten forse brandwonden. Toen ik weer bij mijn positieven kwam, was ik met duct-tape aan een boom vastgebonden en Rami was dood.'

Hij wees naar de boom. Er hingen nog altijd flarden tape aan de boom op de plek waar hij gevonden en losgesneden was.

'Mijn mond werd dichtgetapet. Het waren twee mannen in zwart militair uniform en ze hadden bivakmutsen op, maar ze waren beslist zwart. Dat zag ik aan de huid rond hun ogen. De geweren van de sectie waren op het rek geplaatst. Ze pakten er zo veel mogelijk in hun plunjezakken. Er zijn er nog twee over, dus ze hebben er tien meegenomen. Een van hen kwam zo dicht bij me dat onze gezichten elkaar bijna raakten. Hij had een zwaar accent en zijn grammatica was heel slecht, maar ik denk dat hij dat zelf ook wist en langzaam sprak om zeker te weten dat ik hem begreep. Hij zei: "Jij mag blijven leven zodat je deze boodschap kunt overbrengen. We bidden dat Allah ons de kracht geeft om deze wapens te gebruiken en zijn wil uit te voeren." Daarna liepen ze rustig weg. Ongeveer een halfuur later stond er iemand op om te gaan plassen, en die heeft ons gevonden.'

'Bij wat voor eenheid zit je?' vroeg Milo.

'Een mortiersectie.'

Milo liep naar het rek, pakte een van de twee resterende geweren en bekeek het. 'Dit is een Rk 95 Tp. De meeste mensen noemen het een M95.' Een geweer volgens het model van de Kalasjnikov AK-47, gefabriceerd door Sako, de Finse wapenfabrikant.

'En wat betekent dat?' vroeg ik.

'Er zijn er niet veel van. Een groot deel is naar mortiereenheden gegaan. De meeste militairen hebben nog steeds de oude Rk 62. Dat betekent dat als we een verdachte vinden die een M95 bezit, en dus geen Rk 62, de kans heel groot is dat hij die hier heeft gestolen.'

Ik vroeg Harri: 'Is er nog iets wat ik moet weten, denk je?'

Hij schudde zijn hoofd. 'Alleen dat ik me verantwoordelijk voel. Het was mijn taak om dit gebied te bewaken, en nu is Rami dood.'

Hij was haast nog een jongen. Zijn uniform was bijna nieuw. Hij behoorde waarschijnlijk tot de laatste lichting die in dienst was gekomen, in januari.

'Ik ben al tweeëntwintig jaar politieman,' zei ik, 'en mijn ervaring is dat als iemand op jacht gaat en jij niet weet dat je het doelwit bent, je geen schijn van kans hebt. Je kon echt helemaal niets doen.'

Uit zijn blik bleek dat hij niet opknapte van mijn peptalk, die een simpele waarheid behelsde.

Een redelijke veronderstelling was dat zwarte immigranten de moord op Lisbet Söderlund als oorlogsverklaring hadden opgevat en zich nu aan het bewapenen waren. Somaliërs kennen een zekere politieke organisatie en vormen bendes die af en toe racistische geweldsmisdrijven tegen blanken plegen, en andersom, dus het was niet echt een verrassing dat ze op zoek waren naar wapens, zeker gezien de dreigementen en gewelddadige retoriek die nu dagelijks tegen hen gericht werd. Maar voor veel Finnen waren zwarten die met AK-47's bewapend waren een afschrikwekkend visioen. De extremistische Ware Finnen verkondigden al dat een rassenoorlog tussen Finnen en immigranten onvermijdelijk was. Ik had het onheilspellende voorgevoel dat dit wel eens werkelijkheid kon worden.

Daarmee was het nog urgenter geworden de moord op Söderlund op te lossen, en ik vroeg me af hoeveel doden er nog zouden vallen voordat ik daarin geslaagd was.

15

Het was al bijna middag toen we in Helsinki terug waren. Ik ging ervan uit dat Jyri Ivalo de politiekorpsen in het hele land, en ook SUPO, had opgeroepen om alle informatie over racisten naar mij te sturen. Ik vroeg Milo bij mij thuis langs te komen zodat we met sorteren konden beginnen en op zoek konden gaan naar mogelijke verdachten van de moord op Lisbet Söderlund.

We stopten bij zijn huis, dat vlak bij het mijne lag, om zijn laptop op te halen en installeerden ons aan mijn eettafel. Mijn Outlook-postvak zat vol en elke minuut kwamen er nieuwe e-mails binnen. We verbonden onze computers met elkaar en maakten een database. In 1977 waren de verschillen tussen plaatsen, steden en gemeenten opgeheven, en nu zijn er alleen nog honderdnegen gemeenten. Dat maakt een landelijke zoekactie iets gemakkelijker, want vroeger waren er tussen de vierhonderd en vijfhonderd plaatsen, die we elk apart hadden moeten onderzoeken.

We ontwikkelden een methode waarbij we groepen met racistische overtuigingen, variërend van gematigd tot extreem, probeerden te lokaliseren, waarna we de leden van die groepen kwalificaties van gematigd tot extreem gaven. Iedereen die ooit van een racistisch misdrijf verdacht was of daarvoor was veroordeeld, kreeg een rood kenmerk. Sweetness, die het politiewerk wilde leren, keek voortdurend over onze schouder mee. Hij speelde voor boodschappenjongen en bracht ons koffie. Kate negeerde ons, zodat we rustig konden doorwerken.

Ondanks de anti-immigrantenhouding van vele leden waren de Ware Finnen de meest gematigde van de groepen die we op het oog hadden, en ook het lastigst om te onderzoeken. Bij de gemeenteverkiezingen van 2008 hadden ze zo'n honderdvijftigduizend stemmen gekregen. Die gegevens zijn uiteraard geheim. Ze hebben hun eigen tijdschrift, dat om de drie weken uitkomt. De oplage bedraagt vijfentwintigduizend exemplaren. Er waren onvoldoende redenen om het abonneebestand op te eisen. Het zou een waardevolle lijst zijn geweest, omdat dit een politieke moord was, en ik had die kunnen vergelijken met de lijst met bekende racisten. De Ware Finnen hadden circa vijfhonderd gemeenteraadsleden, maar er waren feitelijk maar zeven of acht mensen binnen de beweging die de touwtjes in handen hadden. De meesten van hen kwamen van de andere kant van het land, maar ik had ze in elk geval kunnen verhoren. Niet dat ik meende dat een van hen de moordenaar kon zijn, maar een van hun handlangers mogelijk wel.

Ik kreeg een e-mail met statistieken van misdaden die door en tegen buitenlanders waren gepleegd. Die trok mijn belangstelling.

Tweeënhalf procent van de bevolking is buitenlands of genaturaliseerd.

Buitenlanders plegen negen procent van alle misdrijven.

Buitenlanders begaan zevenentwintig procent van alle verkrachtingen.

Het merendeel van de misdrijven door buitenlanders wordt gepleegd door Esten en Russen, niet door niet-blanken, zoals zwarten, Turken, zigeuners et cetera, die juist de dupe zijn van rassenhaat. Turken bezitten bijvoorbeeld bijna een monopolie in de pizzeriabranche. Bij hen worden vaak etalageruiten ingegooid.

In 2009 steeg het aantal racistische misdrijven tegen buitenlanders met twintig procent tot meer dan duizend.

Het aantal racistische misdrijven tegen Zweedssprekende Finnen nam eveneens toe.

Nationalistische Finnen sloegen andere Finnen in elkaar omdat ze hun moedertaal spraken.

De organisatie Finse Trots staat bekend om haar fanatisme. De zevenhonderd leden tellende organisatie is xenofoob en anti-immigranten, en vele leden bezitten neonazistische overtuigingen, waaronder de ontkenning van de Holocaust. Velen van hen zijn ook Ware Finnen, hebben politieke aspiraties en matigen hun retoriek naarmate die aspiraties groter worden. Toch is die nog altijd verderfelijk genoeg. Sommigen zijn betrokken geweest bij racistische misdrijven. Ik ging ervan uit dat ik hun ledenadministratie kon opeisen.

Neonazi's zijn in tal van steden goed georganiseerd. Ze beschikken over tientallen fulltimeactivisten en een grote ledenschare, met name in het gebied rond Joensuu. De neonazidemografie is veranderd. De beweging wordt in snel tempo steeds populairder bij universitaire studenten. Academici hebben zich aangesloten. Ze denken erover een eigen politieke partij op te richten, waarvoor vijfduizend handtekeningen benodigd zijn, en dat aantal hebben ze bijna bereikt. Ze maken openlijk gebruik van het swastikasymbool. Een dergelijk zelfvertrouwen spreekt boekdelen. 'Als een partijleider een Führer wil zijn, wat dan nog?' aldus een toonaangevende neonazi.

De politie en Justitiële Inrichtingen stuurden periodiek dossiers van veroordeelden voor haatmisdaden op, die meestal naar gemeente maar niet naar misdaad waren gesorteerd. Er waren er duizenden. En elk van die dossiers moest apart worden bekeken. SUPO had dossiers over honderden haatactivisten. Het enorme aantal schrikte me af. Ook al stelde ik een groot onderzoeksteam samen, hoe konden we al die lui dan gedetailleerd onderzoeken?

Elk zogenoemd haatmisdrijf moest bekeken worden. Was het misdrijf gepleegd vanwege de etnische achtergrond van het slachtoffer of had die er niets mee te maken? Neem bijvoorbeeld de mishandeling van buschauffeurs. Er waren zwarte bus- en taxichauffeurs in elkaar geslagen, maar dat gold ook voor blanke. Die misdrijven waren niet per se door een racistisch motief ingegeven. Maar als het slachtoffer door een of meer personen met een andere huidskleur dan de zijne werd aangevallen, dan betrof het voor de wet bijna altijd een haatmisdrijf. Er waren geen voorbeelden van raciaal geïnspireerde onthoofdingen of iets wat daarop leek. De uren verstreken, maar Milo noch ikzelf had iets gevonden op grond waarvan we iemand als verdachte konden aanmerken.

Rond vijf uur raakte het nieuws van de vermoorde soldaat en de diefstal van de AK-47-geweren op het internet bekend. Alle kranten brachten het nieuws in grote koppen op hun internetsite. Iemand had een close-up gemaakt van Rami, de jongen wiens keel was doorgesneden, waarbij te zien was hoe zijn tong door de snijwond heen naar buiten stak. De foto trok de aandacht van het hele land. En de jonge Harri had zijn verhaal verteld, of verkocht.

Partijleider Topi Ruutio van de Ware Finnen deed er het zwijgen toe.

Roope Malinen schreef een haatdragende blog waarin hij zich verkneukelde over zijn vooruitziende blik.

Al zijn woorden en gedachten waren bewaarheid geworden. Zijn blog had op die dag vierenvijftigduizend hits. Een nieuw record voor hem.

De haat zwol tot steeds grotere proporties op.

De vijandigheid tegen buitenlanders raasde door de media. In de gemodereerde reactiekolommen van de kranten gaven lezers hun mening naar aanleiding van de artikelen over de moord op de soldaat. Alle zwarten moesten onmiddellijk worden gedeporteerd, en het Finse staatsburgerschap moest hun worden ontnomen, als ze dat bezaten. We hadden ze uit naastenliefde in dit land opgenomen en nu waren ze een jihad tegen ons begonnen. Zwarten en moslims moesten in concentratiekampen worden opgeborgen. Finse zigeuners: allemaal tuig. Wat voor zigeuners waren dat die ergens gingen wonen en niet meer als nomaden rondtrokken? Finse zigeuners reisden met de veerboot tussen Zweden en Finland heen en weer, vroegen in beide landen een verblijfsvergunning aan en profiteerden van de sociale voorzieningen in beide landen. Finland was ooit een paradijs voor blanken, nu was het verwoest door het zaad van de zwarten. Als ze niet naar hun eigen land teruggingen en daar bleven, moesten de zigeunerbedelaars de zee in gedreven worden.

Ongemodereerde blogsites en de sociale netwerken ontploften. Steriliseer zwarten en Arabieren om de verwatering van het Finse bloed te voorkomen. Smerige mensen maken smerige baby's. Teerbaby's. Steek de moskeeën in de brand. En Lisbet Söderlund, die dode negerlulpijpster, heeft haar verdiende loon gekregen. Zwarten vernietigen de orde en kweken chaos.

Finland kolkte van haat. Dreigementen met racistische misdrijven waren aan de orde van de dag.

In Joensuu werden een linkse politica en haar publiek tijdens een toespraak aangevallen door vijf neonazi's in kogelvrije vesten, vermoedelijk voor het geval de politie hen met rubberkogels zou beschieten om verdere onlusten te voorkomen. De anonimiteit van de sociale netwerken leverde onverbloemde taal op. Er doken Facebookpagina's op waarin werd gediscussieerd over de voors en tegens van de negers terugsturen naar Afrika of ze in gaskamers en ovens ombrengen. Er werd opgeroepen om meer linkse politici met kogels uit te schakelen.

Er pleegden nog twee junks zelfmoord en er werd nog een apotheek overvallen.

Ik kreeg een telefoontje van SUPO. De grote landelijke kranten hadden allemaal een fax ontvangen. Die leek op dezelfde manier samengesteld als het briefje bij het afgesneden hoofd van Lisbet Söderlund. De tekst luidde: 'Voor elk misdrijf dat door zwarten tegen blanken wordt begaan, zullen we als vergelding een nikker doden.'

Ze stuurden me een scan. De manier waarop de letters waren uitgeknipt leek erop te wijzen dat ze het werk van dezelfde persoon waren.

Milo schudde walgend zijn hoofd. 'Weet je, ze hebben dit grotendeels over zichzelf afgeroepen.'

Als ik emoties had gevoeld, weet ik niet of ik boos zou zijn geweest of om zijn onnozelheid had gelachen, of allebei.

'En waarom zou dat zo zijn?' vroeg ik.

'Omdat onze moslimimmigranten zich als ratten voortplanten en weinig of geen moeite doen om zich aan te passen. Suomen Islamilainen Puolue – de islamitische politieke partij – wil de sharia invoeren. Gezien de opkomst van de politieke islam, die door velen als islamfascisme wordt betiteld en waarbij fundamentalistische moslims hun godsdienst misbruiken en een wereldwijd kalifaat proberen op te bouwen waarin iedereen aan de shariawetten moet gehoorzamen, is het vanzelfsprekend dat wij ons daartegen verzetten.'

Het was onze gewoonte geworden om uit beleefdheid Engels te spreken als Kate in de buurt was. Ze spitste haar oren.

Milo vervolgde zijn betoog. 'Als ze daarin zouden slagen, zouden ze al onze vrijheden afnemen, ons tot een andere manier van leven dwingen en ons recht op vrije meningsuiting inperken, evenals alle grondrechten van vrouwen, zoals het recht op onderwijs. Zou jij willen dat Kate gedwongen werd een sluier te dragen? In ons strafrechtelijk systeem zou het recht op een eerlijk proces niet langer bestaan en bij wijze van straf zouden onze ledematen worden afgehakt. Er zijn nogal wat mensen die afgeschrikt worden door een dergelijk scenario.'

'En na een paar generaties zouden alle Finse baby'tjes chocoladekleurig zijn in plaats van roomblank,' zei Kate.

Milo aarzelde; hij wist dat hij geen niet-racistisch antwoord kon geven. 'Ik hou van Finland zoals het is. Finnen die op de Finse manier leven.'

'Milo,' zei Kate, 'voor een intelligente kerel kun jij echt een enorme oetlul zijn.'

Ze zette de radio aan, zodat ze hem niet hoefde te horen. Ik was blij dat ze de tekst van het nummer dat er speelde niet begreep. Het was een hit van Irwin Goodman uit begin jaren negentig, toen de eerste Somalische vluchtelingen hier aankwamen. Het ging erover hoe je van roetmoppen en dropstengels af moest komen.

16

De volgende dag gingen Sweetness en ik vroeg op pad. We bezochten postkantoren om te zien of de medewerkers zich iemand herinnerden die de doos met Lisbet Söderlunds hoofd ter verzending had aangeboden. De doos was onverzekerd verstuurd en er was geen handtekening voor ontvangst benodigd, dus we wisten op grond van het inktstempel alleen dat de doos in Helsinki op de post was gedaan. We begonnen in het buurtpostkantoor dat ook Kuninkaantie 38 en dus het Finse Somalië Netwerk bedient. Geen resultaat.

Maar nadat een medewerkster daar vlak voor Kerstmis die varkenskop had ontvangen, had ze een Fins pseudoniem verzonnen en een Hotmail-account geopend. Omdat ze bang was voor een gewelddadiger aanval, had ze zich op Facebook aangemeld bij elke anti-immigrantengroep die ze had kunnen vinden, waaronder 'Ik zou twee jaar van mijn leven geven om Lisbet Söderlund te vermoorden', teneinde bewijs te verzamelen als het Finse Somalië Netwerk weer doelwit van een aanval zou zijn. Ze printte alle berichten dagelijks uit. Ze maakte voor mij kopieën van alles wat ze bezat. Een waardevol cadeau voor het onderzoek. Geen enkel opsporingsorgaan had hetzelfde gedaan.

We gingen naar het hoofdpostkantoor in de stad, waar we een kopie van het werkrooster van 16 maart kregen, de dag waarop het pakket was verstuurd. Het is daar altijd een gekkenhuis. We ondervroegen alle medewerkers die die dag dienst hadden gehad ter plekke als ze aanwezig waren en belden ze op als ze er niet waren. Te veel klanten. Een gezichtsloze meute in lange rijen. Het leverde niks op.

We liepen naar buiten. Ik stak een sigaret op, en mijn telefoon ging. Het was rechercheur Saska Lindgren, een brigadier van Helsinki Moordzaken.

Hij was op een plaats delict bezig de moord op twee zwarte mannen te onderzoeken. Er was een briefje gevonden met uitgeknipte letters die op een vel papier waren geplakt. De tekst luidde: 'Voor Rami Sipilä', de soldaat wiens keel de dag daarvoor was doorgesneden.

Ik had al eerder met Saska te maken gehad. Hij is een slimme jongen, die als een van de beste politiemannen van het land wordt beschouwd.

De moord was gepleegd in Oost-Helsinki, een buurt met een slechte reputatie en een grote immigrantenbevolking. Sweetness is daar opgegroeid en kent het gebied dus op zijn duimpje. We gingen eropaf. Het was iets onder nul, maar we hadden elke dag twaalf uur zonlicht.

We kwamen aan bij een eengezinswoning met tuin. Die vond je hier niet veel. De buurt bestaat grotendeels uit flatgebouwen uit de jaren zeventig, toen het vooral om functionaliteit ging en de lelijkheid regeerde. Het gebied was afgezet. De straat stond vol reportagewagens van tv-stations en verslaggevers. Ze schreeuwden ons toe, zwaaiend met microfoons. Saska en ik groetten hen en negeerden hen verder.

Ik stelde Sweetness aan hem voor. Vanwege zijn postuur tonen de meeste mensen zich nogal geïmponeerd, maar bij Saska leek dat niet het geval. Als halve zigeuner heeft hij in zijn leven al heel wat racistische ellende moeten verduren, en ik heb gemerkt dat hij niet over mensen oordeelt, of althans zijn oordeel uitstelt totdat hij reden heeft zich een oordeel te vormen. 'Ga maar kijken,' zei hij.

Twee jonge zwarten waren in een provisorische gaskamer vergiftigd. Ze waren meegenomen naar hun garage en onder de achterzijde van een stationwagon op de grond gelegd. Er was een deken over de uitlaat, de bumper en de mannen gelegd. De motor van de auto was blijven lopen totdat ze aan koolmonoxidevergiftiging waren overleden en de benzine op was.

'Het zijn broers,' zei Saska. 'Dalmar en Korfa Farah. Somaliërs. Ze woonden hier met hun moeder en zus. Hun vader is in Somalië vermoord. Ik weet nog helemaal niets over ze.'

Milo, Saska en ik gingen naar de voortuin om te roken. Sweetness kwam achter ons aan, over zijn schouder kijkend. Lijken hebben een vreemd effect op hem. Het valt me op dat hij zijn blik er niet van kan afwenden. 'Ik heb jou gebeld vanwege dat briefje,' zei Saska. 'Een paar zwarten en blanken lijken elkaars misdrijven te willen vergelden. Blanke racisten hebben Lisbet Söderlund vermoord. Boze zwarten hebben geweren gestolen en een soldaat vermoord. Diezelfde racisten hebben waarschijnlijk deze jongens vermoord. Het zal hierbij niet blijven. Represailles zijn onvermijdelijk. We moeten contact houden en relevante info uitwisselen.'

'Ja,' zei ik, 'laten we dat doen. Dit land kookt al over van haat. Dat kan tot toestanden leiden die we nooit voor mogelijk hadden gehouden.'

Hij drukte zijn sigaret uit. 'Daar ben ik ook bang voor.'

'Waar zijn hun moeder en zus?' vroeg ik.

'Die houden zich schuil in het huis. Ze zijn bang om naar buiten te komen. Ze lagen te slapen en hebben niets gehoord.'

'Hoe gaat het met de zaak-Saukko?' vroeg ik.

Misschien had ik dat niet moeten vragen. De zaak betrof een ontvoering annex moord waar de rijkste familie van Finland bij betrokken is. We waren inmiddels bijna een jaar verder en nog altijd was de zaak niet opgelost. Een gênante vertoning. Saska was de verantwoordelijke rechercheur.

'Er zit geen schot in,' zei hij. 'Ik zal helemaal opnieuw moeten beginnen en alle documenten en verslagen opnieuw moeten lezen. Ik heb iets gemist.'

Ik probeerde met hem mee te voelen. 'De zaak-Söderlund staat er niet beter voor.'

Natuurlijk werkte ik nog niet eens een week aan de zaak en hij al bijna een jaar aan de zijne, maar hij wist dat ik alleen maar diplomatiek probeerde te zijn. 'Laat het me weten als je meer achtergrondinfo over die jongens hebt.'

'Ja, goed,' zei hij. Sweetness duwde verslaggevers opzij zodat ik op mijn krukken door de meute heen kon, waarna we vertrokken.

17

Ik vertrok naar fysiotherapie, liet me aan mijn knie martelen en ging weer naar huis. Maar de operatie en de therapie waren wel succesvol. Mijn knie was niet meer zo beweeglijk geweest sinds ik was neergeschoten, en de mobiliteit nam dagelijks toe. Al snel kon ik de krukken gedag zeggen.

Sweetness en ik doorzochten Lisbets huis en kantoor. Ik nam haar correspondentie door, op zoek naar dreigbrieven. Haar tas was zoek, evenals haar mobieltje. Haar kantoor zag er netjes en geordend uit. Het getuigde van efficiency. Het viel me op dat persoonlijke accenten ontbraken. Geen foto's. Geen onderscheidingen of prijzen, waarvan ze er gezien haar succes vele moest hebben ontvangen. Dit vertelde me dat ze op zichzelf leefde en bescheiden was.

Ik heb inmiddels honderden of duizenden plaatsen delict onderzocht en ben in talloze Finse huizen geweest, en wat me altijd het meest opvalt, is dat ze zo op elkaar lijken. Bijna iedereen heeft dezelfde soorten kopjes en schoteltjes en meubilair. De meeste huizen zijn gewoon onderling verwisselbaar, en voor het hare gold dat ook. Ik zag dat ze van planten hield. Er stonden ruim twintig planten van diverse soorten in haar appartement. En ze had een groot verwarmd aquarium. De vissen zagen er exotisch uit – geen goudvissen – dus ik nam aan dat ze er plezier aan beleefde. Ik voerde ze en maakte een aantekening om ze ter verzorging te laten weghalen.

Haar garderobe bestond uit de saaie standaardoutfits voor een zakenvrouw. Ze had fitnesskleding. Aerobics- en joggingschoenen. Ze zorgde ervoor dat ze in vorm bleef. Net als in haar kantoor waren er weinig snuisterijen en foto's te zien. Ze geloofde in functionaliteit.

Eenmaal thuis bekeek ik haar telefoonlog en belde iedereen die zij de afgelopen maanden had gebeld of die haar had gebeld. Ze was single en had geen romantische afspraakjes. Haar werk beheerste haar leven.

Ze was geliefd en had nooit over bedreigingen of vijanden gesproken, afgezien van de website die haar dood had gewenst. Ze had die nooit serieus genomen.

Ik sprak met haar collega's. Die vertelden me hetzelfde. Ze was op de dag van haar dood voor het laatst gezien toen ze rond zes uur van haar werk vertrok.

Ze reisde met het openbaar vervoer; een auto had ze niet. Bij de bus- en tramhaltes die ze meestal gebruikte werden agenten geplaatst. Verscheidene dagen lang zouden ze iedereen die gebruikmaakte van die haltes vragen of ze haar misschien gezien hadden. Maar als dat niet zo was, betekende dat nog niets. Passagiers in het openbaar vervoer van Helsinki kijken zelden om zich heen en vermijden ieder oogcontact.

Milo en ik werkten vanuit onze eigen appartementen. We hoefden niet per se in hetzelfde gebouw te zijn. Onze computers waren met elkaar verbonden in een netwerk, de database was gereed voor gebruik en we hadden de dossiers ter bestudering opgesplitst. We konden zo nodig via webcams met elkaar overleggen. Ik dacht lange tijd na over een praktische manier om naar haar lichaam op zoek te gaan. In dit grote verstedelijkte gebied kon ik niets bedenken. Ik kon alleen maar hopen dat het in eén container of iets dergelijks werd aangetroffen. In deze tijd van het jaar zou iedereen met een beetje verstand in Helsinki het lichaam verzwaren en het een begrafenis op zee geven.

'Ik ben blij te zien dat je weer rechercheur bent, in plaats van dief,' zei Kate.

'Het bevalt mij ook beter,' zei ik. En zo was het. Ik had er geen morele problemen mee dopedealers leeg te schudden, maar ik voelde me meer thuis in een oude, comfortabele rol. Ik kon me alleen niet concentreren op de berg materiaal over elke racist in Finland. Kate zat met Aino te bellen. Hun vriendschap werd steeds intenser. Ik zag voortdurend Aino's blauwe ogen en blonde haar voor me, de manier waarop haar trui haar borsten accentueerde. Ik dacht er veel liever aan hoe ik met haar zou neuken dan dat ik over het afgehakte hoofd van Lisbet Söderlund nadacht. Ik kon niet werken totdat Kate had opgehangen en hun gesprek ten einde was.

Ik zat nog twee dagen lang met mijn laptop aan tafel. Katt sliep op mijn schoot of zat op mijn schouder en zette zijn klauwen in mijn nek. De pijn voorkwam dat mijn gedachten afdwaalden. Ja, al dit materiaal doorploegen en met de gebruikelijke recherchetechnieken honderden mogelijkheden onderzoeken zou uiteindelijk naar de moordenaar van Lisbet voeren, maar hoeveel tijd zou dat kosten? Er gingen dagelijks mensen dood. Met routineonderzoek kwam je er niet. Ik bekeek de Facebook-pagina's die de vrouw van het Finse Somalië Netwerk me had gegeven. Ik had het idee dat daarin het antwoord besloten lag.

Ik sloot me aan bij elke Finse haatgroep die ik op de sociale netwerken kon vinden. Eentje, 'Auttakaamme Maahanmuuttaja Rikolliset Takaisin Kotiin geheten' – 'Laten we ervoor zorgen dat de criminele immigranten terug naar huis gaan' – had meer dan zesentwintigduizend leden. De zoveelste naald in een hooiberg. Maar de groep op Facebook waardoor ze rechtstreeks was bedreigd – 'Ik zou twee jaar van mijn leven geven om Lisbet Söderlund te vermoorden' – had een lid met een gebruikersnaam en avatar van Heinrich Himmler, dat meermalen kenbaar had gemaakt alle zwarte immigranten in Finland naar de gaskamer te willen sturen. En nu waren er twee broers in een geïmproviseerde gaskamer vermoord. Heel wat leden van de groep hadden gebruikersnamen van nazi's – Goering, Ilse Koch, Joseph Goebbels, Adolf Eichmann – maar de toon van de retoriek van het lid dat zich Himmler noemde vertelde me dat hij degene was naar wie ik op zoek was. Als hij Lisbet Söderlund niet zelf had vermoord, wist hij volgens mij in elk geval wie het had gedaan. Maar hoe kon ik hem vinden?

Saska Lindgren belde me. De vermoorde jonge mannen waren bekende kleine drugsdealers. Ze verkochten alles, van hasj tot heroine. Via hun bankpassen werd duidelijk dat ze op de dag dat ze werden vermoord een trein naar Turku hadden genomen. Ze hadden enkeltjes gekocht. Ze hadden bij McDonald's in Turku gegeten.

Dat was het laatste spoor dat er van hen was gevonden.

Ik keek naar het tv-nieuws. Agressie en afranselingen, confrontaties tussen blanke en zwarte jeugdbendes. Agressie tegen afvallige Finse blanke vrouwen die zich vanwege hun huwelijk met moslims tot de islam hadden bekeerd. Hun baby's van gemengd ras werden in hun kinderwagens bespuwd. Close-ups van tranen die sluiers in vloeiden. De media maken geen melding van deze verhalen en berichten vaak niet over benderuzies. De politie weet de gevechten vaak te beëindigen maar verricht geen arrestaties. Het is een gezamenlijke inspanning om raciale spanningen onder de mat te vegen. De media bagatelliseren die momenteel en berichten er op zo neutraal mogelijke toon over, maar ze zijn onmogelijk te negeren.

Op vrijdagnacht deden we een inval bij beide partijen van een drugsdeal na de transactie. Het leek me zinloos, omdat we in de publieke belangstelling stonden, maar Jyri stond erop en zei dat ik blij zou zijn dat ik het had gedaan. Vreemd was het wel, omdat we meer dan een half miljoen euro zouden stelen, plus de drugs, en die naar een ander appartement zouden brengen om ze daar te verbergen. We gingen buitengewoon omzichtig te werk. Milo had hun auto's van een gps-zender voorzien en tapte hun telefoons af. We reden eerst een uur lang rond om er zeker van te zijn dat we niet gevolgd werden. Het verliep allemaal gladjes.

Na de inval gingen we nog wat drinken, zoals onze gewoonte was geworden.

Terwijl we van ons biertje dronken, kregen paranoia en wantrouwen uiteindelijk toch de overhand.

Een van de gangsters stak uiteindelijk een van de andere dood en liet hem in de kofferbak van zijn auto achter. Milo kwam dat te weten toen de moordenaar zijn baas belde om hem te vertellen wat hij had gedaan. Als er een maffiaoorlog begon en Helsinki Moordzaken die zou gaan onderzoeken, zou alles uitkomen en het spoor terug naar ons leiden. Ik besloot dat we ons de volgende ochtend van het lichaam moesten ontdoen.

18

Om zeven uur 's ochtends ontmoetten we elkaar voor mijn huis. De media hadden Jyri's wens dat ze met hem zaken zouden doen gehonoreerd, terwijl ik het onderzoek en kwesties van nationale veiligheid voor mijn rekening nam. Er stonden geen verslaggevers voor mijn huis en we werden niet gevolgd terwijl we de stad rond reden. De enige telefoontjes en mailtjes waren van persbureaus buiten Finland, en die beantwoordde ik niet.

Lijken wegwerken viel in de categorie onderwerpen die niet in het bijzijn van Kate besproken konden worden. Mijn intuïtie zei me dat zoiets haar goedkeuring niet kon wegdragen.

De thermometer stond inmiddels boven het vriespunt, en het viel me op dat de grauwe ijsbergen langs de straat in omvang slonken. Dat was niet het gevolg van de opwarming van de aarde, maar van de naderende lente. De eerste knoppen werden zichtbaar in de bomen.

We liepen naar een kiosk om de hoek, waar we koffiedronken. Een hoog tafeltje dat eerder bedoeld was om te staan dan om aan te zitten vormde een goede plek om op gedempte toon een gesprek te voeren.

'Ideeën?' vroeg ik.

'Ik ga verdomme echt geen lijken in stukken snijden,' zei Sweetness.

Milo en ik waren het daarmee eens. Geen van ons had trek in zoiets walgelijks.

'Het hoofd en de handen moeten weg,' zei Milo. 'Ik heb vannacht een thermietbom gefabriceerd, en ik heb genoeg buskruit uit mijn herlaadinstallatie om zijn mond vol te stoppen. We kunnen de bom in zijn handen leggen. Die zal met een temperatuur van zo'n drieduizend graden ontbranden. Zijn handen zullen verdwijnen, tegelijk met het grootste deel van zijn lichaam als de bom ontploft. Als het buskruit ontbrandt, zal er van zijn gebit alleen wat poeder overblijven. De auto zal ontploffen en er zal niets meer van overblijven dan een rokend zwart chassis.'

'Hoe heb je die bom gemaakt?' vroeg Sweetness.

'Hij bestaat grotendeels uit aluminium en ijzeroxide. Dat kun je gewoon in ijzerwinkels kopen. Ik had nog wat liggen.'

'Bestaat er geen minder spectaculaire manier om van hem af te komen?' vroeg ik. 'Hij hoeft alleen maar te verdwijnen. Geen lijk, geen moord.'

Sweetness pakte wat nuuska en stopte dat in zijn tandvlees. 'Mijn pa werkte als lasser op de scheepswerven. Hij gaf me daar ooit een vakantiebaantje. Ze hadden vaten met zuur in scheepscontainers. Die zijn bedoeld voor de industrie, zoals papierfabrieken en nucleaire installaties. We kunnen hem in zo'n vat stoppen en dat dichtlassen.'

Terwijl hij nadacht, zonken Milo's ogen dieper in hun zwarte kassen. 'Weet je nog wat voor zuren dat waren?'

'Zoutzuur en waterstoffluoride zijn er twee die ik me herinner.'

Milo grijnsde half. Wat een lange woorden kende die domme reus.

Ik probeerde van mijn koffie te drinken, maar die was nog steeds te heet. 'Er lopen arbeiders rond op de scheepswerf. En we moeten een deel van de inhoud van het vat zien kwijt te raken, zodat hij erin past. We moeten dus een leeg vat hebben. En die vaten zijn groot en zwaar. We moeten het vat ergens mee optillen zodat we een deel van de inhoud van het volle vat in het lege vat kunnen schenken. En we moeten kleding hebben die ons van top tot teen beschermt, voor het geval we morsen. Het is een goed plan, maar we kunnen het niet helemaal op de scheepswerf uitvoeren.'

Milo sloeg op tafel, zodat de koffie uit de kopjes sloeg, en Sweetness zijn vingers verbrandde. 'Godverdomme,' zei hij.

Milo lachte. 'Ik heb het. Filippov Construction. Alles wat we nodig hebben is daar aanwezig, en we kunnen daar in alle rust werken.'

Filippov Construction was gesloten sinds Arvid de eigenaar Ivan Filippov een paar weken eerder had vermoord en zijn vrouw Iisa Filippov verdwenen was. Het bedrijf was gespecialiseerd in de afvoer van industrieel afval. Er werd niet meer gewerkt en het terrein was leeg.

'Hoe weet jij dat ze zuur hebben, en ook nog van de goede soort?' vroeg ik.

'Ik heb de inventaris doorgelezen.' Hij keek naar Sweetness, en om de ander een slag voor te zijn, omdat Sweetness lange woorden kende, zei hij: 'Ik herinner me bijna alles wat ik lees. Ze hebben zwavelzuur. Dat is niet zo effectief als zoutzuur of waterstoffluoride voor onze doeleinden. Het zal een paar weken duren voordat het lichaam opgelost is. Het zal eerst slijmerig worden, dan een kleverige vloeistof, en vervolgens helemaal verdwijnen. Er zal zelfs geen spoortje DNA overblijven.'

'En de andere problemen die ik noemde?' vroeg ik.

'Er zijn zes vaten van ruim achthonderd liter met zwavelzuur en vier lege vaten die voor opslag zijn bestemd. Het zijn draagbare tanks die aan bepaalde veiligheidsnormen voldoen. Ze zijn herbruikbaar, van tien centimeter dik staal met extra bescherming voor afsluiters en montagestukken. Ze zijn berekend op een druk van minimaal honderd atmosfeer en kunnen met een vorkheftruck getransporteerd worden, dus Sweetness kan met behulp van de vorken zuur van het ene in het andere vat gieten. En natuurlijk is er ook beschermende kleding aanwezig.'

'Misschien moeten we na afloop met de auto naar het bos rijden en die met jouw bom in brand steken,' zei Sweetness.

'Ik kan me niet voorstellen dat dat bedrijf binnen een paar weken weer opengaat, terwijl die gangster tot smurrie aan het ontbinden is,' zei ik. 'Lijkt me een prima plan.'

Voor het eerst sinds mijn operaties bestuurde ik een auto. Het was geen probleem. Ik bezat ruim voldoende kracht in mijn knie om de pedalen zonder al te veel pijn in te drukken. We namen mijn Saab en wisten de Ford met het lijk in de kofferbak te vinden. Milo heeft moedersleutels die op bijna elke auto passen. Hij en Sweetness namen die auto – ik wilde dat ze meer tijd met elkaar doorbrachten

– en ik volgde hen naar Filippov Construction, dat in een bedrijvenpark in Vantaa lag.

Milo forceerde het slot in het hek. Sweetness nam een slok uit zijn heupfles. Het terrein was omgeven door een zwaar harmonicahek, met daarop twee lagen prikkeldraad, en vanbinnen afgezet met groene fiberglasgolfplaat, zodat niemand naar binnen kon kijken.

We reden een groot geasfalteerd terrein op dat vol stond met zware apparatuur. Een paar Bobcat-bulldozers, een hoogwerker, een vorkheftruck en andere machinerie, naast industrieel afval dat nog verwerkt moest worden, en containers om het in op te slaan. Ik bleef buiten in het ochtendzonnetje, terwijl Milo en Sweetness zich omkleedden.

Toen ze naar buiten kwamen, leken ze op knotsgekke geleerden uit een slechte sf-film; ze waren van top tot teen beschermd, tot gasmaskers, schutbrillen en rubber schorten aan toe. Ze hadden gereedschap bij zich om de tonnen te openen en gingen aan de slag. Ze besloten dat ze de gangster het best in het lege vat konden dumpen en hem vervolgens met zuur overgieten.

Ze zetten zijn Ford met de achterkant tegen het vat aan en openden de kofferbak. Het viel niet mee hem op te tillen. Hij was nog niet zo lang dood en de rigor mortis was maximaal. Hij was zo stijf als een plank.

Maar ze hadden geluk, want hij had in een soort foetushouding in de kofferbak gelegen. Anders hadden ze vrijwel elk bot in zijn lichaam moeten breken om hem in het vat te kunnen stoppen. We hadden ook geluk dat Sweetness bij ons was. Hij tilde de gangster in zijn eentje uit een lastige positie op; hij kon alleen zijn armen gebruiken, want het was onmogelijk je te bukken en met je bovenlijf de kofferbak in te duiken. Het zou Milo en mij nooit gelukt zijn.

Ze openden het vat met zuur en ook het lege vat. Sweetness startte de vorkheftruck en begon met beleid zwavelzuur op de gangster te gieten.

Ik droeg geen beschermende kleding en bleef zo'n dertig meter verderop tegen de Saab geleund staan om te voorkomen dat ik de dampen inademde.

'Ik hoop dat ik je niet op het verkeerde moment stoor,' zei een kalme stem tegen me.

Ik schrok me te pletter en sprong op.

Sweetness had blijkbaar een plotselinge beweging aan de rand van zijn gezichtsveld gezien. Hij bleef kalm en bracht de vorken rustig naar achteren, zodat er geen zuur meer in de ton liep.

Hij gebaarde met een in een rubber handschoen gestoken hand naar Milo en wees in mijn richting. Terwijl ze op ons toe liepen, zetten ze hun gasmaskers af en trokken ze hun handschoenen uit. Ik zag dat Milo een gat aan de achterkant van zijn papieren pak maakte en zag wat er ging gebeuren.

De man naast me wachtte af, zonder iets te zeggen. Hij droeg een zwart stoffen bomberjack, een spijkerbroek en hoge schoenen. Zijn hoofd was kaalgeschoren. Hij had grote, sierlijke tatoeages van Franse parachutisten-*wings* bij zijn slapen. Hij zag eruit als de duivel in eigen persoon.

Milo kwam glimlachend dichterbij en stak zijn hand in het gat in zijn papieren pak. Hij wilde zijn pistool op Satan richten, maar de man haalde zelf zijn pistool ongelooflijk snel tevoorschijn. 'Deputy Dawg,' zei hij, 'zal nooit sneller zijn dan Yosemite Sam.'

Milo keek verstoord en liet verslagen zijn Glock zakken. 'Wie zijn dat?'

'Amerikaanse stripfiguren. Ik ben een groot liefhebber van klassieke Amerikaanse strips. Mijn favorieten zijn Wile E. Coyote en Road Runner.' Satan zweeg even. 'Ik denk dat we het wel zonder wapens af kunnen. Zullen we ze wegstoppen?' Hij maakte zelf het eerste gebaar door zijn Beretta terug te stoppen in de holster onder op zijn rug.

'Wie bent u?' vroeg ik.

'A man of wealth and taste' – een rijk man met een goede smaak. Het leek wel alsof hij mijn gedachten over Satan had geraden en daarom met die Stones-tekst aankwam.

Hij stelde zichzelf voor met de naam Adrien Moreau. Hij was een Franse politieman, Fin van geboorte, die vijftien jaar in het Franse Vreemdelingenlegioen had gediend; vandaar zijn naam. Hij had gebruikgemaakt van zijn recht als legionair en was Frans staatsburger geworden, met een Franse identiteit. Hij vroeg of we onder vier ogen konden praten, terwijl mijn collega's verdergingen met het lijk in de ton met zuur, en ik ging daarmee akkoord.

Uit de blikken op hun gezichten bleek dat ze het gesprek met dit interessante nieuwe heerschap graag hadden willen volgen, maar ze respecteerden mijn wensen en begonnen zonder protest weer zuur in de ton te gieten.

'Ik geloof dat jij en ik een wederzijds lucratieve relatie kunnen hebben,' zei Moreau.

'En op wat voor manier dan wel?'

Hij probeerde niet te lachen, maar zijn opgetrokken mondhoeken wezen op geamuseerdheid. 'Ik volg je nu al een paar dagen. Ik heb gezien hoe je vannacht een overval pleegde. Het leek wel een bizarre versie van de Three Stooges als criminelen. Die schietgrage vriend van je frummelde aan sloten. Jij stond vlak bij hem op krukken, en die grote kerel deed me denken aan het monster Grendel uit de Beowulf-legende. Ik zou je kunnen helpen je techniek op dit terrein te verbeteren, maar ik heb een specifieker en praktischer doel in gedachten.'

'Onder wiens verantwoordelijkheid?'

'Ik ben in dienst van de Direction Générale de la Sécurité Extérieure. De DGSE is de Franse externe inlichtingendienst. Die functioneert onder de directie van het Franse ministerie van Defensie en werkt samen met het Centrale Directoraat van de Binnenlandse Inlichtingendienst, DCRI, teneinde inlichtingen te verzamelen ten behoeve van de nationale veiligheid, onder meer door middel van paramilitaire operaties en contraspionage in het buitenland. Ik ben supervisor in de Actiedivisie. Wij zijn verantwoordelijk voor het plannen en uitvoeren van clandestiene operaties en andere veiligheidsoperaties.'

Moreau was ongeveer van mijn leeftijd, misschien iets ouder. Hij sprak perfect Fins, maar het leek alsof hij het lange tijd niet had gedaan. Dat maakte zijn verhaal geloofwaardiger. Ondanks zijn jack wezen zijn postuur en gespierde gestalte erop dat hij een lange carrière in het leger achter de rug had. Hij gedroeg zich ontspannen en zo zelfverzekerd, dat het op een of andere manier vertrouwenwekkend was. Hij sprak op de onbezorgde manier van een man die in harmonie met zichzelf is. Zijn voorkomen en manier van doen waren zo met elkaar in tegenspraak dat het verontrustend was. Hij leek in alle opzichten een merkwaardige man.

'En die specifieke, praktische manier waar je het over had?'

'Ik hoop dat we, zodra je hier je werkzaamheden hebt afgerond, misschien een kop koffie kunnen gaan drinken om er uitgebreid over te babbelen.'

Ik stak een sigaret op en dacht erover na. Ik begon me door zijn manier van doen iets te veel op mijn gemak te voelen. Dat kon ertoe leiden dat mijn waakzaamheid verslapte. En dat was altijd fout. 'Het mag misschien bot klinken, maar ik heb liever dat je het kort houdt.'

Zijn glimlach zei dat hij daar helemaal geen moeite mee had. 'Zoals je je zeker zult herinneren, werden er vorig jaar twee kinderen van de familie Saukko ontvoerd. Het losgeld werd volgens de instructies betaald. De dochter werd vrijgelaten, maar werd drie dagen later door een sluipschutter in het hoofd geschoten. De zoon is nooit boven water gekomen. Ik ben in Finland op verzoek van de vader van de familie, die via de wapenindustrie connecties met de Franse overheid heeft. Hij vermoedde dat de jongen had kunnen ontsnappen en naar Zwitserland was gevlucht, waar de stiefmoeder nu woont. Het is mogelijk dat ze, om het zo maar te zeggen, een oedipale relatie hadden. De Finse politie voelde er niets voor om in Zwitserland te gaan zoeken, en toen werd mij die taak toebedeeld. De zoon is niet in Zwitserland. Hij heeft banden met racistische groeperingen in Finland, evenals zijn vader, maar die kreeg ruzie met ze omdat ze van mening waren dat zijn financiële bijdragen te laag waren om zijn toewijding aan de zaak van de haatzaaierij te bewijzen. Dat zou een reden voor de ontvoering kunnen zijn. Ik ben op zoek naar de zoon en moet tegelijk een beoordeling van de racistische situatie in Noord-Europa maken. Mogelijk zijn de racisten verantwoordelijk voor de ontvoering. Zo ja, dan zal ik de zoon en het geld aan de vader teruggeven en de moordenaars van de dochter hun verdiende loon geven.'

'Hun verdiende loon?'

'Oog om oog, tand om tand, zoals in de Bijbel staat.'

'En hoe zouden onze belangen parallel lopen?'

'Ik ben op zoek naar racisten die een vrouw met een sluipschuttersgeweer door het hoofd hebben geschoten. Jij bent op zoek naar racisten die een vrouw het hoofd hebben afgesneden. Er zijn in Finland maar weinig mensen te vinden die zo gewelddadig zijn, vooral als het om relatief emotieloze motieven zoals geld en politiek gaat. Het is heel goed mogelijk dat we op zoek zijn naar dezelfde man of mannen.'

Dat was inderdaad mogelijk – aannemelijk zelfs. 'Vandaag geen koffie,' zei ik. 'Ik moet nu een auto in de brand steken. En morgen heb ik een feestje. Kom rond vier uur bij mij thuis, dan bespreken we het.'

'Heel goed.' Hij stak zijn hand uit en ik schudde die.

Hij draaide zich om en liep weg.

Ik riep hem na. 'Mijn vrouw is er ook. Begin niet over deze lijkverwijdering waar zij bij is. En neem een cadeautje voor me mee.'

Hij draaide zich grijnzend om. 'Een cadeautje? Hoe dat zo?'

'Omdat het mijn feestje is en ik dol ben op cadeautjes.'

'O, ja, *It's my party and I'll cry if I want to*, nietwaar?'

'Je weet maar nooit,' zei ik.

Hij glipte grinnikend door het hek.

Ik had vaag het gevoel dat ik op het punt stond een pact met de duivel te sluiten.

Milo en Sweetness volgden me in de Ford van de inmiddels vloeibaar wordende gangster. Ik zette koers richting platteland en nam een weggetje het bos in, doelloos rondrijdend. Doordat de wegen niet waren geruimd, slipte en gleed ik regelmatig weg, maar het was nog te doen. Ten slotte eindigde de weg bij een akker waar verder niets te zien was.

Ik zei tegen Milo dat hij naar het midden van de akker moest rijden totdat de auto bleef steken en hem dan moest opblazen. Hij had een dikke, provisorische ontsteking gemaakt die op een grote voetzoeker leek. Volgens zijn ruwe schatting hadden we een minuut of vijf nadat we die hadden aangestoken. Sweetness en hij legden de ontsteking in een lusvorm in de auto zodat die niet in de sneeuw kon doven, verwijderden de kentekenplaat, staken de ontsteking aan en renden weg.

Vanwege mijn krukken kon ik de akker niet op lopen, dus keerde ik de auto en wachtte op hen. Ik kwam al weer tot een nieuw besef na de operatie. Mijn geweten was verdwenen, althans bijna. Er was een gangster gestorven door mijn acties en we hadden zijn lichaam geschonden, maar het betekende helemaal niets voor me. En ik realiseerde me opeens nog iets. Het befaamde record van Helsinki Moordzaken. Geen onopgeloste moorden sinds 1993. Een snelle berekening. Sinds dat jaar waren er zo'n twintigduizend doden aan een onderzoek onderworpen, maar er was geen enkele moord onopgelost gebleven. Geen enkele?

Ik zou er heel wat onder durven te verwedden dat ik niet de eerste politieagent was die een lijk liet verdwijnen. Verder acht ik het aannemelijk dat er een traditie bestaat om een klein team achter de hand te houden dat mensen zo nodig afperst, hardhandig aanpakt of zelfs laat verdwijnen.

Misschien gaat het daarbij niet om agenten, maar krijgen criminelen de gelegenheid in ruil voor gunsten tot op zekere hoogte ongestraft hun gang te gaan. De ratio achter dit vermoeden: Jyri heeft nooit de mogelijkheid besproken dat er geen geheime eenheid gevormd zou worden als ik op de operatietafel overleed. Hij maakte zich geen zorgen over de operatie. Mijn conclusie: het kon hem niet schelen of ik in leven bleef of stierf. Hij had al een ander uitgekozen voor het geval dat ik de pijp uit ging. Niet dat dit me schokte, maar interessant vond ik het wel. Ik moest daar dieper in duiken. Het was een hobby van me geworden om vuige roddels over Jyri Ivalo te verzamelen.

Ze renden over de akker. Om ze in de zeik te nemen liet ik ze de riemen omdoen: voor de veiligheid, zei ik, voordat ik wegreed. Ik drukte het gaspedaal in en we stoven stuiterend weg. Toen we na een paar minuten op een veilige afstand waren, stopten we om toe te kijken. Het thermiet verlichtte de hemel met een felle flits, waarna de benzinetank met een knal ontplofte. Vlammen en zwarte rook schoten de lucht in. Dit werk werd met de dag interessanter.

19

Milo en Sweetness wilden graag weten wat Moreau wilde. Ik zei tegen hen dat hij de volgende dag zou langskomen om het zelf uit te leggen. Ik zette hen af en ging boodschappen doen. Milo en Sweetness hadden geklaagd dat ik geëist had dat ze zich koest zouden houden, teneinde niet de aandacht op zich te vestigen. Ze verweten me dat mijn eigen voorkomen, met mijn gehink en dat litteken in mijn gezicht, juist reuze opvallend was. Ik wilde het goede voorbeeld geven. Morgen was mijn 'Welkom terug in de wereld'-feestje, een ideaal moment om de nieuwe, verbeterde, chirurgisch opgelapte en onopvallende Kari Vaara te presenteren. Ik kocht een wandelstok. Een simpele, goedkope stok. Mijn knieoperatie was zo'n succes geworden dat ik hem niet lang nodig zou hebben.

Ik ging op zoek naar een nieuwe haarkleur. Ik had geen idee dat de keuze zo groot was. Moest ik alleen mijn natuurlijke haarkleur wat accentueren? Zou ik voor subtiel of drastisch kiezen? Mijn natuurlijke haarkleur was inmiddels grijs, en mijn haar voelde aan als eekhoorntjesbont. Ik had het in geen twee maanden geknipt, en in plaats van een gemillimeterde militaire look bezat ik nu een warrige, onverzorgde haardos. Kate liep te drammen dat ik er iets aan moest doen. Morgen zou ze zien waarom ik dat niet had gedaan.

Na afloop ging ik naar huis. Kate had zich er inmiddels bij neergelegd dat ze negen maanden verplicht moederschapsverlof had. De Finse les was er uiteindelijk bij haar in geramd: we doen de dingen op een bepaalde manier omdat we ze nou eenmaal altijd op die manier hebben gedaan, simpel zat. Pogingen om onze algemeen aanvaarde normen te veranderen wekken slechts minachting op.

Nu de psychopaten die voor me werkten niet langer in mijn huis rondhingen, was het er rustig. Kate leek tevreden. Ze vroeg zelden naar mijn werk, maar als ze dat deed, noemde ze me soms Michael Corleone. Ze zei dat zonder erbij te glimlachen. Maar we konden het goed met elkaar vinden. Met mijn geoefende glimlach wist ik mijn emoties voldoende te veinzen. We zaten een tijdje bij elkaar om te praten over de dingen waar stelletjes met een pasgeboren baby het over hebben, totdat ik haar meedeelde dat ik verder moest met het onderzoek van mijn moordzaak.

Ik dacht na over de Fins-Franse legionair die Frans politieman was geworden en zich met internationale intriges bezighield. Het zou me verbazen als alles wat hij over zijn bezigheden had verteld klopte. Ik zou hem de volgende dag eens flink aan de tand voelen. Hij had over een voor beide partijen nuttige relatie gesproken. Ik had alle mogelijke overheidsfaciliteiten tot mijn beschikking. Wat zou hij op tafel kunnen leggen om mij te verleiden? Toch was ik het met hem eens. Er waren niet veel mensen in staat in koelen bloede moorden te plegen, en er waren er nog veel minder die over de vaardigheden en middelen beschikten om ze te plegen zonder dat ze tegen de lamp liepen. En in een land met een bevolking van niet meer dan vijfenhalf miljoen was het reservoir aan gekwalificeerde verdachten maar klein. Het was heel goed mogelijk dat we naar dezelfde man op zoek waren.

Ik moest meer te weten komen over de ontvoering en moord op Saukko. Het dossier was in handen van Saska Lindgren. Ik belde hem en legde uit dat onze zaken mogelijk raakvlakken hadden, en ik vroeg hem me een paar dossiers te sturen zodat de zaak-Saukko inzichtelijker voor me werd. Terwijl ik zat te wachten, keek ik wat rond op het internet. Ik bekeek krantenartikelen van bijna een jaar geleden en vormde me een beeld van wat de pers over de misdrijven had geschreven. Nadat ik Saska's dossiers had gelezen, had ik een redelijk beeld van de gebeurtenissen en de mensen die erbij betrokken waren.

VEIKKO SAUKKO: grootindustrieel, alcoholist, krankzinnige, kunstverzamelaar.

Zijn collectie omvat meer dan vijfhonderd stukken. Een groot deel ervan is Fins, maar hij bezit ook werken van Chagall, Dalí, Picasso en andere grootmeesters. Zijn vrouw heeft hem verlaten en is het land ontvlucht. Ze wordt gezocht wegens belastingontduiking en andere misdrijven.

Saukko werd op 22 april 1941 geboren in een prominente, politiek invloedrijke familie en ging al snel zijn eigen gang. Hij bouwde een carrière op als tijdschriftuitgever, gespecialiseerd in schandaalblaadjes. Zijn bekendste en succesvolste titel was *Be Happy*, dat in 1959 op de markt werd gebracht. Het tijdschrift richtte zich vooral op zogeheten humaninterestjournalistiek. In de jaren zestig en zeventig was *Be Happy* ongekend populair, met roddelverhalen over beroemdheden. De artikelen waren soms op feiten gebaseerd, soms verzonnen, en vaak een combinatie van beide.

Zelfmoorden, echtscheidingen, gesloopte carrières; *Be Happy* betaalde goed voor vuige roddels, en de roddels waren vet. Een tieneridool wordt een nachtclub uit gegooid, de portier verkoopt het nieuws. Tiener wordt een dronkenmanscel in gegooid, een agent maakt er foto's van. Genoemde tiener wordt in de dronkenmanscel in zijn reet geneukt, de cipier verkoopt het verhaal voor grof geld. Dergelijke hardcore lasterpraat wordt nooit expliciet opgeschreven, maar altijd geïnsinueerd in een kenmerkende stijl, waaruit de boodschap zonneklaar naar voren komt. Een politicus neukt met een minderjarige. *Be Happy*. Een stoere filmster nipt aan cocktails in een homobar. Finland weet het. *Be Happy*.

Saukko werd stinkend rijk omdat hij beter dan wie ook de Finse tijdgeest begreep. Niemand moet proberen boven het maaiveld uit te steken. Als je je daaraan bezondigt, riskeer je niet alleen verachting, maar zelfs diepe haat over je af te roepen. Laat niemand proberen iets bijzonders tot stand te brengen. Niemand mag uniek of getalenteerd zijn. Al waag je alleen maar een poging ergens in uit te blinken, dan wek je daarmee de indruk dat je beter denkt te zijn dan anderen. Vaak gehoorde opmerking: '*Kuka sekin luulee olevansa?*' – Wie denkt hij wel dat hij is?

Maar als iemand toch succes heeft, is hij het lievelingetje van het hele land, tot aan de onvermijdelijke dag dat de beroemdheid aan een grote of kleine vernedering ten prooi valt. En dan jubelt het hele land, omdat de verachtelijke overtuigingen bewaarheid zijn geworden. Voor Finnen is er niets leukers dan beroemdheden die onderuitgaan. We hebben een gruwelijke hekel aan mensen die hun talenten ten volle willen exploiteren. 'Wie dacht hij wel dat hij was?' Wij weten het. Hij is alleen maar goed voor vuige roddels, en dat is nooit anders geweest.

Sterren hebben hier vaak niet veel problemen mee, want als ze helemaal door het slijk zijn gehaald, profiteren ze daarvan door hun carrière over een heel andere boeg te gooien. Finse sterren raken aan de drank, kicken af of beweren dat en vertellen vervolgens hun larmoyante verhalen aan de media. Zo wordt de vernedering gevierd. Publiek applaus en bewondering. Een veelgebruikt scenario. De prijs die betaald wordt voor de erkenning dat ze uiteindelijk niets voorstelden. Aan de kant gezette vrouwen van sterren doen hetzelfde. Ze bouwen hun leven opnieuw op en beginnen een eigen carrière, gebaseerd op Oprah-achtige 'Boehoehoe, maar ben ik niet moedig?'-nonsens.

Finland was dolblij met smerige roddels. Finland was extatisch over smerige roddels. Papa Saukko werd er stinkend rijk mee. Papa Saukko was een goede zakenman en besefte dat je met Finse roddels slechts een beperkte rijkdom kon vergaren, omdat ze internationaal niet te verkopen zijn. Hij verkocht *Be Happy* voor honderden miljoenen Finse mark aan een uitgeversconcern, wat neerkwam op circa honderd miljoen dollar.

Saukko investeerde een deel van zijn vermogen in kunst en liet zijn luxe Villa Veikko bouwen, een paleis op een groot perceel aan zee. Naast Villa Veikko ligt het familiemuseum, dat door hun stichting wordt beheerd. Saukko verbreedde de scope van zijn onderneming Ilmarinen Sisu en investeerde in de machine- en papierindustrie, en met succes. Na een paar jaar voorzag Saukko de toekomst. Hij verkocht zijn belangen in de genoemde industrieën en investeerde in de beveiligingsbranche, de wapenindustrie in diverse landen, het management van investeringsfondsen, technologie en media. Hij geloofde dat je een fortuin kon opbouwen door in technologie en mediamanipulatie te investeren, en in het bewapenen van derdewereldlanden voor regionale conflicten. Hij kocht grote belangen in Nokia en Sanoma. Vandaag de dag bezit zijn onderneming bijna een kwart van het Sanoma-concern, en de waarde van zijn belang wordt op meer dan driehonderd miljoen euro geschat. In een recente Forbes-lijst van rijkste mannen ter wereld staat hij op plaats vijfhonderdzesenvijftig en is hij de rijkste man van Finland, met investeringen ter waarde van 1,7 miljard dollar in circa vijftig landen.

Saukko komt uit een oud geslacht van lage landadel. Zijn vader, Juho Saukko, was advocaat, politicus en minister van Buitenlandse Zaken en onderhandelde voor de Tweede Wereldoorlog met de Sovjet-Unie. Tijdens de Vervolgoorlog was Juho hoofd van het Krijgsgevangenenbureau. Na de oorlog, in 1946, moest Juho voor de krijgsraad terechtstaan, maar de aanklacht werd ongegrond verklaard. Daarna was hij president of directeur van diverse concerns en was hij voorzitter van de raad van commissarissen van een van de grootste banken van het land. Hij was ook voorzitter van het Fins-Amerikaans Genootschap. Juho was een toegewijd racist, een bewonderaar van Henry Fords opinies over rassen, die met de naziovertuigingen overeenkwamen, en werd gefascineerd door eugenetica en het idee van de Finse raciale zuiverheid.

Volgens zijn kinderen werd Veikko Saukko als kind zowel fysiek als psychisch misbruikt. Zijn vader was streng, kritisch en nooit tevreden. Saukko zelf staat bekend om zijn grofheden en zijn gewelddadige inborst. Hij staat erom bekend medewerkers te attaqueren zonder geprovoceerd te zijn, en door zijn voorliefde voor dronken uitspattingen in bars heeft hij al in diverse steden over de hele wereld opgesloten gezeten in dronkenmanscellen. Hij rookt drie pakjes sigaretten per dag, is al sinds zijn jeugd alcoholist en drinkt zelfs nu nog, op zijn negenenzestigste, vier gin-tonics per uur. Zeven jaar geleden heeft hij drie maanden in de cel gezeten omdat hij dronken achter het stuur zat. Tot zijn bekende compagnons behoren invloedrijke racisten en een aantal maffiosi uit diverse landen. Saukko heeft de racistische overtuigingen van zijn vader geërfd en heeft er geen moeite mee die privé of in het openbaar te verkondigen.

Saukko heeft een complexe persoonlijkheid. Ondanks alle genoemde feiten wordt hij door vrienden en kennissen met de volgende adjectieven omschreven: charmant, gevoelig, amusant, diepzinnig, open, timide en buitengewoon verlegen, en wordt hij als een intelligente, interessante gesprekspartner geprezen. Hij is ook een van de meest ervaren zeezeilers. Zo rijst het beeld op van een manisch-depressieve, zelfs schizofrene man.

Zijn eerste vrouw Anna-Leena schonk hem vijf kinderen: drie meisjes en twee jongens. Na een huwelijk van zesendertig jaar scheidde hij plotseling van haar, zonder aanwijsbare aanleiding. Drie weken later trouwde hij met Tuula Jaatinen, zesentwintig jaar. Tuula werd tot directeur van de Saukko-kunststichting benoemd en begon direct geld te verduisteren. In de loop van twee jaar wist ze naar schatting zo'n 10,2 miljoen euro achterover te drukken. Ze werd in een proces veroordeeld wegens verduistering, maar verdween in plaats van haar straf van drie jaar uit te zitten.

Momenteel woont Tuula in Zwitserland. De Finse autoriteiten hebben om haar uitlevering verzocht, maar de Zwitsers hebben daarmee niet ingestemd. Ze wordt gezocht door Interpol, op verzoek van Finse gezagsdragers. De Finse politie en de media kennen haar woonplaats in Zwitserland. Interessant genoeg is ze nog steeds met Veikko Saukko getrouwd, hoewel ze volgens de geruchten al sinds ze met Veikko getrouwd is de geliefde is van Veikko's zoon Antti, die eveneens getrouwd is en kinderen heeft.

Veikko's eerste vrouw Anna-Leena verkeert ook in ernstige juridische problemen. Als ex-directeur van de stichting is ze in diverse rechtszaken van financieel misbruik beschuldigd. In 2007 vroeg ze haar faillissement aan, nadat ze ertoe veroordeeld was 17,5 miljoen euro aan de stichting terug te betalen.

De vijf kinderen van Saukko wonen allemaal thuis in het landhuis op tweehonderd meter van het museum, met uitzondering van Kaarina, die overleden is, en Antti, die nu al bijna een jaar vermist is. Veikko staat erop dat hij door zijn kinderen omringd wordt, of ze nu single of getrouwd zijn, en dat ze in het landhuis blijven wonen. Hij weet dit door financiële chantage af te dwingen. Zijn kinderen zijn:

Zoon Antti – lid van de raad van bestuur van het concern, maar bepaald geen serieus persoon. Hij geeft de voorkeur aan zeilen, snowboarden en surfen boven werken. Getrouwd. Vader van vier kinderen. Leeftijd negenendertig.

Zoon Janne – lid van de raad van bestuur van het concern. Leeftijd zevenendertig.

Dochter Johanna – getrouwd en moeder van twee kinderen. Lutherse voorganger. Leeftijd tweeënveertig.

Dochter Kaarina – feestbeest. Een Finse Paris Hilton. Ze zou nu tweeëndertig zijn geweest.

Dochter Pauliina – het zorgenkindje. Als minderjarige ging ze de prostitutie in, kennelijk om haar vader op stang te jagen en hem uit te dagen in *Be Happy* over haar wilde leven te publiceren. Uiteindelijk deed hij dat, waarna ze de prostitutie opgaf. Wel raakte ze verslaafd aan heroïne. Ze leidt nu een teruggetrokken leven en komt bijna nooit het landhuis uit. Ze is verslaafd aan methadon. Leeftijd vierenveertig.

Zijn kinderen verachten hun vader en doen geen enkele moeite dat te verbergen, zelfs niet in de media. Sommige van hen menen dat hij een narcistische persoonlijkheidsstoornis heeft en elk empathisch vermogen mist. Ze klagen dat hij hen aan nachtelijke dronken monologen onderwerpt en hen tegen elkaar opzet door voortdurend de bepalingen in hun erfenissen te veranderen.

Jarenlang weigerde Veikko te kiezen wie van zijn kinderen de familieuonderneming zou overnemen. Blijkbaar geloofde hij niet in het eerstgeboorterecht, en om onnaspeurbare redenen koos Veikko Antti, de spilzieke zoon, waarna hij alle zeggenschap in het familiebedrijf aan hem overdroeg zonder zijn andere kinderen op de hoogte te brengen. En dit ondanks het feit dat Antti zijn vader jarenlang een klootzak, een menselijk monster en een smerig zwijn had genoemd en waarschijnlijk ook nog regelmatig met zijn vrouw neukte.

Voorheen waren de kinderen solidair met elkaar geweest. Na Antti's uitverkiezing verdween die solidariteit en begonnen ze elkaar in de media voor rotte vis uit te maken. Janne werd van zijn functie in de raad van bestuur ontheven. Alle andere kinderen hadden erebaantjes in het concern bekleed, waarvoor ze een exorbitant inkomen genoten. Ook zij konden vertrekken, en nu zijn ze voor hun inkomen geheel van hun vader afhankelijk. Deze toestand bleef voortduren tot augustus 2008, toen Antti – op dezelfde manier waarop hij benoemd was, en om al even ondoorgrondelijke redenen – als bestuursvoorzitter werd weggestuurd en Veikko weer de complete zeggenschap over de onderneming kreeg.

Deze situatie bleef bijna een jaar in stand.

Maar op 27 mei 2009, bijna een jaar geleden, werden twee van de kinderen, Antti en Kaarina, uit de familiewoning ontvoerd, en tegelijkertijd werden er schilderijen van Cézanne, Lautrec en Mary Cassatt gestolen, die Veikko kort daarvoor had verworven. De schilderijendiefstal werd de volgende dag ontdekt, maar omdat de kinderen wel vaker langere tijd wegbleven zonder dat te melden, begonnen de familie en de politie zich pas na drie dagen zorgen over de afwezigheid van Antti en Kaarina te maken, en dan nog alleen omdat ze niet te traceren waren om over de diefstal ondervraagd te worden.

Deze twee leden van de industriële Saukko-dynastie bleken in gijzeling te worden gehouden, en voor hun vrijlating werd een losgeld geëist. Een ontvoering van een dergelijke omvang in zo'n invloedrijke familie was in Finland nog nooit voorgekomen.

Er volgde een verwarrende reeks van gebeurtenissen.

Op 30 mei werden de broer en de zus officieel door de politie als vermist opgegeven. De politie nam echter niet meteen aan dat ontvoering de reden voor hun verdwijning was.

Op 2 juni ontving de familiematriarch Anna-Leena een e-mail in het Engels waarin een losgeld werd geëist. De inhoud luidde:

> Afzender: Charles Brown
> Verstuurd: 2 juni 9.47
> Aan: Anna-Leena@gmail.com
>
> Mw. Saukko,
>
> Ik maak u erop attent dat deze e-mail uw dochter K. en zoon A. betreft, die we van nu af handelswaar zullen noemen. Handelswaar is in goede conditie, gezond en zo. U dient zich aan bepaalde regels te houden om ervoor te zorgen dat wij de handelswaar weer bij u afleveren.
>
> 1. Geen contact met welke autoriteiten dan ook! Ook niet met derden etc.
> 2. 0400769062, uw mobiele nummer, moet aanstaan, zodat u verdere instructies kunt ontvangen.
> 3. De prijs dient contant betaald te worden, uitsluitend in gebruikte coupures. Geen nieuwe biljetten.
> 4. Procedure. We geven instructies over de aflevering van de betaling, u laat het geld ter plaatse achter en wij zullen het incasseren. We zullen de betaling ook controleren op observatieapparatuur en dergelijke. Als de betaling in orde is bevonden, zal de handelswaar worden vrijgelaten. Als er tracking-apparatuur wordt gebruikt om ons te volgen, zullen we beginnen de ledematen van de handelswaar te amputeren, waarbij we tourniquets gebruiken om te voorkomen dat ze doodbloeden, en we zullen dat blijven doen totdat we alle tracking-apparatuur hebben opgespoord en we niet meer worden gevolgd.

5. Elke fout of valstrik zal ertoe leiden dat u nooit meer van ons of de handelswaar zult horen.
6. De prijs bedraagt 10.000.000 euro, waarvan 6 te betalen in biljetten van 500, 2 in biljetten van 200 en 2 in biljetten van 100.
7. De betaling moet in twee sporttassen verpakt worden, instructies over de levering volgen nog. De afleveraar dient over uw mobiele telefoon, gps-navigatie en een auto te beschikken.
8. Beantwoord deze mail en laat ons weten wanneer u kunt leveren.

De handelswaar bevindt zich momenteel in het buitenland. U hebt twaalf uur de tijd om deze e-mail te beantwoorden.

XM

Anna-Leena belde haar ex-man Veikko. Hij ging tegen de wensen van de kidnappers in en belde meteen de politie. Hij legde ook het gevraagde eerste contact per e-mail. De politie ging na of het om een echte ontvoering leek te gaan, en zo ja, of het feit dat de ontvoerders zich van het Engels bedienden een redelijke aanwijzing was dat Kaarina en Antti nu echt buiten Finland waren. Veikko Saukko liet er geen misverstand over bestaan dat de politie onderzoek moest doen, maar als die zijn kinderen niet kon terughalen, dan zou het losgeld volgens de instructies van de ontvoerders worden betaald, hoe hoog hun eisen ook waren.

De dagen daarop werden honderden agenten ingezet voor het onderzoek, dat onder leiding stond van de gemeentelijke politie van Helsinki, en de minister van Binnenlandse Zaken werd van alle ontwikkelingen op de hoogte gehouden. De politie had twee belangrijke aanwijzingen.

1. Hoewel de gestolen schilderijen waardevol waren, waren kunstwerken met een veel hogere waarde blijven hangen. Vermoedelijk

waren de kinderen op hetzelfde moment ontvoerd als de kunstwerken waren gestolen. De gestolen schilderijen waren pas onlangs aangekocht en nog niet verzekerd. Daaruit bleek dat de ontvoerders wisten dat verzekeringsmaatschappijen het onderzoek nog jaren zouden voortzetten nadat de politie de handdoek in de ring had gegooid. Het stond daarmee vast dat de ontvoerders en dieven ervaren criminelen met kennis van zaken waren. Ze hadden hun huiswerk terdege gedaan en hadden op een of andere manier toegang tot informatie over de schilderijen gekregen die zich het meest voor de diefstal leenden.

2. De alarminstallatie van de villa was uitgeschakeld. Uit onderzoek van het bedrijf dat het systeem had geïnstalleerd bleek dat de documenten waarin de alarminstallatie van de familie Saukko werd beschreven bijna drie weken voor het misdrijf, op zondag 9 mei, nog geopend waren. Het misdrijf was tevoren langdurig voorbereid en tot in detail doordacht. Het beveiligingsbedrijf had geen inbraakmelding ontvangen. De operatie was perfect uitgevoerd, en de documenten waren met een gebruikersnaam en wachtwoord beschermd, wat betekende dat de criminelen technologisch goed op de hoogte waren. Dit waren professionals die serieus genomen moesten worden.

Kosten noch moeite werden gespaard. De ontvoering bracht een grote operatie op gang waarbij de politie, het leger, de vreemdelingenpolitie en de Finse douane betrokken waren.

Op 5 juni werd het vliegveldje van Kiikala gesloten ten behoeve van het ontvoeringsonderzoek. Onder het mom van een oefening assisteerden de civiele luchtvaartautoriteiten de politie door het gebruik van het luchtruim tussen Helsinki en Turku voor de twee weken daarop te beperken. Onbemande vliegtuigjes met radiobesturing werden van de Finse legerbasis in Niinisalo naar Kiikala overgebracht voor geheime verkenningsvluchten. Voorzien van geavanceerde camera's konden de onbemande vliegtuigjes beelden in hoge resolutie van een hoogte van tweeduizend meter of nog meer oversturen. De politie maakte bij de zoekacties geen gebruik van traditionele vliegtuigen en helikopters, uit angst dat de ontvoerders daardoor gealarmeerd zouden raken, met fatale gevolgen voor de twee kinderen van Saukko.

Op 9 juni staakten de autoriteiten de zoekacties vanuit de lucht. Het vliegveld van Kiikala ging weer open.

Hier ontbrak een passage in Saska's aantekeningen. Saska maakt dergelijke fouten niet. Ik nam aan dat het om informatie ging die hij om hem moverende redenen wilde achterhouden, en dat hij meende dat die informatie niet van belang was voor mijn onderzoek. Ik vertrouwde op zijn oordeel en zou het niet betwisten.

Op 10 juni mailde Veikko Saukko de ontvoerders dat hij het geld bij elkaar had en gereed was om de ontvoerde kinderen uit te ruilen. Hij kreeg de volgende instructies. Hij moest de auto om één uur op een bepaalde plek in een parkeergarage in Helsinki parkeren. De zakken met geld moesten in de kofferbak zitten, en de autosleutel moest onder de achterbumper geplakt zijn. Op de parkeerplaats naast de auto moest een oranje kegel geplaatst worden, zodat die plek vrij bleef.

De ontvoerders hadden hun parkeerplaats goed uitgekozen. Er stond slechts één bewakingscamera op hen gericht, en ze hadden zich uiteraard vermomd met pruiken, zonnebrillen en valse baarden. Voorin zat een chauffeur. Achterin zaten Kaarina Saukko en een man die in zijn ene hand een operatiezaag had en in de andere een scalpel. Kaarina's ogen en mond waren met tape afgeplakt. De chauffeur zette de kegel opzij, parkeerde en bracht de sporttassen met geld naar de voorstoel van zijn eigen auto over. Ze reden de garage uit en werden door onbemande vliegtuigjes gevolgd totdat ze een bosgebied bij Turku in reden en door het geboomte onzichtbaar werden.

Twintig minuten later explodeerde de auto. Kaarina Saukko was naar een plek op veilige afstand van de auto gebracht. Haar handen en voeten waren vastgebonden, maar ze was ongedeerd. De man die achter in de auto naast haar had gezeten, bleek een pop te zijn die rechtop in de auto was gezet. De ontvoerder leek de plek van de explosie ontvlucht te zijn op een kleine motorfiets, waarschijnlijk een terreinmotor. Kaarina liet weten dat ze in de periode van de ontvoering in de kelder van een huis goed behandeld was. Tijdens de autorit waren haar ogen afgedekt, maar het was een lange reis geweest. Ze meldde ook dat zij en Antti van elkaar gescheiden waren en dat ze hem helemaal niet had gezien gedurende de periode dat ze ontvoerd was.

Die avond werd het lichaam van Jussi Kosonen gevonden op de oever van de Aurajoki, die door Turku richting zee stroomt. Hij was door één enkel geweerschot achter in zijn hoofd om het leven gekomen. Zijn lichaam lag bij een speedboot die hij drie dagen eerder met contant geld in Turku had gekocht. Het geld en de schilderijen bleven zoek. In het wrak van de uitgebrande auto die bij het misdrijf was gebruikt werden diverse vingerafdrukken van Kosonen aangetroffen. Vingerafdrukken vormden er ook het bewijs voor dat Kaarina in de kelder van zijn huis, die hij geluiddicht had gemaakt, gegijzeld was.

Het onderzoek naar Jussi Kosonen wierp talloze vragen op, maar geen ervan werd beantwoord. Hij was een vierenveertigjarige bedrijfsjurist die aan de universiteit van Turku werkte. Kosonen had in Turku en Stockholm gestudeerd en sprak diverse talen vloeiend. Zijn profiel leek volstrekt niet op dat van een professionele kidnapper, en volgens zijn werkgever had hij geen financiële problemen.

De afdeling Turku van de Sociaaldemocratische Partij was verbijsterd door de onthulling. Kosonen was in de herfst van het jaar daarvoor nog de sociaaldemocratische kandidaat voor de gemeenteraadsverkiezingen geweest. Hij was niet verkozen. Kosonen was vader van drie kinderen en was bezig van zijn vrouw te scheiden. Hij zou voor de kinderen zorgen terwijl zijn vrouw twee weken op vakantie was in Tenerife. De kinderen waren in die periode niet op school geweest. Kosonen had de school laten weten dat hij had besloten zich met de kinderen bij zijn vakantie vierende vrouw te voegen, kennelijk als verzoeningspoging.

Antti Saukko werd niet bij zijn familie teruggebracht en is nog altijd spoorloos, wat de vraag opwerpt of hij zelf bij het misdrijf betrokken was of dat hij door zijn ontvoerders vermoord is. Drie dagen na haar vrijlating werd Kaarina Saukko met een grootkaliber geweer vermoord terwijl ze bij de familievilla aan het wandelen was. De kogel drong haar slaap binnen, vloog dwars door haar hoofd en kwam aan de andere kant weer naar buiten. De kogel is nooit gevonden. Uit onderzoek van de kogelwond bleek echter dat de kogel afgevuurd was met een .308 kaliber geweer met een volledig metalen mantel. Uit een simulatie waarbij de kogelbaan zo getrouw mogelijk werd berekend, kwam naar voren dat het schot van circa zevenhonderdvijftig meter afstand vanuit een hinderlaag was afgevuurd.

Als de moordenaar bedreven genoeg was geweest, had hij een sluipschuttersgeweer kunnen gebruiken, met de bedoeling dat de kogel door haar hoofd zou vliegen zonder een hard bot te raken, en dan had hij ervoor kunnen zorgen dat de kogel op een plek terecht zou komen waar die onmogelijk nog gevonden kon worden. Dat zou bijvoorbeeld een gazon geweest kunnen zijn, waar de kogel diep in zou zijn doorgedrongen en nooit meer gevonden zou worden, of mogelijk ook de zee. Een dergelijke moord zou om een zeer bedreven scherpschutter hebben gevraagd.

Sinds ze is vermoord, is er geen enkele voortgang meer geboekt in de zaak.

Ik kreeg een e-mail van Milo. Hij had met Ismo, de patholoog, over Lisbet Söderlunds hoofd gesproken. Ismo heeft er een hekel aan gebeld te worden met de vraag om samenvattingen van lijkschouwingen. Hij verwacht dat een rechercheur zoveel belangstelling toont dat hij zelf aanwezig is bij een lijkschouwing of dat hij op het verslag wacht, wat maanden kan duren. Ik zal hem een fles whisky sturen. Hij was weliswaar geïrriteerd, maar vertelde Milo toch dat Lisbet al dood was toen ze onthoofd werd. Haar nek was met één enkele ringvormige snede tot aan de ruggengraat doorgesneden, waarna die met een fijngetande elektrische zaag was doorgesneden. Een vakkundig slager had geen gladder resultaat kunnen bereiken. Al weer een professioneel uitgevoerde actie. Mijn gesprek met Moreau de volgende dag leek steeds belangrijker te worden.

20

Zondag 28 maart, de dag van mijn 'Welkom terug in de wereld'-feestje. Dat is een verkeerde benaming. Ik heb maar kort in het ziekenhuis gelegen na mijn operaties en ben vrijwel meteen na thuiskomst weer min of meer aan de slag gegaan. Ik had het gevoel dat het eigenlijk Milo's feestje was. Het was zijn idee, en hij had de gastenlijst samengesteld. Alleen Kate, Sweetness, Arvid, hijzelf en ik. Telkens als het onderwerp ter sprake kwam – en hij noemde het vaak – straalde hij enthousiasme uit. Hij had het tijdstip op drie uur bepaald. Ik had Moreau uitgenodigd om vier uur, zodat Milo de schatten die hij voor ons in petto had kon onthullen.

Kate en ik brachten de ochtend in bed door. Voor het eerst sinds Anu was geboren hadden we seks met elkaar. Technisch gesproken kon ze al een paar weken vrijen, maar ze maakte zich er zorgen over en daarom hadden we gewacht. Na afloop lagen we met Anu en Katt bij ons te praten. Gewoon een beetje kletsen. Omdat ze zelf niet werkte en we allebei niet graag over mijn werk spraken, hadden we niet veel gespreksstof. Maar de leegte werd gevuld door ons kindje en katje, die allebei hard groeiden.

Rond twaalf uur ging de deurbel. Kate zuchtte. 'Geen van beiden zou het toch wagen zo vroeg te verschijnen, hoop ik?' vroeg ze.

'Nee,' zei ik, 'het is iets anders.'

Twee postbezorgers brachten een paar enorme pakketten. Ik vroeg de mannen de dozen voor me te openen, waaruit een enorme fauteuil van zachte blauwgrijze stof, een voetenbankje en een leeslamp tevoorschijn kwamen.

Kate keek verbaasd en geamuseerd toe, terwijl ik instructies gaf waar ze geplaatst moesten worden. Nadat ik de bezorgers een riante fooi had gegeven vertrokken ze.

Ik liet me in de stoel vallen en legde mijn voeten op het voetenbankje. De stoel was ruim een meter breed, zodat we er gemakkelijk met zijn tweeën in pasten. Ik klopte op de plek naast me. 'Probeer maar,' zei ik.

Ze ging met opgetrokken benen naast me zitten en legde haar voeten tussen de mijne op de kruk. Ze vroeg: 'Waar hebben we dit aan te danken?'

De eetkamer en de woonkamer zijn eigenlijk één ruimte, die alleen door een verhoging van elkaar gescheiden zijn. Onze bank staat met zijn rug naar de eetkamer toe en staat op een paar meter van een grote breedbeeld-tv met home cinema. De muur aan de rechterkant wordt gevuld door een inbouwboekenkast. Behalve dit meubilair stonden er alleen nog een paar stoelen voor gasten in de woonkamer. Meestal zat Kate op de bank naast me of lag ze voor me, terwijl ik mijn arm over haar heen had gelegd, vooral als we tv zaten te kijken.

'Ik heb nooit zoiets gehad, maar heb het altijd al willen hebben,' zei ik. 'Ik ben veel thuis. Ik kan hier met mijn laptop zitten werken en de stoel is ook zo groot dat we er met zijn allen in kunnen zitten als we dat willen.'

Ze knikte instemmend. 'Best mooi. Het zijn echt kwaliteitsmeubels. Hoeveel kostte het?'

Ik zei: 'Dat moet je niet vragen.'

Ze vroeg niet door, maar begroef haar gezicht diep in mijn schouder om nog wat postcoïtaal te soezen. Katt zat op mijn schoot te spinnen. Anu lag in haar wiegje, en ik hoorde haar nauwelijks hoorbaar snurken. Ze deed een dutje, en ik volgde haar voorbeeld.

Rond één uur werd ik wakker en zei tegen Kate dat ik me moest voorbereiden op het feest, en dat Moreau, een Franse politieman, om vier uur zou langskomen voor een gesprekje over het moordonderzoek.

'Het kost je maar tien minuten om te douchen en te scheren,' zei ze.

'Ik moet me ook nog opdirken,' zei ik.

Dat was voor haar een vreemd woord uit mijn mond als omschrijving van mijn toilet maken.

'Opdirken?'

'Ja, opdirken.'

Ze schoof opzij zodat ik kon opstaan. 'Ik ben de laatste om me ermee te bemoeien. Dirk je vooral op, hoor.'

Ik ging naar de badkamer, deed de deur op slot en begon mijn haar te verven. Toen ik klaar was en het opgedroogd was, realiseerde me dat ik niet eens een kam had, en dat al meer dan twintig jaar. Mijn haar was nooit lang genoeg geweest voor een kam. Het was nog steeds vrij kort, en ik duwde het met mijn vingers een beetje naar voren totdat ik vond dat het er goed uitzag.

Ik bekeek mezelf in de spiegel. Ik was ruim zes kilo afgevallen omdat ik niet meer aan fitness deed en woog nu ruim tachtig kilo, maar er zat geen grammetje vet aan. Mijn litteken was verdwenen. Mijn haar was kastanjebruin. Ik wist niet goed naar wie ik keek.

Ik constateerde dat ik scherper kon zien. Alles leek scherper. Herinneringen leken wazig, vergeleken met mijn huidige blikveld. Ik voelde dat ik me beter kon concentreren en diepere inzichten had. Ik vroeg me af of de lege ruimte in mijn schedel zich vulde en of ik mijn emoties in de nabije toekomst nog zou terugkrijgen.

Ik liep naakt de badkamer uit, zonder mijn krukken, en mezelf dwingend niet te hinken. Ik trof Kate in de keuken aan terwijl ze een glas water stond te drinken. Ze liet het vallen en het viel op de grond kapot. Ze stamelde: 'Lieve god.'

'Is dat een goede of een slechte "Lieve god"?' vroeg ik.

Ze staarde me indringend aan en leek haar blik niet te kunnen afwenden. 'Ik weet het niet. In gedachten zie ik mijn man van drie maanden geleden, maar als ik naar de man voor me kijk, dan passen die twee niet bij elkaar. Je lijkt wel een ander. En tien jaar jonger.'

Ik liet mijn geoefende glimlach zien en begon de glasscherven op te pakken. 'Dat was precies mijn bedoeling.'

Arvid kwam een halfuur te vroeg. Ik had me netjes aangekleed voor het geval een ander dat ook zou doen, en had een spijkerbroek en een nieuwe trui aangetrokken. Hij trok in de gang zijn schoenen uit, haalde een doosje in cadeaupapier uit zijn jaszak en bekeek me van top tot teen. 'Goed gedaan,' zei hij, 'je bent bijna onherkenbaar.'

'Mooi.'

'Sorry dat ik zo vroeg ben, maar ik moet een paar minuutjes met je praten.' Hij liep de woonkamer in. 'Goddomme zeg. Mooie stoel.'

'Probeer maar,' zei ik.

Arvid liet zich in de stoel vallen en trok zijn voeten op.

Kate kwam binnen en maakte aanstalten bij ons te gaan zitten. Ik keek haar aan met een blik die zei dat we even alleen wilden zijn, en vroeg haar of ze zo vriendelijk wilde zijn koffie te zetten. Ze liet ons alleen.

'Hier.' Hij gaf me het doosje. 'Maak maar open.'

Ik ging op de bank tegenover hem zitten en scheurde het cadeaupapier los. Er zat een oud en versleten doosje met scharnieren in. In het doosje zat zijn Winteroorlog-medaille. Slechts een paar nog levende mannen hadden er eentje gekregen, en god weet hoeveel bloed je had moeten verspillen en hoeveel je geleden moest hebben om er eentje te verdienen.

Ik hield hem vast en draaide hem in mijn hand rond om hem te bewonderen. Ik legde hem weer in het doosje en probeerde hem terug te geven. 'Ik ben vereerd, maar ik kan dit niet accepteren.'

Zijn handen lagen op de armleuningen, en hij weigerde er eentje op te tillen om de medaille aan te nemen. 'Ik geef deze nu aan jou en wil je nu ook iets vertellen, omdat ik kan profiteren van de toestand waarin je sinds je operatie verkeert. Je hebt geen emoties, en je zult niet protesteren of met me redetwisten. Het is waar dat deze medaille mijn kostbaarste bezit was, maar hij symboliseert iets anders. Ik ben naar de notaris geweest, heb de documenten laten opstellen en jou tot mijn erfgenaam benoemd.'

Dit verwarde me. 'Waarom?'

'Ik heb geen familie. Mijn vrienden zijn allemaal dood en begraven. Ik ben net negentig geworden. Ik moest een besluit nemen, anders zou mijn bezit na mijn dood naar de overheid gaan, en zou het meeste besteed worden aan zaken waar ik het niet mee eens ben. Jouw positie is zwak. Je bent misschien niet veel langer politieman.

Mijn huis is ruim en comfortabel, een goede plek voor een jong gezin, en het is afbetaald. Daar komt bij dat ik een flink vermogen heb. Dat zal je beschermen tegen de grillen van politieke rampspoed.'

'Maar waarom dan aan mij en waarom nu?'

'Maak het me nou niet zo moeilijk. Je weet waarom. Je bent een goede jongen, ik heb van je vriendschap mogen genieten en je hebt me het gevoel gegeven dat ik deel uitmaak van je familie. En waarom nu? Ik ben verdomme negentig. Zo traag van begrip ben je toch niet?'

Een moment lang bleef ik overdonderd zitten. Ik zocht naar woorden, maar vond er slechts twee. 'Dank je.'

Hij glimlachte. 'Graag gedaan. Laten we er niet meer over spreken.'

Een tijdlang genoten we van een aangename stilte. Kate bracht geen koffie.

Ze woonde inmiddels lang genoeg in Finland om te weten dat we rust wilden, geen cafeïne.

De bel ging weer. Milo en Sweetness kwamen tegelijkertijd aan. Ze waren beladen met pakjes. Ze keken me met open mond aan. Sweetness legde zijn vracht pakjes in cadeaupapier neer. 'Verdomme, pomo,' zei hij. 'Je ziet er geweldig uit, maar ik had je echt niet herkend.'

'Jullie lachten me uit toen ik zei dat jullie zo min mogelijk moesten opvallen, en daarom heb ik besloten het goede voorbeeld te geven.'

'Dat is je uitstekend gelukt,' zei Milo. 'Je ziet er heel... jong uit.'

Ze moesten drie keer lopen om alle pakjes naar binnen te brengen en legden ze midden in de woonkamer op een hoop. Ze trokken hun schoenen uit en zochten een stoel. Arvid bleef in mijn nieuwe stoel zitten. Kate ging naast me op de bank zitten, en Sweetness aan de andere kant naast haar. Milo controleerde het huis op afluisterapparatuur en ging op de grond zitten, midden in zijn schatkamer.

'Nou, Kari,' zei hij, 'welkom terug in de wereld.'

'Ik ben nooit weg geweest.'

'Het scheelde niet veel.'

'Niet echt.'

Milo had een gloednieuw, prachtig leren jack aan. Het moest een fortuin gekost hebben. Blijkbaar was ons gesprek over anonimiteit niet echt bij hem beklijfd. Ik zei er niets over.

'Ziet iemand iets vreemds aan dit jack?' vroeg hij.

Niemand zei iets, maar hij bleef wachten, dus zei Kate uiteindelijk: 'Nou, het is heel mooi', om hem te pushen om door te gaan.

'Het is speciaal gemaakt om dit te verbergen,' zei Milo, en hij haalde een antiek geweer met afgezaagde dubbele loop uit een zachte, dunne lederen holster die in de voering van het jack was genaaid. Hij gaf het aan mij. Ik had nog nooit zo'n mooi vuurwapen gezien.

'Het is een kaliber 10 Colt Model 1878 Hammer-jachtgeweer. Toen het op de markt kwam, was het het duurste geweer dat Colt fabriceerde. Het is een geweer met zijvergrendeling, dubbele hamer en dubbele trekker, met bruine lopen in Damascus-patroon en blauwe trekkerbeveiliging.'

Ik bekeek het geweer eens goed. Het zat vol prachtig gegraveerde bloemmotieven. De lopen staken net buiten het frame uit en de kolf was met zoveel precisie tot de pistoolgreep afgezaagd dat het leek alsof die zo was ontworpen. De modificaties aan het geruite walnoten en ebbenhout waren het werk van een ware ambachtsman.

'Toen het gefabriceerd werd had het tweeëndertig-inch lopen,' zei Milo. 'En later is het tot dit handkanon omgebouwd.'

Ik gaf het door, zodat de anderen het konden bewonderen. 'Kun je er moderne munitie in gebruiken?' vroeg ik.

'Nee, want dan zou het als een granaat ontploffen. Ik heb alle onderdelen, zodat ik precies dezelfde patronen kan maken als aan het eind van de negentiende eeuw. Hetzelfde buskruit, papieren kogelhulzen en vulsel. Alles is perfect. Met deze kortere lopen is de kogelbaan zo breed dat je een kamer vol mensen met één schot kunt uitschakelen als je met beide lopen schiet. Maar je moet dan wel voorzichtig zijn. Als je met één hand schiet in plaats van de andere boven op het geweer te houden, zou het omhoog en naar achteren klappen, zodat de kans groot is dat je pols breekt en je hoofd opensplijt.'

Ik moest weer denken aan zijn appartement en zijn uitrusting om met de hand te herladen. Toen ik eens bij hem op bezoek was, zat hij patroonhulzen met vlijmscherpe pijltjes te laden, in plaats van met gewone loden kogels. In dit wapen zouden die pijltjes in een kamer vol mensen een ware slachting aanrichten. 'Je moet hem met steenzout laden,' zei ik. 'Dat ding is levensgevaarlijk. Zelfs steenzout zal door kleding heen dringen en de huid schroeien. Je moet hoogstens ganzenhagel gebruiken.'

Hij trok de donkere kringen rond zijn ogen samen en ik zag dat hij me wilde tegenspreken, maar hij wilde ons plezier vandaag niet bederven. Arvid gaf het geweer aan hem terug. Hij stopte het weer in zijn jasje en hing het in de kast.

Hij kwam terug en gaf ons een rekeningboekje en documentatie van een bank in Bermuda. Arvid, Kate en Anu kregen er ook een. 'We hebben nu allemaal buitenlandse rekeningen,' zei hij. 'Om te beginnen heb ik op elke rekening vijfenzeventigduizend gezet. Ga naar je online-account en verander je wachtwoord, dat is alles.'

Ik dacht dat Kate misschien van streek zou raken door moordwapens en bewaarplaatsen voor gestolen geld. In plaats daarvan leek ze juist gefascineerd. 'Waarom Bermuda?' vroeg ze.

'Omdat ik daarvoor het land niet uit hoefde,' zei Milo. 'Als je een rekening in Bermuda wilt openen, hoef je niet zelf naar de bank toe. Je kunt dat allemaal via de post regelen.'

Milo kwam nu goed op gang en begon een van zijn ellenlange betogen, met verwijzing naar het mandaat dat ik hem had gegeven om spullen te kopen. Kate ontsnapte naar de keuken om de taart te snijden die ze voor het feest had gebakken. Terwijl hij bleef oreren, suisden de woorden door mijn hoofd: raamstatieven, zuignappen op glas, audiobewaking, draadloze video, draadloze audio, verborgen bluetooth-apparatuur.

Net toen ik dacht dat hij nooit meer zou ophouden, vroeg hij ons uit het raam te kijken. Hij wees naar twee auto's. 'Die zijn van ons,' zei hij. De eerste was een Crown Victoria.

Ik rolde met mijn ogen. 'O, Milo, toch geen Crown Vic?'

Het grootste cliché van alle politieauto's. Crown Vics zijn bij vele Amerikaanse politiekorpsen in gebruik en zijn ook in tientallen of zelfs honderden films en tv-shows als politieauto's gebruikt. Je kunt je er echt niet in vertonen.

Milo lachte zo hard dat hij zijn buik vasthield in een poging te stoppen. 'Ik weet het,' zei hij, 'maar ik kon het niet helpen. Dit is geen gewone Crown Vic. Dit is de Ford Crown Victoria Police Interceptor. Hij is voorzien van extra betrouwbare onderdelen en heeft tweehonderdvijftig paardenkrachten onder de motorkap, plus een hoger stationair toerental, en de versnelling schakelt agressiever en is gebouwd op een hardhandiger behandeling. Hij heeft zelfs met kevlar beklede portieren voor als er een vuurgevecht uitbreekt. Hij heeft nog maar vijfendertigduizend gelopen, en ik heb er vierduizend euro voor betaald. Daar komt bij dat ik meestal zelf achter het stuur zal zitten.'

Ik gaf mijn nederlaag toe.

'Misschien bevalt deze auto iedereen beter.' Hij gaf Sweetness een setje autosleutels. 'Je ziet eruit als Gulliver in Lilliput als je in die gammele bak rondrijdt.'

Hij wees naar een exclusief ogende SUV buiten. 'Ziedaar de Jeep Wrangler Unlimited Sahara, bouwjaar 2008. Hij heeft vierwielaandrijving en vier portieren – dat leek me wel handig voor Anu's autostoeltje – en een extra brede wielbasis. En het is een cabriolet, wat natuurlijk leuk is nu het zomer wordt. Hij blinkt uit in veiligheidsvoorzieningen: een elektronisch stabiliseringsprogramma en zij-airbags, een navigatiesysteem en een Sirius-satellietradio. En een MyGIG multimedia-entertainmentsysteem, zodat autorijden weer leuk wordt.'

Sweetness sloeg zijn armen over elkaar en trok in verwarring zijn wenkbrauw op, alsof hij dacht dat dit een grapje was en Milo hem in de maling nam. 'Is die voor mij?'

'Hij is van de groep, maar ik heb hem voor jou gekocht om er als eerste chauffeur in te rijden, en hij staat op jouw naam. Dus ja, hij is van jou.'

Nog altijd perplex zei hij: 'Bedankt.'

Milo reageerde daar niet op. Hij draaide zich naar mij toe. 'Jij bent dol op je Saab, dus voor jou heb ik geen auto.' En tegen Kate zei hij: 'En ik wist niet of jij autorijdt of een auto wilt.'

'Ik heb een rijbewijs, maar ik doe alles met het openbaar vervoer; in Helsinki heb je echt geen auto nodig.' Ze wees naar de berg pakjes die nog op de grond lagen. 'Moeten we geen koffiepauze houden?'

Ik zei: 'Die man over wie ik het had komt zo meteen. Laten we even op hem wachten.'

Milo's gezicht zei: joepie, nu hoef ik mijn circusvoorstelling niet te onderbreken. Vier grote, zware dozen lagen opgestapeld op de vloer. 'Dit zijn zorgpakketten voor ons allemaal. Ze zijn allemaal hetzelfde.'

'Ook voor mij?' vroeg Arvid.

'Natuurlijk.'

'Waarom?'

'Jij bent een van ons en maakt deel uit van het team.'

Arvid lachte naar hem alsof hij een kind was. 'O ja? Hoe dan?'

'Kari zei dat je onze boekhouder bent. Hoe dan ook, we beschouwen je allemaal als lid van het team.'

Arvid begon nu breeduit te lachen, en hij knikte instemmend. 'Oké. Dan ben ik lid van het team.'

Milo zweeg even; hij leek te aarzelen. Ik zag dat hij overwoog of hij een bepaald onderwerp te berde moest brengen. 'Ik heb nagedacht. Het team moet een naam hebben.'

Als ik emoties had gevoeld, zou ik hem meedogenloos gepest hebben. 'Welke naam stel je voor?'

'Wat dacht je van...' Hij zweeg weer en deed alsof hij er nog niet over had nagedacht. 'De Nieuwe Untouchables. Of, aangezien Arvid een van de onzen is, de Nieuwe Veteranen.'

Arvid keek me aan. Het laatste voorstel was een belediging voor hem en zijn wapenbroeders, die talloze beproevingen hadden doorstaan. Ik wist zeker dat hij zin had Milo's hoofd van zijn romp te trekken en hem in zijn nek te schijten.

Ik probeerde de situatie te sussen. 'Ken je de film *Fight Club*?' vroeg ik.

'Ja,' zei Milo, en zijn toon vertelde me dat hij zich afvroeg waar ik heen wilde.

'De eerste regel van Fight Club was: 'Niemand spreekt over Fight Club. Stel dat ze Fight Club geen naam hadden gegeven, dan zou het heel moeilijk zijn geweest erover te praten. De eerste regel van... is dat niemand over... praat. Misschien moeten we geen naam hebben, zodat niemand over ons kan praten. Als we geen naam hebben, bestaan we in zeker opzicht niet.'

Dat was de waarheid, en hij zag dat ook in. 'Je hebt gelijk, vergeet die naam maar. Het was een dom idee.'

Ik keek naar Arvid. Hij was weer gekalmeerd.

'Wil iedereen zijn eigen doos openen of moet ik er gewoon eentje openen en alles laten zien?'

'Arvid, Sweetness en jij moeten hem mee naar huis nemen,' zei ik. 'Misschien is het beter als je alleen de mijne opent.'

Ik keek op mijn horloge. Vier uur. Moreau was er de man niet naar om te laat te komen, leek me. Hij was een spion. Hij hield ons ongetwijfeld nu al ergens in de gaten en wachtte totdat we klaar waren zodat hij niet zou storen.

Milo pakte alle voorwerpen een voor een uit en gaf ondertussen commentaar. Onze messen: 'De Spyderco Delica Black Blade. Totale lengte: achttien centimeter. Dichtgeklapt: elf centimeter. Lemmetlengte: zeven centimeter. De Delica4 heeft een niet-spiegelend VG-10 Saber Ground-lemmet met een zwarte coating van titaniumkoolstofnitride.'

Hij noemde nog veel meer geweldige eigenschappen uit zijn hoofd op, feitelijk de gehele handleiding opdreunend. Hij deed hetzelfde met de nachtzichtbrillen, Nomex-overalls, schouderholsters, riemholsters, enkelholsters, handschoenen, kevlarmaskers, zip-lock plastic handboeien, kogelvrije vesten, gordelriemen, glassnijders, *lock picks*, elektronische *lock pick guns*, sleutelwas, oorbeschermers, Maglite-zaklantaarns, knuppels die uitschuifbare stalen stangen waren, kevlarvesten, tasers, flitsgranaten, dubbele magazijnhouders en reservemagazijnen en Gemtech-geluiddempers die onze wapens zo stil maakten dat we alleen de klik van onze automatische sleden zouden horen. Terwijl hij dit allemaal besprak, gaf hij hints over de wapens die we erbij zouden ontvangen. Hij dacht blijkbaar dat we wel zouden branden van nieuwsgierigheid.

Kate probeerde naar Anu te ontsnappen, maar hij riep haar terug. Milo had een doosje voor haar met een taser en pepperspray, want het gevaar loerde overal. De anderen verveelden zich inmiddels zo dat ze hun eigen keel met hun Spyderco Delica Black Blades konden doorsnijden, maar ik was gefascineerd door zijn betoog. Elk voorwerp was met de grootste zorg uitgekozen. Ik had nog nooit zo'n liefdevol vertoon van voorwerpen gezien. Dit team was het belangrijkste wat hem ooit was overkomen, en mogelijk zou overkomen.

Nu was het tijd voor onze wapens. Eerst kregen we allemaal een nieuwe .45 kaliber 1911 Colt met 8 cm-loop. Back-upwapens die we in enkelholsters zouden dragen.

Hij gaf ons allemaal dozen. Sweetness kreeg de grootste. Hij vroeg: 'Moeten we ze om de beurt openen of allemaal tegelijk?'

Milo aarzelde niet. 'Om de beurt. Ik begin.' Hij had voor zichzelf een echt collector's item gekocht, een .45 Colt 1911, gefabriceerd in 1918, met zwarte walnootgrepen en gegraveerde patronen op het frame en de slede.

'Hoeveel heeft die gekost?' vroeg ik.

'Vijfduizend dollar.'

We hadden weliswaar veel geld, maar toch... 'Is dat niet lichtelijk extravagant?'

Hij reageerde gekwetst. 'Toen je me vroeg bij dit team te komen, heb ik je gezegd dat ik bepaalde wapens wilde, en daar was jij het mee eens. Daar komt bij dat je mij tot wapenmeester hebt benoemd, en ik heb die taak zo goed mogelijk uitgevoerd.'

Misschien had ik een gat in mijn geheugen vanwege de hersenoperatie. 'Sorry, maar ik kan me niet herinneren dat ik jou tot wapenmeester heb benoemd.'

'Voordat je naar het ziekenhuis ging heb je me opgedragen de spullen te kopen die we nodig hadden. Het komt op hetzelfde neer.'

Ik kon me er niet toe zetten zijn geluk te verpesten. 'Je hebt gelijk. Dat heb ik inderdaad gedaan. Maar één vraag. Als je daarmee iemand neerschiet in een situatie die niet binnen het wettelijke kader valt, dan zul je dat pistool kwijt moeten zien te raken. Het zou toch jammer zijn als je hem in een rioolbuis moet gooien.'

Hij straalde triomfantelijk. 'Ik heb extra lopen en slagpinnen per doos gekocht. Ik vervang die gewoon en hou het pistool. Ik heb ze zelfs al uitgewisseld, voor het geval dat. Lopen kosten in bulkverpakking zestig dollar per stuk. En ik heb vijfduizend patronen van tweehonderddertig *grain*.'

Weer capituleerde ik.

'Maak de jouwe open,' zei hij.

Vuurwapens interesseren me niet, en ik ben een waardeloze schutter. Ik opende de doos.

Ik moet toegeven dat het een mooi pistool was.

Milo zei: 'Het is een .45 Colt 1911 Gold Cup National Match. Een wedstrijdpistool. Ik hoopte dat je hiermee wat meer zou gaan oefenen.'

Vergeet het maar. 'Bedankt,' zei ik.

Sweetness opende zijn doos zonder iets te vragen. In het pakket zat een smetteloze walnoten geschenkdoos. Hij maakte die open. Het was een herdenkingsset van twee pistolen van het U.S. 82nd Airborne, versierd met symbolen van het 82nd Airborne. De sleden waren nog nooit overgehaald. Dit waren echt heel speciale pistolen.

'Jij bent tweehandig,' zei Milo. 'Daarom heb ik er voor jou twee gekocht. Ik zal je leren hoe je moet schieten, dan kun je met beide handen tegelijk vuren.'

De tranen stonden in Sweetness' ooghoeken.

Arvid zat met zijn doos op zijn schoot in mijn fauteuil. Milo gebaarde dat hij hem moest openmaken. In de doos zat het pistool dat

Arvid had gebruikt om Ivan Filippov te vermoorden, waarmee hij in de Tweede Wereldoorlog talloze mannen had geëxecuteerd en dat zijn vader bijna honderd jaar geleden in de Burgeroorlog had gedragen. Het was het enige voorwerp dat Arvid had bezeten dat van zijn vader was geweest. Hij keek er vol ongeloof naar, te verbijsterd om iets te zeggen.

'Ik heb het uit de bewijskamer gestolen,' zei Milo.

Arvid keek hem met een uitdrukkingsloos gezicht ruim twee minuten aan, zonder iets te zeggen. Milo werd er heel ongemakkelijk van, bang dat hij iets verkeerd had gedaan.

'Ik ben je oprecht dankbaar,' zei Arvid.

'Heel graag gedaan, meneer,' zei Milo.

Ik realiseerde me dat Milo zich waarschijnlijk totaal niet bewust was van zijn motief voor al dit extravagante, stompzinnige vertoon en van zijn obsessie met onze geheime eenheid. Het ging hem er helemaal niet om de misdaad te bestrijden. Hij wilde deel uitmaken van de familie. Mijn familie. Hij wilde dat iedereen in deze kamer één gelukkige familie vormde. Hij wilde onze liefde.

Maar helaas was niemand van ons in staat hem die liefde te schenken.

Ongelooflijk genoeg stond er nog steeds een grote stapel dozen, maar Kate had er schoon genoeg van. 'Ik heb ontzettende trek in een stuk taart,' zei ze.

21

Kate maakte de tafel in orde en liep naar de keuken. Alsof het zo afgesproken was, ging de deurbel en ik liet Moreau binnen. Hij was drie kwartier te laat; hij had ons inderdaad de hele tijd in de gaten gehouden en zich op het meest geschikte tijdstip gemeld.

Kate liep de gang in om hem te begroeten, en omdat hij op zijn ene knie zat om zijn schoenen uit te trekken, was het eerste wat ze van hem zag de grote, sierlijke parachutistentatoeage van het Franse Vreemdelingenlegioen aan weerszijden van zijn hoofd. Ze werd erdoor geïntimideerd en het maakte haar zelfs angstig.

Hij stond op, gaf haar een hand en stelde zich voor, en door zijn prettige manier van doen ebde haar aanvankelijke weerzin snel weg. Hij ging de woonkamer binnen en stelde zich aan iedereen persoonlijk voor, waarna we met zijn allen naar de eetkamer gingen.

Mijn moeder had Kate geleerd een traditionele Finse verjaardagstaart te bakken – mijn favoriete taart – en ze had dat heel goed gedaan, met laagjes vruchtenvulling en een simpel glazuur van room en suiker. Het kant-en-klaarglazuur uit blik waar veel Amerikanen zo dol op zijn is nu in Finland verkrijgbaar, en op aandringen van Kate heb ik dat ooit geprobeerd. Het is zo zoet dat het lijkt alsof je verrotte snoepjes eet. Ronduit walgelijk, als je het mij vraagt. Ik vind Amerikaanse koffie ook vreselijk. Ze drinken het zo slap dat het wel zwart heet water lijkt.

Moreau gebaarde naar de stapel met uitrustingsstukken in de woonkamer. 'Bereiden jullie je voor op een paramilitaire operatie?'

Milo wilde graag over onze groep praten. Hij vroeg me met zijn blik om toestemming, en ik knikte bevestigend.

Terwijl hij aan het woord was, zag ik noodweer naderen. Eerst werd de lucht asgrauw en vervolgens zwart, waarna de regen volgde, in zilverkleurige diagonale strepen die door de wind werden voortgedreven. Kate wiegde Anu heen en weer in haar kinderwagen. Katt had zich bij mijn schouder geïnstalleerd.

Ik wachtte op een geschikt moment. 'Adrien, vertel ons eens wat over jezelf.'

'Ik ben opgegroeid in Finland, in Iisalmi, een klein stadje in het oosten,' zei hij. 'Dit is de eerste keer in meer dan twintig jaar dat ik terug ben.'

We spraken Engels, maar de dag daarvoor hadden we Fins gesproken. De manier waarop hij onze moedertaal sprak, maakte hem geloofwaardig voor me. Er zat een vreemde intonatie in, met ongebruikelijke woordkeuzes en grammaticale constructies. Ik had dat eerder opgemerkt in het taalgebruik van mensen die lang in het buitenland hadden gezeten.

'Ik heb filosofie gestudeerd aan de universiteit van Helsinki, omdat ik erachter wilde komen wie ik was en wat ik wilde zijn. Bij mijn afstuderen wist ik het antwoord en sloot ik me aan bij het Franse Vreemdelingenlegioen.'

'Waarom niet het Finse leger?'

'Ik had al in het Finse leger gediend. Ze zeggen dat iedere jonge man zijn eigen oorlog moet hebben, en ik had de mijne nodig. Finland heeft al vijfenzestig jaar niet meer in een oorlog gevochten. Finse jongens moeten hun roem elders zoeken. Ik heb gediend in Tsjaad, Rwanda, Ivoorkust, de Golfoorlog, Gabon en Zaïre, Cambodja en Somalië, Bosnië-Hercegovina, de Centraal-Afrikaanse Republiek, Congo-Brazzaville, Afghanistan en laatst nog in Mexico. Het zou je verrassen hoeveel Finnen er in het Legioen dienen, juist om die reden.'

Dat is waar. Ik heb verscheidene Finse ex-legionairs ontmoet, en nog een aantal die het hebben geprobeerd maar de basisopleiding niet haalden. Slechts een op de zeven kandidaten slaagt voor de selectie.

'Waarom interesseert Frankrijk zich voor Mexico?' vroeg Kate.

Moreau glimlachte. Ik keek de tafel rond. Zijn kalme uitstraling wees op een ongewone zachtaardigheid, en daarmee stelde hij mensen op hun gemak, ondanks zijn duivelse voorkomen. 'Frankrijk heeft interesse in alle internationale aangelegenheden. De Amerikaanse regering verzocht om Franse steun in Mexico om het geweld tussen de drugskartels te helpen beteugelen. Die hulp kwam in de vorm van mijn persoon.'

Dat was nog eens een interessante binnenkomer, en we wachtten totdat hij er dieper op in zou gaan, maar dat deed hij niet.

Sweetness wachtte totdat iedereen zijn stuk taart ophad en at het restant in zijn eentje op. Daarna stopte hij nuuska achter zijn lip. Ik zuchtte. Ik bedacht weer dat hij Eliza Doolittle voor mijn Henry Higgins moest gaan spelen als ik hem toonbaar wilde maken.

Toen zei Moreau: 'Slechts weinigen beseffen dat de drugshandel in stand moet worden gehouden, maar wel gecontroleerd en met een zeker evenwicht. Als de narcotica-industrie plotseling ophield te bestaan, zou de economie van een groot aantal landen, waaronder de Verenigde Staten, simpelweg te gronde gaan. Ik ben een paar jaar geleden uit het Legioen vertrokken en ben nu als hoofdinspecteur van politie werkzaam bij het Centrale Directoraat van de Binnenlandse Inlichtingendienst. Het was mijn taak dat evenwicht te herstellen.'

Hij stond op. 'Dat herinnert me er trouwens aan dat ik een cadeautje voor Kari heb meegenomen.' Hij had een rugzak bij zich, die hij in de hal had laten staan.

Hij stond op, haalde er iets uit, kwam terug en legde een doorzichtig plastic zakje met wit poeder op tafel. 'Dit is een halve kilo onversneden Mexicaanse heroïne,' zei hij.

Kates mond viel open. De anderen keken belangstellend toe.

'Waarvoor?' vroeg ik.

'Jij hebt het evenwicht verstoord waar ik het over had. Daarom plegen mensen nu zelfmoord en is er een misdaadgolf op gang gekomen. Als je dit in omloop brengt, wordt het evenwicht hersteld en heerst er weer een tijdje een stabiele situatie.'

'Hoe heb je dit in Finland weten in te voeren?'

'In diplomatieke bagage. Ik reis op een diplomatiek paspoort en word nooit gecontroleerd.'

Ik schudde mijn hoofd. 'Hoe moet ik ooit zoveel heroïne distribueren?'

Sweetness schraapte zijn keel. Hij was al een paar keer het balkon op gelopen en zijn heupfles moest bijna leeg zijn. 'Ik zat niet echt zonder werk voordat ik voor jou aan de slag ging. Mijn broer en ik verkochten wiet. Niet veel, maar een beetje, zodat we in elk geval wat geld hadden. We hebben nooit harddrugs verkocht, maar ik ken wel een paar *neekerit* die dat wél doen. Ik zou het spul naar ze kunnen doorschuiven met vijftig gram per keer of zo. Die zak is zo'n honderdduizend euro waard. Als ik alles in één keer aan ze gaf, zouden ze het jatten en met de noorderzon vertrekken.'

Kate werd woest. 'Eerst steel je drugs. En nu wil je drugs gaan verkopen. En gebruik niet van zulke taal in mijn huis,' zei ze, naar Sweetness wijzend.

Hij keek verbaasd. 'Het spijt me. Wat voor taal?'

Ik kwam tussenbeide. 'Kate, hij bedoelde het niet denigrerend. De meeste Finnen zeggen nog altijd "neekeri". Dat is altijd het gewone woord voor zwarten geweest, en dat verandert langzaam omdat de media en gestudeerde mensen weten hoe denigrerend het klinkt. Ze verzinnen er nu alternatieven voor, maar ze zijn het er nog altijd niet over eens wat dan wel het juiste woord is. Totdat in de jaren negentig de eerste zwarte immigranten hier aankwamen, hadden Finnen bijna nooit met zwarten te maken gehad en leek hun houding tegenover hen nog het meest op die van Amerikanen in de jaren twintig. Toen ik nog een kind was, in de jaren zeventig, stond er in mijn schoolboeken dat neekerit simpel maar gelukkig waren. Ze hielden van zingen en dansen. Sweetness bedoelde er niets kwaads mee. En Moreau heeft gelijk. We bedoelden het goed, maar we zijn te ver gegaan en nu zijn er mensen de dupe van geworden.'

Ze bedaarde. 'Laten we dat later bespreken.'

'Goed.'

'Wat de verkoop van die heroïne betreft,' zei ik, 'daar kan geen sprake van zijn. Als junks geld genoeg hebben om heroïne te kopen, hebben ze vast ook wel geld voor een treinticket naar een andere stad. Ze kunnen het spul elders kopen.'

'Betekent dat dat je mijn cadeau niet aanneemt?' vroeg Moreau.

'Nee, ik hou het. Misschien kan ik het voor iets anders gebruiken.'

Hij grijnsde. 'Zoals je vijanden erbij lappen door het bij hen neer te leggen? Inspecteur, uw wateren hebben diepe gronden.'

Ik zei niets.

Milo nam het woord. 'Ik heb nog meer cadeaus die we kunnen openmaken.'

Kate kreunde. 'Milo, ik wil niet nog meer pistolen zien."

'Wat dacht je van de cadeautjes voor jou en Anu?'

Nu won haar nieuwsgierigheid het toch van haar boosheid, en ze glimlachte. 'Goed dan. Adrien,' vroeg ze, 'hoe kwam je op het idee om die opvallende tatoeages te laten zetten?'

Hij glimlachte innemend. Ik zag dat hij Kate mocht, en dat ze hem charmant vond, ondanks de heroïne.

'Ik ben zevenentachtig keer uit een vliegtuig gesprongen. Bij mijn zevenendertigste sprong weigerde mijn parachute. Ik dacht dat ik er geweest was, maar op ruim honderd meter boven de grond ging de parachute alsnog open. Ik sloeg als een steen tegen de grond, maar bleef ongedeerd. Ik was bang dat het een voorbode was van nog veel meer ellende. Ik had het gevoel dat ik bescherming nodig had en nam daarom de vleugels van Icarus. Zolang ik niet al te dicht bij de zon vlieg, ben ik nu veilig.'

Terwijl de anderen naar de woonkamer teruggingen, vroeg ik hem wat hij voor zijn heroïne wilde hebben.

'De opdracht van de Franse regering luidt dat ik de zoon moet vinden, het geld moet terughalen en de Ware Finnen in diskrediet moet brengen. Als zij aan de macht zouden komen, zou Finland mogelijk de EU verlaten en het evenwicht ernstig verstoren. Lever mij informatie. Neem me mee als je verdachten verhoort in je onderzoek naar de moord. Meer wil ik niet.'

'Afgesproken,' zei ik, maar ik was ervan overtuigd dat hij wel degelijk iets meer van me wilde.

Onderzoekend hield hij zijn hoofd schuin. 'Wat heb je gedaan met alle drugs die je hebt gestolen?'

'Ik heb een deel bewaard voor chantagedoeleinden of onvoorziene omstandigheden. Maar het grootste deel hebben we in containers geflikkerd.'

Hij klakte met zijn tong. 'Wat een verspilling.'

We gingen weer bij de anderen zitten, en Kate maakte haar cadeautjes open. Ze hield een paar schoenen omhoog, giechelend als een klein meisje. 'Manolo Blahnik Nepala-pumps!' Ze trok ze aan, en ze bleken perfect te passen. Dat betekende dat ze nauw zaten en pijn deden, zoals hoort bij Manolo's. Ze keek naar Milo. 'Heeft Kari je mijn maat verteld?'

Moreau zei: 'Hij heeft een IQ van 172 en zijn ruimtelijk inzicht is exceptioneel. Hij kent ook je behamaat en de lengte van je tanden tot op een fractie van een millimeter, als je lacht.'

Milo bloosde. Moreau had zijn punt duidelijk gemaakt. Hij wist heel veel.

Daarna opende Kate een pakje met een Gucci 'Marrakesh'-handtas met gevlochten leren belegsel en kwastjes, en ten slotte een fles Clive Christian No.1-parfum. Ze was in de zevende hemel.

'De fles is van handgemaakt loodkristal met een drieëndertig-karaats diamant in de hals,' zei Milo. 'Tot de ingrediënten behoren Madagascar-ylangylang, vanille, iriswortel, natuurlijke hars, sandelhout en bergamot. Het was echt raar. Ik ging naar boetieks om dit spul te kopen, maar de verkopers spraken allemaal Russisch in plaats van Fins. Russische toeristen kopen het parfum hier, en Finnen kunnen het niet betalen.'

Kate bracht Anu binnen zodat ze haar cadeau kon zien: een enorme Steiff-teddybeer. Ze was er gek mee en bleef maar op de zachte bruine vacht kloppen. Arvid was in mijn stoel in slaap gevallen. Sweetness sliep eveneens. Een heupfles *kossu* – Finse wodka – en een halve taart hadden hem geveld.

'Het laatste is voor jou,' zei Milo, en hij gaf me een lang, zwaar pakket. Ik scheurde het papier eraf en staarde er hoogst verbaasd met open mond naar. Het appelleerde aan mijn kinderlijke mooi-of-niet-mooi-instinct, en ik vond het heel erg mooi. Het was een wandelstok, zo dik als een knuppel. Het handvat was een massieve leeuwenkop, gemaakt van bijna een half pond goud. Ik had enorme moeite gedaan om anoniem te worden, maar met deze stok zou ik in elke groep mensen opvallen. Het kon me niet schelen. Ik vond hem prachtig. Ik zou hem zeker gebruiken.

'Ik zal je laten zien hoe het werkt,' zei Milo. 'Ooit waren opgetuigde wandelstokken heel populair. Ze werden van allerlei slimme extra's voorzien. Sla met de punt op de grond. Dan wordt de leeuwenbek geactiveerd en springt die open. De tanden zijn stalen scheermesjes. Als je iets hard raakt, bijvoorbeeld als je de bek tegen iets aan stoot, slaat die dicht en bijt die met een kracht van circa twintig bar, evenveel als de kaken van een rottweiler. Als je op de ogen drukt – de ene is een robijn, de andere een smaragd – dan komt de veer los en gaat de mond weer open. Als je de schacht openschroeft, vind je een zwaard van een halve meter.'

Tijdens zijn uitleg knoopte Kate haar bloes los en gaf ze Anu de borst, discreet deels van ons afgekeerd. Terwijl ik de stok bewonderde, zag ik dat Moreau mijn vrouw bewonderde op een manier die me niet beviel.

Hij zag mijn afkeurende blik. 'Neem me niet kwalijk,' zei hij. 'Jullie zijn een fantastisch gezinnetje. Je vrouw doet me aan iemand denken die ik ooit kende, en die had ook een baby.'

Ik wist niet of ik hem graag mocht of haatte, maar ik wist zeker dat mijn gevoelens ten opzichte van hem niets te raden zouden hebben gelaten als ze nog even intens waren geweest als eerst.

Ik opende de leeuwenbek en sloeg die tegen de rand van de salontafel. Anu slaakte een kreet. De bek zat zo stevig vast dat ik hem niet kon lostrekken en de ogen moest indrukken om hem los te krijgen. Kate keek me afkeurend aan. Ik had ons kind van streek gemaakt en de tafel beschadigd.

Mijn knie zou binnen korte tijd weer helemaal hersteld zijn. Ik zou blijven hinken, maar dat zou nauwelijks zichtbaar zijn. 'Milo,' zei ik, 'dit is het mooiste speelgoed dat ik ooit in handen heb gehad. Dankjewel. Ik word er bijna treurig van dat ik hem niet lang meer nodig zal hebben.'

'Je kunt hem altijd gebruiken,' antwoordde hij. 'Een man loopt niet met een stok, maar draagt die.'

Moreau wendde zich tot Milo. 'Ik denk dat iedereen moe is, misschien moeten we vertrekken. Zitten er nog meer wapens in de ongeopende pakketten?'

'Jazeker.'

'En zitten er bijzondere bij?'

Milo grijnsde. 'Heel bijzondere.'

'Weet je hoe je ze moet gebruiken?'

Milo lachte. 'Ik heb geen flauw idee.'

'Waarschijnlijk kan ik er wel mee omgaan. Zullen we de anderen alleen laten en er samen naar kijken?'

Kate zat in haar eigen wereldje haar cadeaus te bewonderen. Het waren kostbare, verfijnde voorwerpen waarvan ze vroeger, toen ze nog jong was en in een arm gezin opgroeide, nooit had durven dromen. Ze keek naar ons op. 'Dus zo word je als je de vrouw van een crimineel bent?' vroeg ze.

Moreau antwoordde: 'Nee. Zo word je als je de vrouw van een machtig man bent.'

Milo had een geweldig feest georganiseerd. Toen de anderen eenmaal waren vertrokken, brachten we Anu naar bed en vrijden we weer met elkaar.

22

Milo kwam de volgende dag langs om zijn laatste 'programmeerbare VDHL-model van exacte oplossingen voor een driedimensionaal hyperbolisch plaatsbepalingssysteem' af te maken.

We gingen aan de eettafel zitten. Kate lag naast ons op de bank een boek te lezen. Ik las weer het ene dossier na het andere, de nachtmerrie van elke politieman. Wel was ik er inmiddels van overtuigd dat de identiteit van de moordenaar van Lisbet Söderlund een publiek geheim was, en dat deze zaak opgelost moest worden door te intimideren en druk uit te oefenen, of misschien door biografische pressie – afpersing – toe te passen totdat iemand de moordenaar erbij lapte.

Ik bezag deze dossiers nu met andere ogen en overwoog wie ik moest benaderen. Omdat ik het met Moreau eens was, was ik nu op zoek naar iemand die niet alleen in staat was een vrouw te onthoofden, maar ook een volleerd scherpschutter was. Zo werd het onderzoeksveld flink ingeperkt. De schutter beschikte waarschijnlijk over een flinke militaire ervaring, veel groter dan die van een gewone Finse dienstplichtige.

Ik bedacht dat Moreau aan de criteria voor de moordenaar voldeed. Ik pleegde een paar telefoontjes en informeerde bij de Franse politie. Die weigerde me bijzonderheden te geven, maar hij was in elk geval niet in Finland geweest op het moment dat Kaarina Saukko vermoord werd. Hij was echter een politieman met een diplomatiek paspoort, die als attaché bij de Franse ambassade geboekstaafd stond.

De verdwijning van Antti Saukko baarde me zorgen. Gezien zijn relatie met zijn familie was het heel goed mogelijk dat zijn kidnappers hem hadden vrijgelaten en hij er simpelweg voor had gekozen een nieuwe identiteit aan te nemen en te verdwijnen. Tenzij er aanwijzingen zijn dat een vermist persoon slachtoffer is geworden van een misdrijf, is het een schending van de rechten van een individu om te proberen een vermist persoon op te sporen. We hebben het recht om vrijelijk een eind aan ons leven te maken, vandaar het beginsel 'geen lijk, geen moord'. Het lot van de drie vermiste kinderen van ontvoerder Jussi Kosonen hield me bezig, maar het was niet mijn zaak.

Mijn stok stond tegen de tafel naast me. Milo knikte in de richting ervan. 'Weet je dat je de tanden van dat ding kunt vergiftigen als je dat wilt? Vond je het een leuk feestje gisteren?'

'Ja, ik heb echt genoten. En ik meende wat ik zei. De wandelstok die je me hebt gegeven, is mijn favoriete speeltje. Hebben we nog geld over na al jouw aankopen?'

'Plenty. Drugsdealers beroven is heel lucratief. Ik snap niet waarom niet veel meer mensen zoals wij zich daarmee bezighouden.'

'Ik weet zeker dat ze er zijn, maar hun carrière duurt maar kort. Dat afzagen was een goed idee. Als je het geweer met niet dodelijke munitie laadt, kunnen we ons daarmee uit de problemen redden als we vast komen te zitten, bijvoorbeeld als er tijdens een huiszoeking opeens een paar lui binnenkomen. Doe alleen niets geks, zoals laden met pijltjesmunitie of hagel met rattengif.'

De donkere kringen onder zijn ogen werden dieper. Altijd een teken van problemen. Milo was zowel koppig als onbesuisd, een ergerlijke en vaak zelfs gevaarlijke combinatie. Nu zocht hij ruzie. 'Ga je er godverdomme mee akkoord als ik dodelijke munitie meeneem voor als dat godverdomme nodig mocht zijn?'

Ik verraste hem met mijn antwoord en schakelde op een andere versnelling over om zijn driftbui te beteugelen. 'Natuurlijk. Heb je nog veel tijd met Moreau doorgebracht?'

Ik zag dat Kate haar blik van haar boek op ons richtte.

'We hebben Arvid en Sweetness afgezet. Ik weet niet waarom hij denkt dat hij anderen voor de gek kan houden door stiekem te drinken.'

Nu was Kate een en ál aandacht. Ze wist nog niet dat Sweetness zoveel dronk. Het kan lastig zijn om te weten dat iemand dronken is als je hem nooit nuchter ziet.

Milo startte zijn apparatuur op en speelde er wat mee. 'Wel verdomme. Dit werkt, maar niet goed genoeg. De gsm's worden wel gevonden maar ze kunnen niet tegelijk worden gevolgd, en het bereik is te klein.'

'Wat heb je nodig?'

Dat had ik niet moeten vragen. Milo begon weer een breedsprakig betoog. 'Ik kan dat niet aanschaffen omdat het militair materiaal is, en ik kan ook niet net doen alsof. Zelfs naar onze normen kosten ze trouwens een godsvermogen. Een GSM A5.1 Real Time Cell Phone Interceptor. Die is niet te detecteren, kan twintig telefoons in vier frequenties en vier basisstations afhandelen.'

Dit zei me allemaal niets, en ik was niet geïnteresseerd. 'Wat heb je gedaan nadat je de anderen had weggebracht?'

Milo is niet bepaald een boeiend causeur. 'We zijn naar mijn huis gegaan en hebben daar de wapens bekeken. Een Remington 870 tactisch geweer voor ballistische slotforceringsgeweerpatronen. Een Heckler & Koch UMP-machinegeweer. Dat lijkt op de MP5, maar is geavanceerder en gemaakt van de nieuwste polymeren. Een .50 kaliber Barrett-sluipschuttersgeweer. Dat lijkt wel een ding uit *Star Wars*. Het optische viziersysteem is een geïntegreerde elektronische ballistische computer...'

En zo ging hij maar door. Kate verafschuwde dit gewauwel, dat voortdurend haar rust verstoorde. Dit was precies waarover ze had geklaagd. Het gaf haar het gevoel in een politiebureau in plaats van een huis te wonen, en ze had ook heel wat privacy opgeofferd nu het team in het huis rondhing alsof het daar woonde.

Milo wist van geen ophouden, maar ik snoerde hem de mond. 'Wat vind jij van Moreau?'

'Echt een stoere vent. Hij zei tegen me dat hij me zou leren die .50 Barrett te gebruiken. Waarom wees je zijn idee af om de heroïne te verkopen?'

'Dat is gecompliceerd en gevaarlijk. We gaan gewoon door met dealers afzetten. We moeten ze blijven dwarszitten.'

Milo schakelde over op Fins, zodat Kate het niet zou verstaan.

'Zolang ze geen drugsoorlog beginnen en we dat moeten verbergen door nog meer lijken in zoutzuur op te lossen. Dat vond ik echt walgelijk.'

Maar Kate had het wél verstaan. Ze legde Anu op een kussen, draaide zich om, legde haar gekruiste armen op de rugleuning van de bank en haar hoofd op haar armen. 'Neem me niet kwalijk. Waar ging dat over? Iets met lijken en zoutzuur.'

Ik legde haar uit wat er was gebeurd. Dat de ene gangster de andere had vermoord en we dat moesten verheimelijken, omdat de gangsters elkaar anders op straat zouden gaan neerknallen. Dan zou Helsinki Moordzaken zich ermee gaan bemoeien en zou het onderzoek naar de moorden en de motieven daarachter zeker terug naar ons voeren.

'We hadden echt geen keuze,' zei ik.

Vanwege de geografische ligging wemelde het in Helsinki al sinds het begin van de Koude Oorlog van de spionnen. Uit overlevingsinstinct hadden die spionnen al vroeg in de Koude Oorlog een stilzwijgende afspraak met elkaar gemaakt. Helsinki zou heilige grond zijn, een veilige stad waar militairen met een geheime missie zonder vrees konden rondreizen. Zelfs na de Koude Oorlog bleef Helsinki een stad waarin zowel de inwoners als passanten in relatieve veiligheid konden leven. Ik wilde er niet verantwoordelijk voor zijn dat die traditie om zeep werd geholpen.

'Kennelijk ben ik niet op de hoogte gebracht van bepaalde bijzonderheden,' zei Kate, 'maar het moet ongeveer zo gegaan zijn. Je hebt een aantal diefstallen gepleegd, misschien wel enkele tientallen, dat weet ik niet. Maar omdat je niet wist wat je deed heb je te veel gestolen en dat heeft vele mensen het leven gekost. Je hebt iemand ertoe gebracht een moord te plegen en hebt het lijk in een vat zoutzuur gestopt om op te lossen. Klopt dat tot nu toe?'

'Inderdaad.'

Milo was zijn schoenen al aan het aantrekken om ervandoor te kunnen gaan. Nodig was dat niet, want op hem was ze niet boos. Ik gaf de orders. Ik was haar man. En hij had haar gisteren onder meer een fles parfum van tweeduizend euro gegeven, als een blijk van vriendschap en genoegdoening voor de overlast. Ik was de enige die moest hangen.

Met een zachte klik sloot hij de deur achter zich.

'Dit is mijn huis niet,' zei Kate, 'maar een gangsterhol. Is het al bij je opgekomen dat ik hier wel eens mensen zou willen ontvangen, zoals Aino of vrienden uit het hotel, maar dat dat onmogelijk is als Milo elk moment kan binnenvallen om te vertellen wie er vermoord is of wiens lijk ergens is gedumpt? Ik weet niet eens waar Anu en ik in jouw leven een rol spelen. Je bent veranderd. Je bent killer, afstandelijker. Ik weet niet of dat door je werk, door je operatie of door allebei komt.'

Ik ging in mijn leunstoel zitten en overwoog welke waarheden ik haar moest vertellen en welke niet. Ik wist zelf niet eens wat de waarheid was. Ik kon haar nog steeds niet vertellen dat ik vrijwel geen emoties kende en weinig of niets voor haar of ons kind voelde.

'Ik ben ontgoocheld,' zei ik. 'Ik ben misleid en moet het vuile werk voor Jyri opknappen. Ik ben niets meer dan een sloof die opdrachten van corrupte en criminele politici uitvoert. Vroeg of laat ben ik niet nuttig meer en vinden ze een manier om zich van mij te ontdoen. Ik moet een manier vinden om hen eerder te vernietigen. Ik zal voor geld en paspoorten zorgen. Als die dag is aangebroken, verdwijnen we.'

'Dit is waanzin,' zei ze, 'en het kan alleen maar slecht aflopen. We moeten nu vertrekken met het geld dat je inmiddels gekregen hebt en naar Aspen gaan. Je kunt het gestolen geld gebruiken en je aan een hobby gaan wijden: natuurfotografie, postzegels verzamelen, weet ik veel.'

'Ik heb jou die kans gegeven,' zei ik, 'en toen weigerde je. Ik weet dat het niet eerlijk was omdat je het gevoel had dat je mogelijk de laatste wens van een stervende moest vervullen, maar zo is de situatie nu eenmaal, en nu zal ik dit werk zeker afmaken. Ik heb deze baan aangenomen omdat ik iets goeds wilde doen. En voordat ik vertrek, zal ik dat ook gedaan hebben. Misschien moeten we vertrekken, maar nu nog niet. Het spijt me.'

Het tv-nieuws begon, en we misten allebei bijna het grote nieuws:

'Arvid Lahtinen, held uit de Winteroorlog, heeft vanochtend zelfmoord gepleegd...'

We waren allebei met stomheid geslagen. We stopten meteen met ruziemaken en ik zette het geluid harder. Hij had zich voor zijn huis door het hoofd geschoten, waarschijnlijk omdat hij niet god weet hoe lang in zijn huis wilde wegrotten voordat iemand hem zou vinden. Hij had een kostuum aangetrokken, een stoel naar buiten gedragen, en was erin gaan zitten, waarna hij een pistool tegen zijn hoofd had gezet. Ik neem aan dat hij dat een waardiger dood vond dan ineengezakt op de natte grond gevonden te worden. De verslaggever speculeerde over de redenen achter zijn zelfmoord, besprak de aanklachten wegens moord in binnen- en buitenland tegen hem en zijn prestaties die hem tot nationale held hadden gemaakt.

Kate huilde. 'Waarom?' vroeg ze me.

Ik had het idee dat zijn daad ingegeven was door de periode dat hij hier thuis had gelogeerd; de herinnering aan hoe het was om deel uit te maken van een familie, het besef dat hij nu oud en alleen was en nergens meer naar kon uitkijken, behalve naar een langzame dood in een oud lichaam dat steeds gebrekkiger werd. Ziekten en het verlies van zijn huis en onafhankelijkheid stonden voor de deur. En hij zou alles alleen moeten doen, zonder de vrouw die een halve eeuw zijn dierbare echtgenote was geweest.

'Omdat hij het leven zonder zijn vrouw niet de moeite waard vond. Omdat hij wist dat hij een mooi leven achter de rug had, maar dat zijn tijd nu voorbij was, en dat hij als hij er nu tussenuit kneep, nog waardig kon sterven.'

'Hij was mijn vriend,' zei Kate.

'En de mijne. Hij heeft me verteld dat hij al zijn bezittingen aan mij naliet. Op dat moment had ik het al moeten weten.'

'Heeft hij dat gedaan?'

'Ja. Huis. Geld. Alles.'

Kate kwam naast me zitten in de enorme stoel. Een tijdlang zeiden we niets.

'Je moet met Moreau samenwerken,' zei ze. 'Je hebt een hoop dingen verkloot omdat je de nodige ervaring miste. Hij bezit die wel. Als jij van hem leert, kun je iets bereiken van het goede dat om mysterieuze redenen je drijfveer is, en dan kunnen we met dit gedoe stoppen.'

'Oké,' zei ik.

Ik was Arvids erfgenaam en dus verantwoordelijk voor zijn begrafenis. De uitvaart werd gehouden in de mooiste en beroemdste kerk van Helsinki, Tuomiokirkko. Deze kerk torent boven het Senaatsplein uit en kijkt zowel op de stad als op de zee neer. De kerk was vol, en de overledene en alles waar hij voor stond werden waarachtig betreurd. Ik was een van de baardragers. Toen hij eenmaal te ruste was gelegd, leek niets ooit meer hetzelfde te zijn. Vooral voor Kate niet. Ik weet niet of de zelfmoord van een man die ze een vriend noemde iets in haar wakker had gemaakt of juist gedood.

23

Vappu – het meifeest. Geen dag waarop zoveel drank vloeit. In Helsinki kun je dan maar beter thuisblijven. Gewone mensen verlagen zich tot het niveau van domme beesten. Kinderen van tien of twaalf liggen in het centrum laveloos op straat. Vappu viel op een zaterdag, wat betekende dat de festiviteiten begonnen zodra iedereen op vrijdag uit zijn werk kwam, waarna ze drie dagen lang zouden doorgaan.

Toen ik nog jong was, heersten er heel andere drinkgewoonten. Natuurlijk werd je toen ook ladderzat, maar wel stijlvol. Mannen droegen kostuums in een bar, net als de uitsmijters. De meute begon niet te gillen over wiens beurt het was voor een rondje. Iedereen wachtte rustig in de rij. De klanten moesten aan een tafeltje zitten. Je kon niet zomaar van tafeltje wisselen. Als je ergens anders wilde gaan zitten, moest je een serveerster vragen je drankje op een andere tafel te zetten. Barkeepers smeten geen drankjes op de bar, maar dienden de communie toe, en vaak werden ze aangesproken als *herra baarimestari*, meneer de barkeeper. Pas een jaar of dertig geleden mocht een vrouw een kroeg in zonder een man die haar begeleidde.

Vappu is eveneens veranderd. Het lijkt nog niet eens zo lang geleden dat Vappu niet alleen een dag was om te drinken, en dan vooral voor universitaire studenten, maar ook een familiedag was. Je zette dan het hoofddeksel op dat je bij je diploma-uitreiking op de middelbare school had gedragen – wat nog steeds de traditie is –, en nam je kinderen mee uit voor een familiepicknick. De sfeer van volledige losbandigheid die er tegenwoordig mee verbonden is, ontbrak toen.

We leven nu in een andere wereld. Banken hadden toen ook meer contant geld in voorraad, omdat mensen hun banktegoeden door hun keel goten. Een goede dag voor een bankroof.

Elk jaar weer heerst de hoop dat Vappu vooral gezellig zal zijn en dat het hele land op terrasjes een drankje drinkt en de komst van de lente viert. Dit jaar was een teleurstelling. De temperatuur lag net boven het vriespunt en het motregende. Hoe dan ook, de lente moest gevierd worden.

Om halfelf 's ochtends op die sombere dag voor het Meifeest, op een moment dat de geldladen van de loketten net gevuld waren, gingen twee mannen het filiaal van de Sampo Bank in Itäkeskus binnen, in Oost-Helsinki. Ze droegen zwarte kleding in militaire stijl en skimaskers en hadden geweren van het type AK-47. Ieder van hen had twee magazijnen met zwart isolatieband aan het uiteinde aan elkaar bevestigd, zodat wanneer er een magazijn was leeggeschoten, het dubbele magazijn alleen maar hoefde te worden omgedraaid en ze niet naar een ander magazijn hoefden te grijpen.

Ze vuurden salvo's in de lucht af om hun komst aan te kondigen en begonnen in gebrekkig Engels met een zwaar accent te schreeuwen. De ene schoot een onbewapende bankbeveiliger dood. Ze hoefden niemand te bevelen op de grond te gaan liggen. De paar vroege klanten die er waren lieten zich op de grond vallen in de hoop het gevaar af te wenden. Er ging geen alarm af. De overvallers bevalen de loketbedienden zwarte plastic boodschappentassen met geld te vullen. Een van de lokettisten, een oudere vrouw, die zo bang was dat ze verstijfde, werd ook geëxecuteerd.

In minder dan drie minuten was alles voorbij. Voordat ze vertrokken riep een van de overvallers: 'We vallen aan tegen de vijanden van God.'

De ander lachte en schreeuwde: 'Sluit je dochters op, klootzakken, we komen jullie halen.'

Binnen een paar minuten na de overval werd ik opgeroepen om naar de plaats delict te komen, omdat het vermoeden bestond dat de overval met de moord op Lisbet Söderlund te maken had, net zoals bij de jonge soldaat wiens keel was doorgesneden.

Het kwam me goed uit dat Milo zo dichtbij woonde. Ik belde hem en haalde hem op. Binnen een halfuur waren we bij de bank. Het zou niet mijn zaak worden; Saska Lindgren zou het onderzoek leiden. Er was blijkbaar een rassenoorlog aan de gang, en hij zou de zaken krijgen die daarmee verband hielden. Ik zou erbij betrokken worden vanwege het presidentiële mandaat inzake Lisbet Söderlund. We ondervroegen alle aanwezigen. We bekeken de video-opnamen. Hoewel we het niet helemaal zeker wisten doordat alleen de huid rond hun ogen zichtbaar was, waren we het er allemaal over eens dat de overvallers zwart waren.

Milo spoelde de band een paar keer terug en vooruit. 'De geweren die ze gebruikten zijn Rk 95 Tp's,' zei hij, 'het type dat uit het legerkamp is gestolen. Dat is een onwaarschijnlijk toeval.'

Volgens de strijdregels zoals die door de blanke strijders in deze rassenoorlog waren bepaald, luidde het oorspronkelijke decreet: 'Voor elk misdrijf dat door zwarten wordt gepleegd, doden we als vergelding een zwarte.'

Dat decreet was niet uitgevoerd. Sindsdien hadden zwarten een aantal misdrijven gepleegd die niet gewroken waren. Mijn intuïtie vertelde me dat ze tot het besef waren gekomen dat het nog niet meeviel een zwarte te doden voor elk misdrijf dat gepleegd was, maar zoals ook met de jonge soldaat het geval was geweest, zou moord met moord beantwoord worden, en als we hier niet snel de vinger achter kregen, zouden er spoedig meer doden vallen.

Later die avond belde Milo me op. Hij had iets interessants gehoord op een afgeluisterd mobieltje. Er was geen heroïne meer te krijgen in Helsinki, en nu probeerden Russen de stad te bevoorraden. De Russen geloofden dat ze veilig waren omdat slechts twee mensen van de deal afwisten, namelijk de verkoper en de koper. De eerste zou de volgende dag vijf kilo in Helsinki afleveren. De straatwaarde daarvan bedroeg meer dan een miljoen euro. De waarde van de deal was een half miljoen, groothandelsprijs.

De normale prijs van een gram heroïne was honderdtwintig euro. Nu de stad helemaal zonder zat, was de koper van plan de dope voor meer dan het dubbele te verkopen. Hij zou het per dertig gram verkopen, en een trede lager op de ladder zouden kleinere dealers het per acht bolletjes – drieënhalve gram – verkopen, maar de consumenten zouden tweehonderdvijftig euro per gram betalen. Daar kwam bij dat het voor achtentachtig procent zuivere Afghaanse heroïne was. Straatheroïne was meestal voor vijftig procent zuiver. Hij kon het flink versnijden met lactose en er in totaal zeker acht kilo van maken. In Afghanistan kost een kilo vijfduizend dollar. Vijfduizend werd zo een miljoen. Zoiets is de droom van elke ondernemer.

Morgen was Vappu. Ze zouden de deal bezegelen en om vijf uur de lente vieren met een paar drankjes op de patio buiten bij Kaivohuone – de Drinkhal – waarna de uitruil op de parkeerplaats zou plaatsvinden. Milo vroeg of ik eropaf wilde.

Ik dacht erover na. Wat was mijn doel? Helsinki heroïnevrij of gangstervrij maken? Ik was geen maatschappelijk werker, dus het antwoord luidde: gangstervrij. Het was een vergissing geweest om de stad droog te leggen, maar vijf kilo op straat plempen betekende dat er geen enkele controle meer was en de dealers de dienst weer uitmaakten. Ook zouden er doden door een overdosis kunnen vallen, omdat junks die bijna clean waren de doses zouden inspuiten die ze nodig hadden gehad om high te worden toen ze nog volop gebruikten.

'We pakken het spul af,' zei ik. 'Dit is een eitje. We rijden de volle parkeerplaats op en openen hun kofferbakken. Niemand zal me herkennen met mijn nieuwe uiterlijk. Niemand zal zelfs een blik op ons werpen.'

'Voor ons is het ook Vappu,' zei Milo. 'Zullen we wat gaan drinken als we daar toch zijn?'

'Oké. Waarom ook niet? We maken er een feestje van.'

'Ik zal Sweetness bellen en tegen hem zeggen dat hij naar ons toe komt,' zei Milo, en hij hing op.

24

Kaivohuone opende zijn deuren in 1838 als kuuroord met uitzicht op zee voor de Russische elite. Het is nu een nationaal monument, niet ver van de ambassadewijk. Jarenlang was het statige witte gebouw echter een nachtclub. Er mogen duizend mensen tegelijk binnen zijn en vierhonderd buiten, maar 's zomers is het er vaak zo vol dat je er je kont niet kunt keren. De prijzen zijn buitensporig, of het nu voor de toegang of voor drankjes is, en de mensen die hier veel tijd doorbrengen doen dat deels om te laten zien dat ze het allemaal kunnen betalen. Met Vappu moet je in Kaivo zijn.

Je kunt dan schouder aan schouder staan met de rijken, zodat je je heel even een van hen kunt voelen, terwijl zij voortdurend rondkijken om een glimp van een B-sterretje op te vangen.

Kaivo is van oudsher vooral populair bij de kinderen van welgestelde Zweedssprekende Finnen. Velen van hen zijn studenten, die gerust twee of drie keer per week een barrekening van driehonderd euro kunnen betalen, ook al hebben ze nog nooit betaald werk gedaan, en zich helemaal lam drinken onder de middernachtzon.

De stad is eigenaar van de club. De buren balen er enorm van omdat het door het lawaai net lijkt alsof je naast een vliegveld woont waar in de zomermaanden constant straalvliegtuigen opstijgen en landen. Een paar jaar geleden is er nieuw management aangesteld. Het gebouw staat op instorten nadat het jarenlang onder de bonkende geluidsinstallatie heeft geleden. Via een achterkamertjesdeal kwam het in handen van een Helsinkische nachtclubmagnaat, waarbij afgesproken werd dat hij tien miljoen euro zou investeren in de renovatie en de ruimte zou ombouwen tot een luxe restaurant waar de stad trots op kon zijn.

In plaats daarvan besteedde hij zo'n vijftig euro aan verf, prullaria en snuisterijen, bracht nog een paar cosmetische veranderingen aan zodat hij kon zeggen dat hij woord had gehouden en de zaak had gerenoveerd, en zette ondertussen de exploitatie als nachtclub voort. Het gebouw staat nog steeds en de jeugd blijft er feesten.

Ik liep langs de honderd meter lange rij naar het openluchtterras, liet de uitsmijter mijn politielegitimatie zien, zei dat ik in functie was en werd voor de meute uit toegelaten, gratis uiteraard.

Het was er veel te vol en ik had de boel kunnen laten sluiten wegens brandgevaar als ik wilde, en dat wisten zij ook. Als ik erom had gevraagd, had ik de hele avond gratis Dom Pérignon kunnen drinken. De patio was tjokvol met mooie jonge mensen die met glazige ogen heen en weer wiegden op hun tweede dag van dronkenschap.

Ik zag Milo naar me zwaaien. Hij was erin geslaagd een tafeltje te vinden, wat een klein wonder mocht heten. Hij had waarschijnlijk zijn politielegitimatie laten zien, een paar jongeren schrik aangejaagd en de tafel gevorderd. Sweetness was bij hem. Ik baande me duwend en trekkend een weg naar hen toe. Ze hadden een stoel voor me vrijgehouden.

Ik zag dat Milo, Sweetness en ik allemaal dezelfde stijl hadden gevonden. Cargobroeken. Kleding met veel zakken voor zaken zoals tasers en geluiddempers. Bowlingshirts die je niet hoefde in te stoppen om de wapens aan de koppelriem te verbergen: pistolen, messen, knuppels enzovoort.

Ze hadden meisjes bij zich, wat bepaald een verrassing was, want Milo en Sweetness zijn zeker geen versierderstypes, maar deze meisjes verbaasden me. De officiële minimumleeftijd om in Kaivo te worden toegelaten is vierentwintig, maar dat is in werkelijkheid alleen van toepassing op mannen. Die leeftijdsgrens is in de praktijk ook flexibel, zodat de uitsmijters ruziezoekende testosterontypes de toegang kunnen weigeren. De wettelijke minimumleeftijd is achttien.

Deze meisjes waren jong; het ene was rond de twintig, het andere misschien zestien. Zelfs dat verraste me niet echt. Als ze mooi genoeg waren en in het gezelschap van de juiste mensen, wisten meisjes van veertien zelfs binnen te komen. Wat me vooral trof was dat deze meisjes op een terras dat boordevol prachtige vrouwen stond, nog steeds zo overdonderend knap waren dat de rest van het publiek nog het meest op een ploeg mijnwerkers leek. Zelfs andere vrouwen staarden openlijk naar hen.

Het was niet warmer dan tien graden Celsius, maar de tafels waren voorzien van gasverwarming in de vorm van strandparasols erboven, zodat het behoorlijk warm was om daar te zitten. De meisjes stelden zich voor als Mirjami en Jenna. Ze waren aangeschoten en giechelden voortdurend. Ze activeerden mijn zes jaar oude ik in een volwassen lichaam, en ik kreeg meteen een stijve.

Ik ging naast Mirjami zitten, de tiener. Ze was gebruind en zei tegen me dat ze net terug was van vakantie in Málaga. Ze was lang en slank en droeg een Hello Kitty-outfit. Haar korte roze Hello Kitty-topje met spaghettibandjes bood uitzicht op een piercing in haar navel, omringd door notenbruine huid. Hello Kitty-accessoires: handtas, gsm-hoesje, halsketting, horloge, oorbellen en armband.

Milo liep naar de bar om drankjes voor ons allemaal te halen. Hij was binnen de kortste keren terug met een vol blad en zei dat hij had voorgedrongen door zijn politielegitimatie te laten zien en een honderdeurobiljet omhoog had gestoken om zijn bedoelingen duidelijk te maken. Hij had de barkeeper twintig euro gegeven. De meisjes kregen ieder twee Cosmopolitans. Milo, Sweetness en ik kregen twee glazen kossu en een biertje. Ik gaf weinig meer om alcohol na mijn hersenoperatie. Ik genoot van mijn scherpere geest en wilde die niet verdoven. Maar nu leek het me toch een goed moment voor een borrel.

Mirjami en ik tikten onze glazen tegen elkaar en zeiden: '*Kippis* – proost. Ze sloeg haar cocktail in één teug achterover en ik deed hetzelfde met de kossu. Milo stak een dopje in zijn oor dat met zijn gsm was verbonden. Hij volgde de gesprekken van de dealers. Ik vroeg hem of hij het gehoord had van Arvid. Hij knikte. Geen van ons beiden wilde er nu over praten, maar we dronken te zijner nagedachtenis.

Mirjami's amandelvormige ogen deden me vermoeden dat ze *Sami*-bloed had. Ik moest aan kersentaart denken. Mmm. Ze had roze lippenstift op en haar kleine bruine vingers en tenen had ze versierd met glitters in hart- en maanmotief. Ik stelde me voor dat haar borstjes als bolletjes chocolade-ijs met kersen erop waren. Ze had een grote hartvormige zonnebril op, maar later zag ik dat ze bruine hindeogen met lange wimpers had. Ze droeg slippers en een witte driekwartbroek, alsof ze naar het strand ging. Ik had mijn handen om haar middel kunnen leggen. Ik zag al voor me hoe mijn tong in haar navel speelde. Ze zat vlak bij Milo, en daarom dacht ik dat ze met hem was.

Jenna. Appeltaart. Ze had grote blauwe babyogen in een rond gezicht. Een perfecte blanke huid. Robijnrode lippen die geen lippenstift nodig hadden. Een wipneus. Lichtblond haar tot op haar middel. Ze was een sneeuwkoningin. Een blonde Assepoester. Ze droeg ook een nietsverhullend topje, maar met een spijkerbroek en sandalen. Hoewel ze op een stoel zat, kon ik vanaf mijn plek toch zien dat ze een heerlijke, stevige kont had. En ze had enorme, pronte borsten, als de spreekwoordelijke rijpe meloenen. Lengte: hoogstens een meter vijftig. Appel- en kersentaart. Een stukje van elk zou een heerlijke combinatie zijn. Toch was het Mirjami voor wie ik echt viel.

Er werd een Dusty Springfield-nummer gedraaid. 'Son of a Preacher Man'.

'Dit is een mooi nummer,' zei Mirjami. 'Zullen we dansen?'

'Ik zou graag willen,' ik tikte op de leeuwenkop op mijn stok, 'maar ik kan het niet.'

Verder danste er niemand. 'Dan dans ik voor jou,' zei ze, terwijl ze opstond en op het ritme van de muziek begon te bewegen. Jenna volgde haar voorbeeld. Daarna Sweetness, en ten slotte ook Milo. De meisjes dansten sexy. De reusachtige Sweetness bewoog verrassend gemakkelijk, hij was een goede danser. Dit was een dag vol onthullingen. Milo danste zoals de meeste mannen, zonder enig talent, maar hij maakte dat goed met zijn enthousiasme. Het nummer eindigde.

De jongens kwamen terug naar de tafel. De meisjes stopten niet.

Ze dansten vrolijk. Ze zwommen. De *mashed potato*. De twist. Ze maakten vogue-gebaren. Ze bootsten de dansende John Travolta en Uma Thurman in *Pulp Fiction* na. Ze deden het goed. Er werd geapplaudisseerd. De meisjes genoten van de aandacht.

'De Russen zijn hier,' zei Milo. Twee mannen liepen van de bar weg. De een had een fles Smirnoff in een champagnekoeler bij zich.

De meisjes kwamen terug en vertrokken om hun neus te poederen, zogezegd.

'Hoe hebben jullie in godsnaam die twee meiden kunnen oppikken?' vroeg ik.

'Ja,' zei Milo, 'ze zijn inderdaad een beetje boven ons niveau. Mirjami is mijn nichtje. Ze valt op politiemannen, en daar komt bij dat ik mijn politielegitimatie kan laten zien en overal binnenkom, zodat ze niet in de rij hoeft te wachten of zelfs te betalen. Zij is mijn magneet om meisjes aan te trekken. Ik ga graag met haar uit omdat dat de indruk geeft dat ik zo'n coole gozer ben dat ik zo'n mooi meisje kan krijgen. En we zijn ook gewoon goede vrienden.'

'En ik neem aan dat ze haar niet om een legitimatiebewijs vragen als ze met jou mee is.'

'Ze is tweeëntwintig, dus daar heeft ze mij niet voor nodig.'

'Jezus, ik dacht dat ze nog een kind was.'

'Dat is haar club-imago. Ze doet het expres. In werkelijkheid is ze verpleegkundige en volwassener dan ik. Zoveel is zeker.'

'Voor mij geldt hetzelfde,' zei Sweetness. 'Jenna is mijn nichtje, en ze is pas zestien.' Hij trok een somber gezicht en sloeg een kossu naar binnen.

Ik had de leeftijden van de meisjes verwisseld. 'Waarom zo'n somber gezicht?'

'Ik vind haar heel leuk. Maar dan niet als nichtje, snap je?'

'Klote,' zei ik.

Hij knikte. 'Ja. En wat nog erger is: ik denk dat ze mij ook leuk vindt. Maar zo is het nu eenmaal. En ze is ook te jong.'

De meisjes kwamen er weer aan. De Russen boften en kregen een tafeltje op twee tafels van het onze vandaan. Ik veranderde van on-

derwerp. 'Als ze halverwege zijn met die fles, slaan we onze slag.'
'Ik kan het wel alleen,' zei Milo. 'Dan valt het niet zo op.'
'Weet je het zeker?' vroeg ik.
Hij rolde met zijn ogen. 'Het duurt niet meer dan twee minuten of zo.'
'Is Kate boos op me?' vroeg Sweetness.
'Hoezo?'
'Om wat ik heb gezegd. Ik heb echt niks tegen nikkers.'
'Nee, ze is niet boos. Zeg alleen geen "nikker" in het Engels, want dan wordt ze woest. En in het Fins moet je "zwarten" zeggen. Waar heb je trouwens zo goed leren dansen?'
'Ik heb vroeger les gehad. Dat moest van mijn moeder.'
De meisjes gingen zitten. 'Ik ben eigenlijk bang om vandaag naar huis te gaan,' zei Jenna. Ze zag eruit als een kind met enorme borsten.
'Waarom?' vroeg ik.
'Ik woon in Oost-Helsinki, en daar is het niet veilig.' Haar blik trof die van Sweetness, en ik zag genegenheid. Daar had hij gelijk in.
De Russen dronken snel. Hun fles was nu halfleeg. Milo verontschuldigde zich. Toen hij terugkwam, had hij weer drankjes bij zich.
Eerder die dag had ik het tv-nieuws gezien. De woede over de moord bij de bankroof, tezamen met het Vappu-drankmisbruik, kreeg evenveel aandacht als vandalisme en geweld. Dronken blanken hadden zwarten mishandeld, etalageruiten ingeslagen en een paar auto's in brand gestoken. Er was zelfs een zwart meisje verkracht. Zwarten hadden wraak genomen.
'We zorgen dat jullie veilig thuiskomen,' zei ik.
De Russen leegden de fles wodka, zetten die omgekeerd in de koeler en vertrokken.

Mirjami schopte haar slippers uit en legde haar voeten in mijn schoot. Dat bracht me zo in verlegenheid dat ik niet durfde te bewegen, en mijn pik werd weer stijf. Ze voelde het en giechelde. Ze wriemelde ertegen met haar tenen om me te plagen. Ik vond het lekker en streelde haar bruine voetjes. Ze vond het lekker. Ze kauwde kauwgum. Ze blies een steeds grotere bel, totdat die zo groot werd dat die in haar gezicht plofte. *Pof!* Ze lachte en plukte de kauwgum van haar wangen.

Er schoot me slechts één woord te binnen om haar te omschrijven: lekker. Ik was in haar ban. Voor de verwijdering van mijn tumor zou ik nauwelijks aandacht voor haar hebben getoond en haar hoogstens vluchtig hebben opgemerkt. Een bakvis die half zo oud was als ik. En nu wilde ik haar verschrikkelijk graag keihard neuken. Anders dan Aino had ik sinds ik Kate had ontmoet nooit een andere vrouw begeerd. Door de operatie was ik veranderd.

Milo hield de Russische gsm's in de gaten. 'Zeg, Kari,' zei hij, 'jouw beurt voor een rondje. Kom, ik loop met je mee naar de bar.' Halverwege ons tafeltje en de bar bleven we staan. Hij fluisterde in mijn oor. 'Een van de Russen belde net met zijn baas om te zeggen dat hij genept is en die kerel van de andere bende heeft vermoord. Toen ze de lege kofferbak zagen, stak hij hem snel met een mes, duwde hem in de kofferbak en sloeg die dicht. Nu moeten we alweer een lijk zien kwijt te raken.'

'Kut zeg,' zei ik.

'Inderdaad, kut.'

We bleven even staan en dachten erover na.

Milo zei: 'Deze is gemakkelijk, want we hebben een halfleeg vat. We hebben zelfs de vorkheftruck niet nodig; we hoeven alleen het lijk maar in het vat te stoppen. We hebben een half miljoen in dope en een half miljoen in contanten. Sweetness en ik dumpen het lijk. Jij pakt de bundel, geeft de meisjes nog een drankje om ze gelukkig te maken en neemt ze mee naar huis. Wij doen de rest.'

Het was een vriendelijke geste. 'Probeer je mij met Kate uit de shit te houden?'

Hij grinnikte. 'Ja.'

'Bedankt.' Ik legde het spul in mijn auto, de jongens vertrokken en ik bestelde een laatste rondje. De meisjes waren toch al toeter.

Ik zei weinig en luisterde naar hun gesprekken. Jenna sprak Oost-Helsinkisch Fins en Mirjami sprak *stadin slangi* – stadstaal. Ik begreep nog niet de helft van wat ze zei. De jeugd heeft een slang ontwikkeld dat zo rijk is dat er onlangs zelfs een woordenboek van is verschenen. Het is zo'n acht centimeter dik. Mirjami begon tegen me te praten en vertelde me een verhaal. Uiteindelijk moest ik toegeven: 'Ik heb werkelijk geen flauw idee waar je het over hebt. Kun je misschien ook gewoon Fins praten?'

Dit maakte haar aan het lachen. 'Tuurlijk.' Ze vertaalde het verhaal voor me. 'Het is net als met mijn kleren,' zei ze. 'Als ik uitga, speel ik graag een rol. Normaal gesproken praat ik als een ontwikkeld iemand.'

Ik bracht ze naar huis. Eerst Jenna, toen Mirjami. Toen ze uitstapte, zei ze: 'Je vindt me leuk, hè?'

'Ja,' antwoordde ik.

'Dat dacht ik wel. Tot ziens,' zei ze, het trottoir naar haar deur op stappend.

Toen ik thuiskwam, zaten Aino en Kate een fles mousserende wijn te drinken. Ik keek in de koelkast. Er was nog genoeg moedermelk. Het was nog vroeg. Ik was bijna nuchter. Ik zei dat ze wel ergens buitenshuis Vappu konden gaan vieren met een paar drankjes. Ze waren dolblij met mijn voorstel.

25

De kater na Vappu. Kate werd wakker, repte zich naar de badkamer, kokhalsde en braakte. Ik sliep al toen Kate thuiskwam, maar zij en Aino hadden hem in elk geval flink geraakt. Kate drinkt niet echt veel. Ze werd met de dag Finser. Slingerend wist ze het bed weer te bereiken, te duizelig om recht te lopen.

Anu hoorde de braakgeluiden en werd huilend wakker. Ik deed haar een schone luier om en gaf haar melk uit de borstpomp. Ik dronk koffie en rookte een sigaret, ging lekker in mijn fauteuil zitten, legde Anu op schoot en bladerde de zondagskrant door. Katt zat bij mijn schouder, alsof hij met me meelas.

Het gewelddadige oproer en de rellen werden eufemistisch omschreven als 'vertoon van ontevredenheid en boosheid, zoals blijkt uit de spanningen tussen zwarten en blanken en een gebrek aan ordehandhaving in die buurten waar zich een grote immigrantenpopulatie heeft gevestigd'.

Doofpot.

In commentaren werd gesproken over 'de gerechtvaardigde angst van blanken, die geconfronteerd worden met gewapende, gewelddadige ontevreden buitenlanders'.

Omdat we nog niet zo lang ervaring hebben met getinte mensen, beschikt de Finse taal nog niet over zo'n scala aan haatdragende termen zoals dat in de Verenigde Staten bestaat, maar de reageerders deden hun best. Negerkindertjes moesten in rook opgaan of in elk geval gesteriliseerd worden voordat ze de fokleeftijd bereikten. Citaten van 'Martin Lucifer King' werden geparafraseerd. 'We zullen overwinnen... ten koste van jullie nikkergezichten.'

'Ik heb een droom... Om jullie koppen met fakkels in brand te steken.' Enzovoort.

Gestolde haat. De haatamoeben deelden zich steeds weer op en vernieuwden zich in een afschrikwekkende kerndeling. Vrijwel alle landen in de Europese Unie hadden met immigratieproblemen te kampen. Een interessante reactie op een redactioneel commentaar. 'Als we hen niet meteen kunnen doden, kunnen we dan de slavernij wellicht opnieuw instellen en hen als bezittingen verkopen, zodat we gecompenseerd worden en het geld terugkrijgen dat we aan hun uitkeringen hebben besteed?' De redelijkste suggestie was nog om het EU-lidmaatschap van de landen met een laag inkomen per hoofd van de bevolking te beëindigen en de ex-inwoners terug te sturen naar hun vaderland. Een doordachte reactie van een knappe haatzaaier.

Ik verwachtte een telefoontje van Saska Lindgren, en mijn voorgevoel bleek terecht. Hij vroeg of ik naar hem toe kon komen op hetzelfde adres als eerst. Het hele zwarte gezin daar was nu dood. Ik zei tegen hem dat ik de andere teamleden zou meenemen, evenals een consultant met wie ik samenwerkte. Hij vond dat geen probleem. Ik belde Milo, Sweetness en Moreau en zei waar ze me konden vinden. Ik had hen niet nodig, maar Milo zou zeker willen meedoen, aan Moreau had ik het beloofd en omdat Sweetness zo merkwaardig had gereageerd op de plek waar de soldaat in het bos was vermoord, meende ik dat het goed was als hij met moordonderzoeken vertrouwd raakte.

Ik legde Anu in haar wieg en zei tegen Kate dat het me speet dat ik haar in zo'n toestand moest achterlaten, maar ik moest nu eenmaal naar een moord. Ze zag lijkwit en knikte zonder haar ogen te openen.

Onderweg belde ik Jyri en maakte een afspraak met hem later die dag. Hij was bepaald niet blij dat ik hem de dag na Vappu zo vroeg belde, maar ik verzekerde hem dat het zeker opwoog tegen de narigheid dat hij met een kater in zijn lijf werd gestoord. Ik beloofde dat hij blij zou zijn me te zien, want ik had honderdvijftigduizend euro voor hem. Ik roomde gewoonlijk tien procent van het bedrag af, maar er was al zoveel geld en het bedrag klonk zo mooi dat ik er ditmaal van afzag.

Ik kwam rond tien uur aan. De straat stond vol met auto's. De pers, politieagenten, de forensische dienst en nieuwsgierige burgers liepen er rond. Het hele perceel, dus zowel het huis als de kleine voor- en achtertuin, was met politielint afgezet. Het was nu lente geworden. De sneeuw was helemaal verdwenen en zou de komende maanden waarschijnlijk niet meer terugkomen. De temperatuur was vrijwel hetzelfde als de vorige dag, maar door de vochtige wind voelde het kouder aan. Milo was er al. Hij zat op de veranda aan de voorkant met Saska te praten. Sweetness en Moreau waren er nog niet.

'Dus ze hebben de rest van het gezin vermoord,' zei ik.

Saska knikte.

'Hoe dan?'

'Er is te veel om te beschrijven. Ga maar naar achteren, dan kun je het zelf zien.'

'Ik heb geen haast. Ik wacht nog op de anderen.'

'Ik vind het geen prettig gezicht,' zei hij. 'In zekere zin is het gewoon een moord, maar deze is wel heel erg ontnuchterend.'

Milo stond op en gebaarde dat ik hem tot buiten gehoorafstand van de meute moest volgen. 'We hebben het lijk meegenomen en volgens plan gedumpt,' zei hij.

'Mooi.'

'Nou... het was wel raar. Toen we de kofferbak openden, bleek die kerel niet dood. Wel bijna, maar toch niet helemaal. Hij bewoog niet en zei ook niets, maar hij keek ons aan en knipperde met zijn ogen. Ik wist niet goed wat ik moest doen. We hadden hem voor een ziekenhuis kunnen neerleggen.'

'Maar...' zei ik.

'Maar Sweetness wilde daar niet eens over praten. Hij nam een slok uit die heupfles van hem, voelde op de borst van die vent en vond een plek tussen zijn ribben bij zijn hart. Toen pakte hij dat mes van mij aan en stak het in de borst van die vent. Hij was op slag dood. "Probleem opgelost," zei hij. We kleedden ons aan, lieten die vent in het zoutzuur zakken, sloten het vat af en vertrokken.'

'Wat heb je met de auto gedaan?'

'Daarmee ben ik naar Oost-Helsinki gereden, waar ik hem met

een molotovcocktail in de fik heb laten vliegen. Het leek me dat niemand dat zou merken, omdat er nog andere auto's in die buurt in brand waren gestoken.'

'Goed plan.'

'Is dat alles wat je te zeggen hebt? "Goed plan"?'

Ik haalde mijn schouders op. 'Wat moet ik anders zeggen? Gebeurd is gebeurd.' Ik voelde me een beetje dom omdat ik meende dat Sweetness aan moordlocaties moest wennen. Voor de rest voelde ik er niets bij, niet in positief en niet in negatief opzicht.

'Sweetness is een zieke psychopaat.'

'Ik heb jou een man zien doden. Ben jij een zieke psychopaat?'

'De omstandigheden waren anders.'

'Het is maar hoe je het inkleedt.'

Hij staarde me langdurig aan. 'Je bent veranderd door die operatie.'

'Luister,' zei ik, 'ik heb Sweetness deels aangesteld omdat ik daarmee de mogelijkheid kreeg in koelen bloede tot geweld over te gaan. Jij geniet van geweld omdat het je het gevoel geeft dat je een echte macho bent en je zelfbeeld erdoor versterkt wordt. Maar je zelfbeeld is een leugen die je jezelf voorhoudt. Als je iemand iets aandoet, voel je je er schuldig over. Het doet je pijn, en dan moet je die last van je af zetten en op mijn schouder uithuilen. Waarschijnlijk voel je je behoorlijk beroerd over die SUPO-agent wiens gezicht je zo hebt toegetakeld. Sweetness kan het geen donder schelen of hij iemand pijn doet. Het interesseert hem gewoon helemaal niets, en ik hoef niet naar zijn sneue gesnik te luisteren.' Ik liet niets van Milo's ego over. Dat was niet mijn bedoeling.

Hij tuurde naar zijn modderige schoenen. 'Jij kunt soms echt heel wreed zijn.'

Ik deed alsof ik glimlachte en hield mijn stok omhoog. 'Ik kan ook aardig zijn. Wees jij ook maar aardig, anders zeg ik tegen mijn leeuw dat hij je moet bijten.'

Hij schudde alleen maar zijn hoofd en liep weg.

Sweetness en Moreau meldden zich. Ik stelde hen voor aan Saska, waarna we met zijn allen naar achteren liepen om de plaats delict te bekijken. De racisten die vergelding hadden beloofd bleken woord te hebben gehouden. Eerst waren de twee jonge mannen vergast, en nu dit.

Hun moeder en zus waren met een waslijn gelyncht en vervolgens in brand gestoken. De waslijnpalen stonden tegenover elkaar, met daartussen snoeren om de natte was op te hangen. De palen waren niet hoog genoeg om hen echt te lynchen, en daarom hadden de moordenaars hun enkels en polsen vastgebonden, die op hun rug strak gebonden zodat ze niet meer dan een meter ruimte nodig hadden en hen aan de waslijnpalen opgehangen. Het ene lichaam lag op de grond. Het andere hing nog aan de paal, verrassend genoeg. Het touw was niet helemaal doorgebrand.

De lichamen waren vrijwel tot op het bot verbrand, en van het vlees was niet veel meer over dan wat zwarte, beroete lappen die aan het geraamte hingen. En in het gras daar vlakbij waren de woorden *neekeri huora* in het gras gebrand.

Milo schudde vol ongeloof zijn hoofd. 'Waarom zij, in godsnaam?'

'Waarschijnlijk was dit het weerzinwekkendste wat de moordenaars konden bedenken,' zei Moreau.

Saska zei: 'Ik weet niet wat ze gebruikt hebben, maar het was een heel sterke katalysator.'

Moreau deed een imitatie. *'I love the smell of napalm in the morning. Smells like... victory.'*

'Wie mag dat zijn?' vroeg Saska.

'Robert Duvall in *Apocalypse Now*. Deze vrouwen zijn met zelfgemaakte napalm doordrenkt. Ik herken de geur. In feite is het gewoon benzine met zeep. Het veroorzaakt de verschrikkelijkste pijn die je je kunt indenken. Zelfs dit zelfgemaakte spul brandt met een temperatuur van ruim achthonderd graden. En te oordelen naar het verbrandingspatroon op hun mond en borst en in de tuin voor hen zijn ze gedwongen napalm te drinken en werd het aangestoken terwijl ze moesten braken. Ze stierven terwijl ze als draken spuwden.'

Iedereen zweeg. Op Moreau en mij na moesten ze allemaal heel erg hun best doen om niet tegelijk te huilen en te kotsen.

'Maar waarom zijn die woorden in het gras gebrand?' vroeg Moreau. '"Hoer" is enkelvoud. En er zijn twee lichamen.'

'Dat is voor mij bedoeld, als bespotting,' zei ik. 'Ik heb aan een zaak gewerkt waarin een zwarte vrouw was vermoord. Die woorden waren in haar romp gekerfd.'

Moreau grinnikte en zette een andere stem op. 'Dus ditmaal is het persoonlijk.'

Ik vroeg niet uit welke film hij citeerde. 'Maar wat is de bedoeling hiervan?'

'Dat is duidelijk,' zei hij. 'Om de inzet te verhogen. Om ervoor te zorgen dat jij gefascineerd en enthousiast blijft. Vanwege het gruwelijke geweld blijft de druk op de ketel en behoudt de zaak de allerhoogste prioriteit. Om de een of andere reden willen de moordenaars dat. Waarschijnlijk vanwege de maximale mediabelangstelling.'

Milo, Saska en ik staken een sigaret op.

'Waarom ben jij hier?' vroeg Saska hem.

Sweetness staarde al een tijd als betoverd naar het hangende meisje. Uiteindelijk stak hij zijn hand uit en raakte haar met zijn wijsvinger aan. Het touw brak en ze viel op de grond. Haar ene arm brak af. Er zat alleen nog maar as op het bot, die in de wind weg dwarrelde. Sweetness keek toe alsof hij droomde. De dood fascineerde hem. Een forensisch expert schreeuwde naar hem. Ik duwde met mijn stok op de borst van de expert en zei dat hij moest opzouten. Hij zoutte op.

'Ik ben een Franse politieman,' zei Moreau, 'en ik ben hier namens Veikko Saukko, die enige invloed bij de Franse regering heeft. Het is nu bijna een jaar geleden dat zijn dochter werd doodgeschoten. Zijn vertrouwen in de Finse politie is weggeëbd. En daarom ben ik hier nu.'

'Het is mijn zaak,' zei Saska, 'en een belangrijke reden waarom ik nog geen vooruitgang heb geboekt is dat hij op geen enkele manier wenst mee te werken.'

'Hij is een excentrieke racist. Jij bent half zigeuner. Hij noemt jou "die stelende zigeuner". Hij gelooft dat je steelt als je bij hem thuis komt. Maar mij mag hij, omdat ik als ex-militair heel wat niet-blanken heb gedood. Hij beschouwt dat als een zeer bewonderenswaardig feit. Ik geloof dat al deze moorden, te beginnen met de kidnapmoord van zijn gezin, met deze reeks moorden verband houdt, en ook met de moord op Lisbet Söderlund.'

'Aan de slag,' zei Saska. 'Ik heb hulp nodig. Maar ik zou het op prijs stellen als je je bevindingen met me deelt.'

'Geen probleem. Als ik de zaak oplos, zal ik ervoor zorgen dat jij met de eer gaat strijken.' Moreau richtte zich tot mij. 'Ik denk dat je Veikko Saukko moet spreken. Dat kan een nieuw perspectief bieden.'

'Dat hoopte ik al,' zei ik. 'Ik ben ervan overtuigd geraakt dat deze zaak op te lossen is door een aantal sleutelfiguren te ondervragen. Sommigen zouden het "verhoren" noemen, en mogelijk dient daarbij meer druk te worden uitgeoefend dan wat als normaal wordt beschouwd. Laten we zeggen: met extreme vooringenomenheid. We zullen daarmee snel beginnen. Als je wilt, kun je ons vergezellen.'

'Ben je van plan op rooftocht te gaan?'

'Noem het zoals je wilt.'

Saska fronste afkeurend.

'Ik heb weinig keus,' zei ik, naar de slachtoffers wijzend. 'Kijk eens naar deze vrouwen. Dit kan zo niet doorgaan. Er worden bijna dagelijks mensen vermoord. Daar moet een eind aan komen.'

Tegen Milo en Sweetness zei ik: 'Jullie hebben vriendinnen, in zekere zin. Jullie drinken samen met hen. Dat betekent dat je loslippig kunt worden. Vertel hun niet wat voor werk we doen.'

Milo grijnsde. 'Zoals jij ook niet aan Kate vertelt waar we ons mee bezighouden.'

Daar had hij een punt. Ik ging er niet op in. 'Zorg dat je je bek dichthoudt.'

Ik bedankte Saska, zei tegen de anderen dat ik hen later zou bellen en ging naar huis om te kijken hoe het met Kate ging.

Ik nam een omweg, zodat ik wat tijd had om na te denken.

Als aspirant-agent was ik vaak in het holst van de nacht op patrouille door deze straten gereden. De dronkenlappen liepen zwalkend naar huis nadat de bars gesloten waren. Ik zag een stad waar de pijn overheerste. Ik zag mensen in het wilde weg rennen en schreeuwen, met hun vuisten hun hoofd bewerkend. Hun pijn en frustraties lichtten glanzend op, bakens van smart en waanzin.

Ik speelde de rol van surrogaatvader voor een jonge man die vanbinnen zo gedesillusioneerd was dat hij wodka dronk zodra hij wakker werd en er geen enkel probleem mee had een mes in iemands hart te steken. Ik besteedde mijn tijd aan het onderzoeken van gemartelde en in brand gestoken vrouwen. Ik mocht me gelukkig prijzen dat ik bijna niets voelde. Ik herinnerde me hoe het was om gevoelens te bezitten. De arme, gekwelde zielen die gevoel bezaten, waren de enigen die leden.

Kate bestelde een pizza en een fles Jaffa, haar favoriete Finse frisdrank. Het zout en de suiker in de pizza en frisdrank deden haar goed. Ze schaamde zich en voelde zich schuldig, zonder aanwijsbare reden. Ze herinnerde zich nog maar weinig en wist niet zeker of ze voor haar gedrag van de vorige avond moest worden gekastijd. Ze had *morkkis* ontdekt, een integraal deel van de Finse kater. Een toestand van meestal irrationele morele schuld die onlosmakelijk met het Finse bewustzijn is verbonden. Ik zei tegen haar dat het in orde was en dat ik zeker wist dat ze niets gênants had gedaan en alleen maar teut was geworden. Dat helpt meestal om van morkkis te herstellen. Nadat ik nog een tijdje rustig bij haar had gezeten, vertrok ik naar mijn afspraak met Jyri.

26

Ik steek de straat over en loop via dezelfde weg als ik gekomen ben terug, in de richting van de klok boven de ingang van Stockmann. 'Gimme Shelter' zit nog steeds in mijn hoofd. De mooie meisjes hebben hun ijsjes op, maar ze blijven boppen, beboppen en reboppen, en weer irriteert de syncope van hun gettoblastertechno en de Stones me. De zigeunerbedelares zit nog steeds op haar knieën.

Tussen 26 januari, de dag waarop ik Kate vroeg of ik een effectievere politieman mocht worden, een man die echt iets voor mensen kon betekenen door de regels in de oorlog tegen de misdaad op te rekken, en vandaag, 2 mei, ben ik van een agent die zich meestal aan de regels van zijn professie hield, veranderd in een man die er geen moeite mee heeft alle mogelijke regels te overtreden en vrijwel elke daad te plegen om mijn eigen doelen te bereiken. Ik ben een outcast geworden.

Daar maal ik niet om. Mijn transformatie heeft me alleen maar succes en rijkdom gebracht. Jyri's uitnodiging om hem en zijn vrienden gezelschap te houden betekent dat die me ook erkenning heeft gebracht. Ik weet zeker dat hij niet over me opschept als zijnde een schurk. Hij zal me zonder twijfel als zijn protegé beschrijven, maar ook als een macho die de regels oprekt en die in zijn eentje heeft bewerkstelligd wat een heel stedelijk politiekorps niet is gelukt, en die van Helsinki de enige drugsvrije grote stad in de wereld heeft gemaakt sinds Las Vegas in de gouden tijd, toen je als straf een kogel door je kop kreeg en in de woestijn werd begraven als je in drugs handelde.

En hij heeft zonder twijfel ook een verhaal verzonnen over de bron van het vergaarde kapitaal – hij zal slechts een fractie van het gehele fortuin durven noemen – en zal zeker beweerd hebben dat alles naar campagnes en goede doelen is gegaan.

Ik pleeg telefoontjes en raadpleeg strafdossiers. Helsinki glijdt steeds verder af richting ondergang. Blanke en zwarte jeugdbendes vallen elkaar aan met messen, loden pijpen, stokken en andere provisorische wapens die zich aandienen. Zowel zwarte als blanke vrouwen worden verkracht. Vooral Finse blanke vrouwen die tot de islam bekeerd zijn en nikkerneukende verraadsters worden genoemd. Helsinki gaat gebukt onder een stortvloed aan racistische incidenten. Bij bus- en tramhaltes is het heel gewoon om te schelden en te spuwen. Kleine kinderen worden niet gespaard. De spoedeisende hulp van het Meilahti-ziekenhuis wordt overstroomd met gewonden die botbreuken moeten laten zetten en gehecht moeten worden.

De media stoppen de incidenten in de doofpot. Er wordt niet over geschreven of ze worden gebagatelliseerd, zodat de façade van raciale harmonie in stand blijft. Helsinki? Een rassenprobleem? Nee hoor, wij niet. Hier in dit Noordse Mekka leven we broederlijk in het paradijs. Welkom in de Stad van de Liefde.

Ik bel Milo en Sweetness en zeg tegen ze dat we voor de machthebbers moeten aanrukken. Neem de meisjes mee. Draag je .45 in een schouderholster. Draag er een jack overheen om hem te verbergen. Maak een goede indruk.

De oppas komt om halfnegen precies. Het is een vriendelijke oudere dame in een bloemetjesjurk en met haar grijze haar in een knoet, alsof ze voor de rol gecast is.

Kate en ik komen een paar minuten over negenen bij Juttutupa aan. Het restaurant is de perfecte locatie voor zo'n feestje. Het gebouw staat bekend als 'het granieten kasteel' en kijkt uit over een baai, Eläintarhanlahti. Juttutupa begon in 1898 met de verkoop van alcohol en heeft in de loop der jaren een aantal functies gehad, waaronder een periode als sporthal, maar meestal werd het door de politiek gebruikt. De eerste jaren waren er diverse partijen in gevestigd. De Rode Garde gebruikte het tijdens de Burgeroorlog. Tegenwoordig ligt het restaurant naast het hoofdkwartier van de Sociaaldemocratische Partij. Nu ik erover nadenk: zelfs de sporthal was politiek. Die behoorde toe aan de Helsinkische Arbeidersvereniging.

We nemen een taxi omdat er drank zal vloeien, halen Aino op en komen daardoor te laat. Nadat Anu te eten had gekregen, pompte ik Kates moedermelk droog terwijl ze nuchter was. Het is meteen duidelijk dat de politici al een paar uur aan het drinken zijn, of misschien sinds vrijdagavond helemaal niet gestopt zijn. Je ziet het aan ze. Milo, Mirjami, Sweetness en Jenna waren er precies om negen uur, zo opgewonden als kinderen op hun verjaardag. De tafels zijn tegen elkaar aan geschoven. Jyri komt naar ons toe en heet ons allemaal welkom. Hij zegt dat er een rekening openstaat voor de groep en dat we nergens voor mogen betalen. Dat zal hij niet toestaan. Hij stelt zich aan ieder van de vrouwen voor, en voor het eerst zie ik zijn charme. Zonder zelfs maar een glimp van de meedogenloze smeerlap te tonen die hij is en zonder enige inspanning geeft hij ieder van de meisjes het gevoel de enige vrouw op aarde te zijn. Deze man is begiftigd met een waar talent.

Ik loop met de mannen mee naar de bar en we krijgen kossu en bier. Sweetness bestelt vier kossu's, waarvan hij er drie aan de bar opdrinkt, en hij neemt er eentje mee naar de tafel om aan te nippen. We krijgen *caipiroska's* voor de meisjes.

Ik weet niet of dat drankje een Finse uitvinding is of niet. Kate had het nog nooit gedronken voordat ze hierheen kwam. Het is een cocktail die bestaat uit limoensap, vermengd met een paar theelepels suiker in een laag glas, waarop tot boven de rand fijngehakt ijs is gestort als bij een ijshoorn, afgevuld met wodka en gemixt. Door de suiker stijgt de wodka snel naar het hoofd, en het drankje smaakt ook lekker, vandaar dat het populair is.

Op weg naar de tafel houdt Milo me tegen. 'Je bent een mazzelpik,' zegt hij.

'Hoe dat zo?'

'Je hebt twee prachtige vrouwen.'

Er is een kindeke geboren in Bethlehem. Hij wil weer beginnen met zijn lievelingsbezigheid: een simpele bewering tot een verhaal van epische proporties opblazen. 'Voor zover ik weet, ben ik getrouwd met Kate en monogaam. Ben ik door de hersenoperatie vergeten dat ik een mormoon ben?'

'Op weg hierheen vertelde Mirjami me dat ze verliefd op je is.'
'Wat een domme opmerking. Ze kent me niet eens.'
Hij haalt zijn schouders op. 'Ze maakte geen grapje.'
Ik negeer dit dwaze gedoe, neem Kates drankje mee en ga naast haar zitten.

We hebben allebei nog nooit in dergelijk gezelschap verkeerd. Premier Paavo Jokitalo. Minister van Financiën Risto Kouva. Minister van Buitenlandse Zaken Daniel Solstrand. Minister van Buitenlandse Handel en Ontwikkeling Sauli Sivola. De leider van de Sociaaldemocratische Partij, Hannu Nykyri. Lid van het Europees Parlement en leider van de Ware Finnen Topi Ruutio, en minister van Binnenlandse Zaken Osmo Ahtiainen. De meesten van hen worden vergezeld door hun echtgenoten of echtgenotes, vriendinnen, minnaressen. Het is een groot feest, waartoe gisteravond is besloten, tijdens Vappu, toen ze dronken waren. Ze hebben besloten vandaag door te gaan. Hun land en hun katers kunnen wel wachten.

De band is geweldig. Ik luister gesprekken af die op luide toon worden gevoerd om boven de muziek uit te komen.

Ik weet niet wat ik hiervan verwachtte. Misschien grote geesten die belangrijke staatszaken bespreken. Maar ik hoor alleen geroddel van dronkenlappen. Die en die heeft zich door de verkeerde laten beffen en nu is ze onvruchtbaar. Die en die heeft zus en zo gepijpt. Ze is een tampon – een verwaand kutwijf.

Gezien mijn recente probleem met puberale stijve pikken en mijn seksuele gepreoccupeerdheid was ik bang dat ik misschien zou gaan kwijlen of zelfs spontaan zou ejaculeren met Kate, Aino, Mirjami en Jenna om me heen. Maar het tegenovergestelde is het geval. Het is eigenlijk net alsof je van een rijkelijk gevuld buffet eet. Door al die overvloed op één plek verandert mijn perspectief en kalmeer ik juist. De anderen zijn jonge, knappe meiden, maar ik vind nog steeds dat Kate de mooiste is.

Op zeker moment staat de premier op en tikt hij met een lepel tegen zijn glas, om stilte vragend. Als hij ieders aandacht heeft zegt hij: 'We hebben vanavond speciale gasten in ons midden.' Hij vraagt

Milo en mij om op te staan. 'Deze mannen zijn nationale helden.'

Hij zegt dat ik tijdens mijn dienst tweemaal ben neergeschoten en vertelt hoe Milo en ik zonder verdere ondersteuning een school binnendrongen waar een aantal gehandicapte kinderen door een maniak werden gegijzeld, waarna we een eind aan zijn actie maakten. Wie weet hoeveel jonge levens we toen gered hebben?

Ik zie het hoofd van de schoolschutter omlaag zakken nadat Milo er een kogel in heeft geschoten. En dan maakt de premier me woest en tegelijk doet hij me ineenkrimpen.

'En nu,' zegt hij, 'verder met deze jongeman...' Hij gebaart naar Sweetness dat hij moet opstaan. Sweetness speelt zijn rol en strekt traag zijn armen uit op een manier die vanzelfsprekend lijkt, en laat daarbij de twee enorme .45's in de holsters onder zijn jack zien. De meute is dronken en toont zich zeer onder de indruk. Sweetness staat op. 'Ze zullen binnenkort de moordenaars van Lisbet Söderlund voor het gerecht brengen, een ongekend gruwelijk misdrijf dat als een duister dieptepunt in de annalen van de Finse geschiedenis zal worden herinnerd. Deze mannen zijn onze Untouchables.' Hij spreekt het woord met dubbele tong uit. 'Untusjebels.'

Milo grijnst me toe met een 'dat zei ik toch'-blik.

'Inspecteur Vaara,' zegt de premier, 'kunt u ons vertellen hoe het met de zaak staat?' Met regelmatige tussenpozen worden er nieuwe rondjes op tafel gezet. Nu begint het echte zuipen.

Jenna staart Sweetness met een blik vol adoratie aan, die veel verder gaat dan familiaire liefde. We beleven een Jerry Lee Lewis-scenario.

Ik toon de glimlach die ik in de spiegel heb geoefend, de extra brede versie. 'Met grove middelen – intensieve verhoren, afpersing, bedreigingen, intimidatie en afranselingen – willen we de racistische gemeenschap in Finland terroriseren, totdat die de moordenaar vrijwillig aangeeft teneinde verdere pijnlijke confrontaties te voorkomen.'

De meute weet niet of ik een grapje maak of niet. Hoe dan ook, het valt in de smaak. Ze lachen en klappen. Ik zie dat Kate niet meedoet. De meute wordt steeds zatter en mensen beginnen rond te lopen. Alle mannen weten op zeker moment onze kant van de tafel te bereiken. Of ze nu in ons geïnteresseerd zijn als crimefighters of niet, we hebben in elk geval de mooiste meiden bij ons, en iedereen wil die wel eens van dichtbij bekijken. Uiteraard trekt de groep de aandacht van alle andere gasten in het restaurant, gezien de aanwezigheid van de belangrijkste politici van het land, gecombineerd met die mooie meiden.

Kate kan goed opschieten met Mirjami en Jenna. Ze draagt een avondjurk en haar Manolo-pumps. Mirjami heeft haar Hello Kitty-garderobe en stadin slangi verruild voor een elegante, tamelijk ingetogen witte zomerjurk die haar bruine tint accentueert, en ze spreekt accentloos Fins. Jenna draagt een mooie spijkerbroek met een topje waarin haar geweldige decolleté heel voordelig uitkomt. Vrijetijdskleding is prima in Juttutupa – ik draag zelf een spijkerbroek – en ik denk niet dat Jenna geld heeft voor een uitgebreide garderobe. Zij houdt vast aan haar Oost-Helsinkische accent. Ik betwijfel of ze ook anders kan praten. Ze probeert zich niet anders voor te doen dan ze is, en gezien haar uiterlijk hoeft dat ook niet. Mirjami stelt Kate vragen over mij. 'Hoe is het om getrouwd te zijn met een beroemde politieman?'

Kate grijnst en proest dronken. 'Alsof je met Tony Soprano bent getrouwd.'

Mirjami stelt nog persoonlijker vragen, zoals hoe ik als persoon ben. Gewiekst. Kate trapt er niet in. Mij interesseert het niet.

De mannelijke politici stellen zich op zeker moment allemaal voor. Ze zijn zo dronken dat ze vergeten zijn dat ze gezelschap hebben meegenomen en dat onze meisjes bezet zijn, en ze hopen nu dat onze schoonheden het met hen aanleggen.

De premier is niet heel erg dronken, alleen maar beleefd. Hij begint een gesprek met Kate, komt erachter dat ze de manager van Hotel Kämp is en oppert de mogelijkheid een deal te sluiten voor alle buitenlandse hoogwaardigheidsbekleders om daar voor een vast tarief te verblijven. Ze geeft hem een visitekaartje. Hij belooft te bellen. Ze lijkt het allemaal fantastisch te vinden. Iedereen drinkt te veel, behalve ik. Kort na middernacht stelt de minister van Binnenlandse Zaken voor de staatszaken morgen op zijn jacht verder te bespreken. Alle aanwezigen zijn uitgenodigd en worden om twaalf uur verwacht in het clubhuis van de Nyland Yacht Club Blekholmen. Hij vraagt wie er allemaal komen. Iedereen laat luidkeels weten present te zullen zijn.

De minister van Binnenlandse Zaken en Jyri komen naar me toe. 'Sta me toe inspecteur Vaara aan u voor te stellen, mijn handlanger,' zegt Jyri.

Ik zeg: 'Ik verkies de term "wetshandhaver".'

De minister zegt dat hij het op prijs stelt als ik naar de jachtclub kom en hoopt dat ik Kate meeneem. Hij wil met haar ook graag spreken. Dit prikkelt mijn nieuwsgierigheid. Ik bedank Jyri dat hij de oppas heeft geregeld. Ze leek me geweldig, maar ik zeg dat ik er morgen weer een nodig heb.

'Ze is mijn tante,' zegt hij, 'en ze is dol op kinderen. Ze zou je vermoedelijk nog betalen als je haar weer liet oppassen. Vraag het haar maar. Kom met me mee naar de bar, dan laat ik je iets zien.'

We lopen erheen en terwijl we ertegenaan geleund staan, praat Jyri op zachte toon tegen me. 'Wist je,' zegt hij, 'dat er nu meer spionnen in Finland zijn dan op enig moment tijdens de Koude Oorlog?'

'Nee, dat wist ik niet,' antwoord ik.

'Rusland heeft verreweg de meeste hier, zo'n dertig getrainde stillen, gevolgd door de VS en China, en dan zijn er nog kleine afvaardigingen van andere landen. Ze zijn op zoek naar informatie over onze defensiepolitiek en onze plannen aangaande de NAVO, en landen die economisch en technologisch minder ontwikkeld zijn dan wij, zijn op zoek naar besparingen via spionage.'

'En wat wil je daarmee zeggen?'

'Ik weet wie dat zijn, en sommigen van hen zijn er uitermate ontstemd over dat de heroïne-inkomsten door diefstal zijn weggevallen. Je strijd tegen de drugshandel stopt nu, totdat de moord op Söderlund is opgelost, en wel om de eenvoudige reden dat je scherp in de gaten wordt gehouden. Je was kwaad omdat we geen stappen hebben ondernomen om een eind te maken aan de mensenhandel. Jij hebt een poging ondernomen, en die liep slecht af.'

Ik wil iets zeggen, maar hij steekt zijn hand op om me de mond te snoeren. 'Ja, ik weet er alles van. Ik liet jou geld en drugs van het huis van de ene crimineel naar dat van de andere transporteren. Toen heb ik een Russische spion gesproken, tegen hem gezegd dat ik van zijn probleem afwist en hem de namen en het adres gegeven waar jij het geld en de drugs had achtergelaten. Ik liet hem weten dat ik er de voorkeur aan gaf als hij dit intern afwikkelde. De mannen die de vrouwen die jij probeerde te helpen hebben verkracht en vermoord, waren daar ook. Ik vroeg hem om bewijs wanneer de kwestie opgelost was.'

Hij pakt zijn iPhone en laat me een foto zien. Vijf mannen in een magazijn, naakt. Er hangen kettingen met haken aan het uiteinde aan een dwarsbalk. Deze haken zijn in het zachte vlees achter de kinnen van vijf mannen gedreven. Hun tenen hangen een paar centimeter boven de grond. Ze worden gemarteld tot de dood erop volgt en bevinden zich in diverse stadia daarvan. Aan hun tongen en genitaliën zijn elektroden bevestigd. Bij een paar ontbreken de genitaliën of andere lichaamsdelen. Bij een paar is het grootste deel van de huid afgestroopt.

'Ik neem aan dat ze te horen hebben gekregen dat ze niet mochten sterven voordat ze hadden verteld waar de rest van de drugs en het geld dat ze hadden gestolen was gebleven,' zei Jyri. 'Maar dat konden ze natuurlijk niet. Ik heb de dossiers van deze mannen gezien. Ze hebben honderden vrouwen verhandeld en velen van hen aan het gruwelijkste misbruik onderworpen. Nu hebben ze daarvoor geboet en zullen er geen gangsters meer op zoek gaan naar de echte dieven, dus naar jou en de jouwen. Je hebt werkelijk iets gedaan om "mensen te helpen", zoals je het zelf zegt. Dat was mijn cadeau aan jou.'

Hij verwijdert de foto. Ik bedank hem. Nu kan ik geloven dat er op een bescheiden manier toch recht is gedaan door mijn activiteiten. Ik neem mijn plek naast Kate weer in.

Ware Finnen-leider Topi Ruutio komt langs en een van zijn ultranationalistische fans wil hem eer bewijzen. We spreken Engels en de dronken aanhanger laat Kate luidkeels en op botte wijze weten dat ze verdomme Fins moet leren spreken. Hij denkt zeker dat hij daarmee punten scoort bij Ruutio, die een aardige kerel lijkt. Ruutio zegt tegen de man dat hij een slechtgemanierde klootzak is en deelt hem mee dat hij op moet rotten.

Op weg naar buiten geeft Milo Kate een set autosleutels. Hij wijst naar een gloednieuwe Audi S4 verderop in de straat. 'Die is van jou,' zegt hij.

'Waarom?'

Met zijn handen in zijn zakken kijkt Milo naar de grond. 'Ik heb je boos gemaakt toen ik een uitglijder maakte en jij te weten kwam dat we een lijk hadden gedumpt, en ik wilde het goedmaken met je.'

Kate is voor de tweede dag dronken en zwaait lichtelijk heen en weer. Ze kust hem op zijn wang. 'Je denkt dat je mijn genegenheid kunt kopen,' zegt ze, 'maar dat is onmogelijk.'

Hij bloost en draait zich om.

Ze giechelt. 'Het hoeft niet, want ik mag je al graag. Maar als je me zo graag dure cadeaus geeft, vind ik het prima, hoor.'

De man die tegen Kate stond te schreeuwen staat in de hoek van de patio te roken als we naar buiten komen. Niemand kijkt. Sweetness gaat op hem af en geeft hem een klap. Hij slaat met zijn vlakke hand, maar het komt zo hard aan dat de man zijn evenwicht verliest en op zijn rug op de grond valt. Hij rolt om, richt zich op handen en voeten op en probeert op te staan. Sweetness zet zijn voet op zijn rug, laat zijn gewicht erop rusten en trapt hem hard tegen de grond. 'Als je nog eens zo onbeschoft tegen haar bent,' zegt hij, 'vermoord ik je.'

Sweetness loopt weg. De man staat op. In het licht van de straatlantaarn zie ik dat de klap hem talloze minieme bloedblaartjes op zijn wang en kaak heeft bezorgd. Hij stopt zijn vingers in zijn mond en trekt er een kies uit, dan nog een, en nog een, en hij huilt.

Ik rij Kate naar huis in haar nieuwe Audi.

27

De volgende ochtend sta ik vroeg op. Ik heb een afspraak met mijn broer Jari voor een postoperatieve controle. In zijn kamer doen we de gebruikelijke tests. Hij controleert mijn reflexen, bloeddruk en dergelijke, maar wat we vooral doen, is praten.

'Heb je eigenlijk lichamelijke problemen? Slechte coördinatie, slapte, hoofdpijn? Geen verdere insulten?'

'Nee, ik voel me prima.'

'En hoe zit het met je gevoelens? Zit daar al enige verbetering in? Voel je al iets?'

'In zekere zin wel,' zeg ik. 'Ik voel niets, maar soms wil ik dingen of vind ik ze leuk.'

Ik pak mijn stok. 'Zoals deze stok. Ik ben dol op dat ding en zou ermee naar bed gaan als ik kon.'

'En hoe zit het met mensen?'

'Vrouwen. Als ik een mooi meisje zie, word ik helemaal gek. Stel je de verlangens van een zesjarige voor, gecombineerd met het libido van een zestienjarige.'

'Heb je ook iets gedaan met die gevoelens?'

'Nee, maar dat had gekund. Het lijkt me ook niet te kunnen schelen wat ik doe. Mijn bestaan is binair geworden. Willen/niet willen. Leuk/niet leuk. Doen/niet doen. Ik ken geen grijstinten meer.'

'En hoe zit het met je gezin? Nog bijzonderheden?'

'Helemaal niet. Ik oefen een glimlach in de spiegel. Ik herinner me wat mijn gevoelens waren, en handel naar wat ik volgens mij zou moeten doen, gebaseerd op herinneringen. Dat lijkt te werken. Ik weet wat mijn taken zijn, en die vervul ik.'

'Ik heb je aangeraden hierover met je vrouw te praten. Heb je dat gedaan of zelfs maar overwogen?'

'Nee, en dat ga ik ook niet doen. Ik denk niet dat Kate dat kan accepteren.'

Hij buigt zich naar voren in zijn stoel, zet zijn ellebogen op zijn bureau en laat zijn hoofd op zijn handen rusten. 'Het is nu drie maanden geleden. Dat je helemaal niet vooruit bent gegaan, is geen goed voorteken. Je hebt je vrouw en haar steun nodig.'

Ik zeg niets.

'Denk je echt dat je de verandering in jezelf voor haar verborgen hebt gehouden? Wat voor invloed heeft dat op haar, denk je?'

Ik denk aan de cadeaus die ze nu aanneemt, terwijl ze weet waar het geld vandaan komt waarmee ze gekocht zijn. Nog maar kortgeleden zou ze niet eens overwogen hebben ze te accepteren. Ze probeert een manier te vinden om te leren leven met wat ik nu doe, en ze weigert te klagen omdat ik haar dat open en eerlijk heb gevraagd, nog voor alle recente gebeurtenissen. Hoewel het haar niet lukt ermee te leren leven, besef ik dat het niet eerlijk is haar aan de afspraak te houden, omdat ze de implicaties niet kon overzien. En ik evenmin.

Ik was naïef en werd gebruikt. Arvid heeft ooit tegen me gezegd dat mijn naïviteit me nog eens fataal zou worden. Voor de zoveelste keer denk ik: deze geheime operatie is geen moment ergens goed voor geweest. Ik ben misleid. Ik ben een corrupte agent en een crimineel. Vroeg of laat ben ik niet nuttig meer en vinden ze een manier om zich van mij te ontdoen. Waarschijnlijk luizen ze me erin, brengen me in diskrediet en zorgen ervoor dat ik een lange gevangenisstraf krijg. Het publiek zal zulk geweldig nieuws zeker met gejuich ontvangen. De machtige getackeld. Zelfs iemand die kinderen redde. Ik kan er niet uit stappen, omdat ik eerst een manier moet zien te vinden om me van de corrupte politici te bevrijden die me in hun macht hebben en hen tegelijk te vernietigen.

Ik realiseer me dat Kates acceptatie van de Audi gisteravond symbool staat voor Kates acceptatie van de situatie. Ze baalt er zo vreselijk van dat het haar niet meer kan schelen, en misschien loopt mijn huwelijk zelfs gevaar.

'Dit valt onder je zwijgplicht als mijn arts,' zeg ik. 'Ik doe van alles wat illegaal is, met de goedkeuring – nee, onder het mandaat – van het establishment. Sommige dingen zijn echt niet fraai. Ik verberg het niet voor haar, althans het meeste niet. Ze vindt het vreselijk. Ik weet niet of ze het vreselijk vindt dat ik die dingen doe, of dat het me niet dwarszit.' Ik zeg niets over haar dronkenschap van twee dagen. Het was Vappu en misschien heeft het niets te betekenen.

'Slik je de kalmeringspillen die ik je heb voorgeschreven?'

'Nee. Ik word nergens nerveus van.'

Hij zucht, leunt achterover in zijn stoel en slaat zijn armen over elkaar. 'Als je arts, broer en vriend adviseer ik je een open gesprek met je vrouw aan te gaan, met ziekteverlof te gaan, te stoppen met waar je mee bezig bent en in psychotherapie te gaan. Ik zal een goede therapeut voor je regelen. Je zult niet vanzelf beter worden, en je hebt rust en steun nodig, totdat je hersenen uit zichzelf weer hersteld zijn.'

Ik sta op en bedank hem. 'Ik zal nadenken over alles wat je gezegd hebt.' Ik vertrek zonder echt van plan te zijn iets dergelijks te doen.

28

Twaalf uur. De Nyland Yacht Club. De hele bende van gisteravond verschijnt weer, behalve Aino. Zij moet werken. Plengoffers voor het ontbijt. Mimosa's. Bloody mary's. Bier. Het toegestane alcoholpromillage in je bloed bij het besturen van een boot is tweemaal zo hoog als bij autorijden. Je kunt behoorlijk in de olie zijn en toch nog binnen de wet blijven. Iedereen kleedt zich warm aan in jassen met truien eronder. Het is tweeënveertig graden Fahrenheit, oftewel vijf graden Celsius, en koud op de Oostzee, vooral als de boot vaart.

Het leven met een buitenlander brengt vreemde gewoonten met zich mee. Kate kan zich een voorstelling vormen van temperaturen onder nul in graden Celsius, maar niet van temperaturen aan de positieve kant van de thermometer, dus heb ik de gewoonte aangenomen die uit mijn hoofd voor haar om te rekenen. Nu denk ik vaak ook in Fahrenheit, maar alleen aan de positieve kant.

De premier heeft een tien meter lang gemotoriseerd jacht, een tamelijk nieuw, slank ogend vaartuig. Onderdeks zijn er drie hutten met twee bedden, een grote bar en kombuis, een toilet en plek voor navigatieapparatuur.

Ik heb Milo een sms gestuurd voordat we van huis vertrokken. Daarin stond dat ze heroïne en een geweer in de boot moesten verbergen, evenals een gps-tracker, zodat we altijd weten waar de boot is, evenals sleutels van de boot, voor het geval wij hem willen gebruiken. Ik heb bedacht dat dat een gemakkelijker manier is om van lijken af te komen.

We varen weg in de richting van dieper water, en de blender begint te malen. De motor van dat ding is sterk genoeg om een auto te laten rijden. In de bar beginnen de mojito's en ijsdrankjes van donkere rum en vers fruit voor de dames te vloeien. Ik waag me niet aan sterkedrank, maar trek een biertje open en stuit op het vistuig. Ik haal baars, snoek en zeeforel binnen. Milo en Sweetness voelden zich slecht op hun gemak rond de politici, zonder dat ik bij hen ben om het gesprek gaande te houden. Ze zijn naar me op zoek gegaan, zagen hoeveel ik al gevangen had – inmiddels zeven behoorlijke vissen – en pakten de twee andere ligstoelen aan weerszijden van me.

Sweetness heeft nog nooit een hengel in handen gehad. Ik leer hem de grondbeginselen: uitwerpen en opwinden, hoe je voorkomt dat de lijn in de war raakt, hoe je de vis moet binnenhalen en onthaken. Hij vangt zijn eerste vis, een snoek van behoorlijke omvang, en is zo blij als een kind. Milo is een goede visser. De andere mannen komen het dek op. Ze drinken whisky – tegen de kou, zeggen ze. Ze kijken toe hoe we nog meer vissen binnenhalen en willen het zelf ook proberen.

We geven onze stoelen op. De minister van Binnenlandse Zaken zegt dat hij me graag wil spreken.

We leunen tegen de reling. De wind maakt ons gesprek onverstaanbaar voor anderen. Ik geef hem een envelop. Ik heb besloten zijn aandeel vandaag persoonlijk te overhandigen. Dit is een van de onderwerpen waarover hij met me wil praten. Momenteel incasseert hij vijftien procent, wat aan noodzakelijke uitgaven wordt besteed, zoals de campagnefondsen van Kokoomus, de conservatieve partij. En jachten. Daar zeg ik niets over.

Hij weet niet dat ik voorlopig niet meer actief ben in de bestrijding van drugs en dealers.

Hij heeft nog eens vijf procent nodig uit het geheime potje. Niet met terugwerkende kracht, alleen voor toekomstige verdiensten. Hij weet dat ik daar niet voor voel en geeft een verklaring. Het geld moet naar de Ware Finnen gaan.

Ik vraag waarom hij ervoor wil zorgen dat zijn concurrenten voldoende geld voor de campagne hebben.

De minister van Binnenlandse Zaken vraagt naar mijn politieke visie. Ik zeg dat ik een soort democratisch fascisme voor me zie. Ik geloof in de democratie, maar door alle mediamanipulatie en informatiebeperkingen zijn de kiezers niet meer in staat weloverwogen beslissingen te nemen. Daar is hij het mee eens. Hij noemt het Finse plan om NAVO-lid te worden en dat het volk door de strot is geduwd. De minister noemt mijn inzichten simplistisch maar scherpzinnig, en vertelt me hoe hij erover denkt. De minister wordt weemoedig.

Nog niet zo lang geleden was Finland een paradijs voor de arbeider, voor de gewone man, legt hij uit. Zoals alle aspecten van het leven is ook de politiek gemondialiseerd. Ooit zorgde Finland voor zijn burgers. Onderwijs. Medische zorg. De armen. Maar zelfs in de periode na de Tweede Wereldoorlog, toen Kekkonen aan de macht was, ging het er alleen maar om de kiezers tevreden te houden en was er geen sprake van altruïstische bezorgdheid voor het publieke welzijn. Degenen die het bij de overheid voor het zeggen hadden, kon het in wezen geen donder schelen. Nu zijn de idealen verdwenen. De Sovjet-Unie is ineengestort, en daarmee zijn ook de socialistische idealen gestorven. Radicaal links en de communisten zijn in Finland apathisch en hebzuchtig geworden, en van de zogenaamd zorgzame overheid is niets overgebleven. Nu is het ieder voor zich, zoals vrijwel overal elders.

Hij zucht misnoegd. 'De aanhang van de Ware Finnen neemt met sprongen toe,' zegt hij. 'Ze jagen de andere midden- en linkse partijen de stuipen op het lijf met hun praatjes over vertrek uit de EU, de euro weer inruilen voor de Finse *markka* en hun haatzaaipolitiek, waarbij de buitenlanders de schuld krijgen voor de sociale problemen in het land. Die partijen lopen momenteel helemaal leeg. Kokoomus is de partij van de rijken en van hen die dat willen worden. De angstfactor is de sleutel om de verkiezingen te winnen. Liberalen, die weten dat ze geen schijn van kans hebben, zullen op Kokoomus stemmen, omdat dat de beste manier is om de Ware Finnen buiten de regering te houden. Er zijn zeventien partijen. Hoe meer aanhang de Ware Finnen krijgen, hoe meer leden van de andere vijftien partijen onder druk komen te staan om voor Kokoomus te stemmen, simpelweg uit angst. Als de Ware Finnen ook maar de geringste zwakheid tonen, krijgen de kiezers weer hoop en zullen ze eerder op de partij van hun keuze stemmen.

Omdat de Ware Finnen de partij van de gewone man zijn, ontvangen ze ook gewone donaties, en dat is niet voldoende. Veikko Saukko had begin 2009, bijna anderhalf jaar geleden, een miljoen euro beloofd voor de campagne van de Ware Finnen, maar hij zag ervan af omdat de partij zich niet krachtig genoeg tegen buitenlanders opstelde. Saukko is iemand die last heeft van stemmingswisselingen en mag mij eigenlijk graag,' zei de minister. 'Ik hoop nog altijd dat hij het beloofde bedrag nog eens fourneert.'

Ik pak de envelop weer uit zijn hand. 'U wilt iets van mij. Als we daarover gesproken hebben, kunnen we het over geld hebben.'

Hij slaat zijn armen om zich heen, zich wapenend tegen de kou, en lacht. 'De meeste mensen zijn bang voor me. Maar jou kan het geen donder schelen. Hoe komt dat?'

Ik haal mijn schouders op. 'Dat ligt niet in mijn aard.'

'Ik heb in het leven één waarheid gevonden,' zegt hij. 'Wie goed is in het ene, is vaak ook goed in andere dingen. Jij hebt jezelf bewezen in de opdrachten die je hebt gekregen.'

Ik zeg niets.

'Veikko Saukko is begonnen in de wereld van de schandaalpers en is gek op vuige roddels.'

Ik lach. 'Wilt u dat ik minister van Propaganda word en een haatcampagne begin?'

'Ja. En die noem je *Be Happy*.'

'Hoe smerig moet het zijn?'

'Gore, kwaadaardige linkse roddels. In het eerste nummer moet een aanval op het karakter van Lisbet Söderlund centraal staan. Zoiets als: "Godzijdank is die gesel van het land dood". Breng linkse types als communisten, homo's, drugsgebruikers, losbandig tuig en nikkervriendjes in diskrediet. Angst zaaien – gewapende zwarten hebben zich georganiseerd om rechtschapen, onschuldige en godvrezende blanke Finnen te vermoorden – moet een belangrijk thema zijn. En dat wissel je af met roddels over prominenten om het doel van dat blaadje te verheimelijken. Dat zal een enorme indruk op Saukko maken. Kun je dat doen?'

Ik weet al wie ik hiervoor in de arm ga nemen: mijn oude vriend

Jaakko Pahkala. 'Jazeker. Maar ik weet nog niet of ik het wil. Vertel me eerst nog een paar dingen. Uw gasten, die volgens mij uw maatjes zijn, zijn uit diverse politieke partijen afkomstig. Hoe komt dat?'

'Wederzijds belang.'

'Zoals?'

'Nou, laten we het voorbeeld van daarnet nemen, de NAVO. Het heeft voor Finland weinig praktisch nut zich daarbij aan te sluiten, en toch zorgen we dat het gebeurt.' Hij lacht. 'Ik bedoel maar... Kun je je echt voorstellen dat de NAVO het kleine Finland verdedigt als Russische tankdivisies de grens over trekken en het land binnenrijden? We hebben geen olie. Er valt voor de NAVO niets te winnen als ze Finland te hulp schieten. Maar als we ons bij de NAVO aansluiten, betekent dat wel dat er prestigieuze machtsposities worden geschapen. Het betekent dat er contracten voor wapensystemen worden gesloten met bedrijven waarin de mensen op deze boot aandelen bezitten. Energie om de systemen van stroom te voorzien. Het betekent meer rijkdom voor de rijken.'

'Op kosten van de Finse belastingbetaler.'

'Inspecteur, zo is het altijd gegaan in de wereld. Ik kan daarvoor niet mijn verontschuldigingen aanbieden.'

'Nog een andere vraag. Wat is er met mijn voorganger gebeurd?'

'Je voorganger?'

'Ja. Ik heb er een gehad, niet?'

Hij zwijgt even, over zijn kin wrijvend, en overweegt of hij me de waarheid moet vertellen. 'Hij en zijn teamleden zijn allemaal dood. Hun aanpak was simplistisch in vergelijking met de jouwe. Ze zijn naar Sint-Petersburg gegaan om een bende mensensmokkelaars te vermoorden. Dat mislukte. Het waren overigens militairen, geen politieagenten.'

Ik geef hem de envelop terug. 'Ja, ik kan dat schandaalblaadje van u wel opstarten en het percentage verhogen. In ruil daarvoor zou ik graag van tijd tot tijd informatie en militaire apparatuur krijgen.'

'Wat voor apparatuur?'

'Wacht even.'

Ik weet niet waar Milo is en of hij gezien mag worden bij zijn bezigheden. Ik bel hem op en zet de luidspreker aan. 'Zeg tegen de minister van Binnenlandse Zaken wat je wilt hebben om mobieltjes af te luisteren.'

'Een GSM A5.1 Real Time Cell Phone Interceptor. Die is niet op te sporen. Hij kan vier basisstations, vier frequenties en tot twintig telefoons in de gaten houden,' zegt Milo.

De minister zegt: 'Ik zal er twee voor je regelen.'

Ik hang op.

'Kent u op elk moment de verblijfplaats van alle Ware Finnenleiders?' vraag ik.

'Mijn mensen wel.'

'Deze rassenoorlog moet beëindigd worden, en ik wil de moord op Lisbet Söderlund beslist oplossen. Morgen wil ik Roope Malinen ondervragen.'

'Er mag hem niets aangedaan worden.'

'Dat heeft hij zelf in de hand,' zeg ik, 'en dat maakt deel uit van de deal. De meeste leiders van racistische organisaties zijn criminelen en tot op zekere hoogte ritselaars, die haat gebruiken om hun aanhangers te verenigen en er op een of andere manier van te profiteren, en niet uit oprechte ideologische motieven. Ik denk dat dat zijn profiel is, en ik vermoed dat hij iets van de moordenaars afweet. Ik moet dat uit hem zien te trekken.'

We worden door koude windvlagen heen en weer geschud. 'Goed. Hij is van jou, zolang je hem niet doodt. Kan ik je vrouw spreken?'

'Dat hangt ervan af waarover.'

'Het gaat over Hotel Kämp.'

Ik knik. Ze zit beneden bij een stelletje laveloze, kakelende kippen, die elkaar proberen te overschreeuwen. Ik vraag of ze meekomt. We gaan met zijn drieën naar een lege hut. Ze loopt onvast, en dat komt niet alleen door het deinende jacht. Ze giechelt. 'De premier is een uitstekende gastheer. Mijn glas lijkt de hele tijd al vol te zijn. Ik denk dat ik meer heb gedronken dan ik dacht.'

De minister zegt tegen haar: 'Ik wil afluisterapparatuur aanbrengen in uw hotel. Als er buitenlandse hoogwaardigheidsbekleders op bezoek komen – zoals Vladimir Poetin – dan kan het in onderhandelingen voordeel bieden om te weten wat ze privé hebben besproken. Dat zal uw nieuwe vaderland ten goede komen.'

Kate knikt plechtig van ja. 'Dat is een uitstekend idee, en ik ben er trots op het land te mogen dienen. Maar ik ben nu met zwangerschapsverlof en heb niet de leiding. U moet dat aan Aino vragen, die u gisteravond hebt ontmoet.'

'Ik weet zeker dat het heel nuttig zou zijn als u zich ervoor zou inzetten,' zegt hij. 'Of als Aino het er niet mee eens is, kunnen we simpelweg wachten totdat uw verlof voorbij is.'

Ik zeg niet tegen haar dat ze een enorme blunder heeft begaan of dat ze een belofte heeft gedaan die tegen alles in gaat waar ze voor staat. Het hotel zal worden gebruikt voor seksuele chantage. Diplomaten en bepaalde zakenlui zullen worden gefilmd bij clandestiene escapades. Als ze niet meegaan in de afpersing zal dat hun carrière en persoonlijke leven vernietigen.

Ik besluit het niet tegen haar te zeggen. Ze gaat weer zitten om vruchten-rumcocktails te drinken met Mirjami, Jenna en haar nieuwe politieke vriendjes.

29

Het is even na zessen als we vanaf de jachtclub naar huis rijden. Kate is zatter dan ik dacht. Ze is echt teut zoals een vrouw teut kan zijn, afwisselend giechelig en huilerig. Ze drinkt nu al drie dagen aan één stuk. Ik weet niet zeker of dat komt doordat ze voor het eerst met stevig drinkende vrouwen op stap is en hen wil bijhouden met drinken, zonder dat ze beseft hoeveel ze eigenlijk naar binnen slaat, of dat haar iets dwarszit wat dit voor haar doen merkwaardige gedrag veroorzaakt. Voor mij was het een werkdag waarop ik mijn sociale contacten moest onderhouden. Ik heb maar twee biertjes op.

Ik stop om flesvoeding voor de baby te kopen. Haar moedermelk is vergiftigd met alcohol. Het ergert me dat ze daaraan niet gedacht heeft voordat ze lazarus werd. En niet voor het eerst. Ik doe boodschappen, terwijl Kate in de auto wacht. Ik krijg een sms. 'Morgen is Roope Malinen in zijn zomerhuisje op het eiland Nauvo, in de buurt van Turku.' Het bericht bevat de gps-coördinaten van het huisje.

Kate is nooit in Turku geweest. Ik stap de auto weer in. 'Kate, wat dacht je ervan om morgen een ritje naar Turku te maken? Dat ligt ongeveer twee uur ten oosten van Helsinki.'

'Wij met zijn tweeën?' Ze klinkt hoopvol.

'Nee, ik heb werk te doen, maar Milo en Sweetness gaan met me mee, dus ik dacht dat Mirjami en Jenna misschien met jou mee konden. Dan kun je je nieuwe Audi eens lekker inrijden. Mijn broer Timo heeft een boerderij daar in de buurt. Als we klaar zijn met ons werk en jij de buurt hebt bekeken, kunnen we bij hem langsgaan als hij tijd heeft.'

Ze is momenteel in een vrolijke dronken bui. 'Klinkt leuk,' zegt ze.

We rijden naar huis. Ik bedank Jyri's tante, geef haar een biljet van vijftig euro, betaal de taxi alvast voor haar, stuur haar naar huis en pak de telefoon. Kate valt op de bank meteen in slaap.

Ik heb Moreau beloofd dat hij met me mee mag als ik de verhoren afneem. Hij heeft Milo beloofd hem te leren hoe hij met het geavanceerde wapentuig moet omgaan dat hij gekocht heeft, maar niet nodig heeft en evenmin weet te gebruiken. Sweetness heeft nog nooit een schot gelost. We zijn op zoek naar militair getrainde moordenaars, geloof ik, misschien zelfs huurmoordenaars. Hij moet leren schieten. Ik wil al deze varkentjes tegelijkertijd wassen.

'Ik heb sowieso wat zaken in Turku te regelen,' zegt Moreau. 'Mij komt het goed uit.'

Ik zeg tegen hem dat hij morgen om acht uur hier moet zijn.

Stap twee. Mijn broer bellen. Dat is moeilijker. 'Jezus, Kari,' zegt hij, 'ik heb al twee jaar niks meer van je gehoord en je in geen vier jaar gezien. Waar heb ik deze eer aan te danken?'

'Ik heb zaken te doen in Turku en dacht even langs te komen, als je dat goedvindt.'

'Natuurlijk vind ik dat goed. Geweldig zelfs. Ik heb gehoord dat je een kind hebt. Neem je haar mee?'

'Ik denk dat ik met een paar mensen kom. Agenten en hun echtgenotes. En we willen tegelijk een beetje met wapens oefenen als we bij je zijn. Vind je dat goed?'

Er klinkt boosheid door in zijn stem. 'Wacht even. Ik dacht dat je mij wilde zien? Maar eigenlijk wil je alleen maar iets van mij. Klopt dat?'

Eerlijk gezegd kan het me geen donder schelen of ik hem of iemand anders zie, want ik ken geen emoties. Maar ik probeer te doen wat ik als mijn plicht tegenover mijn familie zie, en ik heb mijn plicht tegenover hem verzaakt toen ik nog emoties voelde – juist vanwege die emotics. Nu is het gemakkelijker. 'Nee, ik wil jou zien. Ik kan overal wel met pistolen gaan schieten. Ik ben een juut, weet je nog? We hebben schietbanen. Ik kan ook bij je langskomen zonder te schieten, als je dat liever hebt. Of ik kan naar een schietbaan gaan en jou niet bezoeken, als je dat liever heb.'

Het blijft even stil. 'Vertel me nou eens waarom je nooit bent langsgekomen.'

Ik vertel de waarheid. 'Ik weet het niet. Waarom ben jij mij niet komen opzoeken?'

Weer zwijgt hij. 'Het is ingewikkeld. Kom verdomme gewoon langs. En wat mij betreft mag je zelfs met een pantserwagen op doelen schieten. En jullie kunnen allemaal blijven slapen. We hebben ruimte zat.'

'Het is goed om je stem te horen, grote broer,' zeg ik.

'De jouwe ook.' Hij verbreekt de verbinding.

Dan Milo. 'We gaan morgen een autotochtje maken. Neem dat nucleaire arsenaal mee, of wat het ook is dat je gekocht hebt. Moreau gaat je leren hoe je het moet gebruiken.'

'Gaaf! Waar gaan we naartoe?'

'Verschillende plaatsen in de buurt van Turku. Waarschijnlijk blijven we overnachten, misschien wel bij mijn broer thuis. En Mirjami is ook uitgenodigd.'

'Ik weet niet of ze mee kan. Misschien moet ze werken.'

Ik herinner me dat Mirjami aan Milo heeft verteld dat ze dol op me is. Maar ze is echt niet een en al aandacht voor mij. Dat vind ik merkwaardig. 'Zeg tegen haar dat als haar liefde voor mij echt is, ze maar van dienst moet ruilen of zo. Kate gaat met een andere auto, en ze zal het niet leuk vinden als ze in haar eentje moet rijden. Waarschijnlijk zou ze niet eens meegaan en teleurgesteld thuisblijven.'

Milo zegt dat hij het zal proberen. Ik zeg tegen hem dat hij om acht uur hier moet zijn.

Ik pleeg een soortgelijk telefoontje met Sweetness en nodig Jenna uit. Het is geen probleem voor haar, want ze gaat niet naar school en is werkloos.

De meisjes zijn te jong en onvolwassen om goede vriendinnen met Kate te worden, maar ze lijkt van hun gezelschap te genieten, althans op een oppervlakkig niveau.

Ik bewaar het ergste voor het laatst en bel Jaakko Pahkala. Ik heb een haat-liefdeverhouding met hem. Ik hou ervan hem te haten. Zijn kleine rattenkop, zijn piepstem, zijn houding – alles aan hem ergert me. Voor mijn hersenoperatie was alleen al het oppakken van de telefoon genoeg geweest om een adrenalinevloed vol haatgevoelens op te wekken. Hij noemt zich journalist en werkt freelance voor de meeste roddelbladen. Hij is dol op smerige roddels. Hij leeft en ademt op basis van roddels. Hoe vuiger en walgelijker, hoe meer hij ervan geniet. Hij is ook bekrompen en haatdragend. Hij probeerde me ooit te laten ontslaan omdat ik hem een interview weigerde.

Jaakko is een soort smerig medicijn. Soms kun je niet zonder; af en toe kan hij nuttig zijn. Dit is zo'n situatie.

Hij neemt op. 'Inspecteur Vaara, wat een onverwacht genoegen. Waarmee kan ik je van dienst zijn?'

'Ik begin met een nieuwe publicatie,' zeg ik, 'en ik wil graag dat jij hoofdredacteur wordt.'

'Wat intrigerend.'

'"Hoofdredacteur" is een eufemisme. Jij zult de enige medewerker zijn, de publicatiedatum is onzeker en je mag niemand laten weten dat de publicatie bestaat tot ik je daartoe toestemming verleen.'

'En wat is dat dan voor publicatie?'

'We gaan het klassieke *Be Happy* nieuw leven inblazen.'

'Het beste tijdschrift dat ooit in Finland is gemaakt,' zegt hij. 'Ik ben vereerd.'

Ik beschrijf het zoals de minister het mij heeft verteld, maar geef er een eigen draai aan. 'Het moet een haatblaadje worden onder het mom van een roddeltijdschrift. Bijvoorbeeld Lisbet Söderlund. Je maakt haar helemaal zwart en verzint vuige details over haar privéleven, zodat de lezer het gevoel krijg dat ze een verraderlijke slet was die het verdiende om te sterven.'

'Nou, nou, inspecteur. Dat zou de smerigste smerigheid zijn die ooit op schrift is gesteld.'

'Zwarten, joden en moslims zijn je doelwitten. Je geeft hun de schuld van alle maatschappelijke problemen. Denk aan haatpropaganda van de Amerikaanse KKK in de jaren twintig of van de Duitsers en Fransen voor de oorlog. Ik neem aan dat die stijlen je bekend zijn. Net als de oude *Be Happy* kun je carrières vernietigen. Het is niet erg als we een proces aan onze broek krijgen, maar blijf wel aan de veilige kant van de lijn, zodat we ons niet hoeven te verweren tegen aanklachten wegens aanzetten tot raciaal geweld.'

'Mijn bekendheid met die stijlen zou beter als expertise gekwalificeerd kunnen worden,' zegt hij. 'Ik bezit een grote persoonlijke collectie van die lectuur.'

'In je eerste proefaflevering richt je je pijlen op de leiders van de linkse en centrumpartijen, en op bekende Finnen. Een hoop artikelen over problemen met drugs en alcohol of beschuldigingen van homoseksualiteit, met de vereiste beelden.'

'Ik heb de nieuwste versie van Photoshop,' zegt Jaakko.

'Tegelijkertijd verzamel je evenveel smerige roddels over de rechtervleugel, Kokoomus, en de Ware Finnen. Die dossiers hou je voorlopig geheim. En natuurlijk geef je me van alles een kopie. Alles.'

'Inspecteur, ben jij onze nieuwe minister van Propaganda?'

'Zo zou je het kunnen zeggen.'

'En mijn vergoeding?'

'Tweeduizend euro per maand.'

'Maak er drie van.'

'Tweeënhalf, en verder ga ik niet.'

'Heel goed. Mag ik naar de reden voor je plotselinge belangstelling voor het verzamelen van chantagemateriaal vragen?'

'Nee. Je hebt een onbetrouwbaar karakter. Je ontvangt uitsluitend noodzakelijke informatie.'

Hij hinnikt zachtjes. 'We hebben allemaal onze gebreken.'

'In dit geval dien je die te onderdrukken, anders zul je een hoge prijs moeten betalen.'

Hij grinnikt weer. 'Laat je me dan doodschieten?'

'Nee, maar als je de keuze had, zou je wellicht daarvoor kiezen. Je zal door al je opdrachtgevers de laan uit gestuurd worden. Je bankrekening zal leeggetrokken blijken. Je raakt je huis kwijt. Je krijgt rekeningen voor leningen die je nooit bent aangegaan. Je wordt veroordeeld voor misdrijven die je nooit hebt begaan en ik weet tamelijk zeker dat je het mietje van de nor wordt.'

'Inspecteur, je lijkt een belangrijk man te zijn geworden. Ik ben onder de indruk.'

'Daar ben ik blij om. Het is belangrijk voor me dat je me hoogacht.'

'Ik zal mijn best doen. En ik zal je schoothondje zijn. Geen onbetrouwbaarheid.'

'Ik ben blij dat we elkaar begrijpen,' zeg ik, en ik hang op.

Het blaadje vol vuige roddels zal nooit verschijnen. Maar het zal wel geschreven en opgemaakt worden, en het proefnummer zal in bezit van de minister van Binnenlandse Zaken zijn, voor het geval ik hem in de val moet laten lopen en moet afpersen. Mijn eigen versie van het blad vol vuige roddels, met juweeltjes als een goedkope slet die hem in een steeg achter een bar pijpt, zou misschien ooit gedrukt kunnen worden.

Terwijl ik met Jaakko zat te praten, kwamen er sms'jes binnen. Mirjami en Jenna gaan morgen met ons mee. Kate komt weer bij op de bank. Ik zeg tegen haar dat alles voor de trip naar Turku is geregeld. 'Welke trip?' vraagt ze.

30

Kate doet alsof ze alleen maar slaperig is en geen black-out heeft gehad. Met enige hulp van mij herinnert ze zich alles en blijkt ze enthousiast voor de trip. Of ze het echt meent of alleen maar veinst, weet ik niet. Ik zie dat ze het zenuwslopende type kater heeft dat zich na dagen vol drankgebruik manifesteert, maar ze trekt liever een quasiopgewekt gezicht dan dat ze toegeeft hoe beroerd ze zich voelt. Ze zegt niets als ik Anu melk uit een fles geef in plaats van haar aan haar te overhandigen om aan haar tepel te zuigen. Ze wil niet over haar gedrag praten. Ik wil haar er niet toe dwingen. Ze gaat achter haar laptop zitten en maakt plannen voor een toeristisch dagje in Turku. Ik ga naar de supermarkt en koop snacks, bier en frisdrank voor de reis.

Iedereen is om acht uur precies present. De mannen nemen de Jeep Wrangler, omdat we Milo's wapens moeten meenemen, en de meisjes rijden in de Audi. Kate is nerveus maar ook opgewonden en kijkt uit naar haar eerste langeafstandsautorit in Finland. Mirjami, die weer in Hello Kitty-outfit is, heeft een rijbewijs en zegt dat ze Kate aanwijzingen zal geven.

Ze hebben echter verschillende ideeën over hoe ze de dag gaan doorbrengen.

Turku was de eerste hoofdstad van Finland. De kathedraal werd in 1300 ingewijd en nog altijd zijn er resten van de middeleeuwen of althans herscheppingen daarvan in de keienstraatjes te vinden. De stad is gesticht door Zweden en lijkt nog altijd meer Zweeds dan Fins. De inwoners spreken ook minstens zo vaak Zweeds als Fins, zo niet vaker. De stad wordt in tweeën gedeeld door de Aurajoki.

Kate wil graag oude ambachten zien en de toeristenwijk bezoeken, waar mensen in traditionele kleding, zoals smeden, wevers en dergelijke, op de ouderwetse manier allerlei spullen fabriceren. En het kasteel van Turku is zeker een van de grootste forten in Finland en heel Scandinavië. Ze oppert dat een bezoek daaraan ook een fascinerende manier kan zijn om de dag door te brengen.

Mirjami en Jenna willen naar Muumimaailma – Moominworld. Kate weet niet wat dat is. Dat verrast ons allemaal. De Muumit – *Muumi* in het meervoud – zijn zoiets waarvan je aanneemt dat iedereen het kent.

Jenna lacht. 'Je zult het spoedig leren kennen. Alle kleine kinderen zijn dol op de Muumit.' Ze legt uit dat de Muumit personages uit een reeks boeken van Tove Jansson zijn. Het zijn ronde witte trollen met grote nijlpaardneuzen die in de Muumin-vallei wonen, en met hun vriendjes beleven ze allerlei avonturen in het bos.

Ik denk dat het eindelijk duidelijk begint te worden dat ze twee keer zo oud is als Jenna. 'En van alles wat je in Turku kunt doen,' vraagt Kate, 'wil jij het liefst de dag met de trollen doorbrengen?'

Jenna trekt een brede grijns en knikt krachtig met haar hoofd. 'Absoluut.' Ze bereiken een compromis. Moominworld ligt op het eiland Kailo, naast het oude stadje Naantali. Die plaats is rond een oud klooster gegroeid en bestaat grotendeels uit houten huizen langs smalle keienstraatjes met kunstnijverheidswinkeltjes. Zo kan iedereen een leuke dag hebben.

Sweetness wil rijden. Ik vind het prima, maar dan geen kossu. Hij geeft me de sleutels. Ik gooi ze Milo toe. Hij rijdt graag, en ik wil nadenken.

Ik zie dat Moreau stoppels heeft die zijn Icarus-vleugels vager maken. Ik vraag naar de reden. Hij zegt dat hij gelooft dat we deze zaak spoedig zullen oplossen. Hij laat zijn haar groeien om van identiteit te wisselen.

We laden de spullen in de auto's en spreken af elkaar op het marktplein weer te ontmoeten voor de lunch. Ik zet Anu's autostoeltje op de achterbank van de Audi en maak haar riemen vast, waarna we vertrekken.

In gedachten herhaal ik het gesprek met de minister van Binnenlandse Zaken. Hij zei dat Veikko Saukko begin 2009 beloofd had een miljoen euro aan de Ware Finnen te doneren. Kort daarna werden zijn zoon en dochter ontvoerd. Als je een belofte van een miljoen niet nakomt, dan moet je rekening houden met repercussies. Er is dus een motief.

Veikko's zoon Antti had zelf banden met de racisten. Dat betekent dat er medeplichtigen kunnen zijn. Hij verdween, hoewel het losgeld van tien miljoen euro betaald was. De ontvoerders hadden hun belofte om de dochter vrij te laten gestand gedaan. Waarom zou je in haar geval je goede wil tonen en je vervolgens van de zoon ontdoen? Tenzij Antti juist deelnam aan de ontvoering en er helemaal geen slachtoffer van was. En als hij zijn racistische maatjes op een of andere manier had genaaid, dan kon zijn zus als vergelding doodgeschoten zijn. Antti was onlangs ontslagen als voorzitter van de raad van bestuur van de Ilmarinen Sisu Corporation. Hij was zonder enige provocatie door zijn vader besodemieterd. Tenminste, hij neukte natuurlijk wel met de vrouw van zijn pa, maar toch geeft ook dit weer een extra motief.

Jussi Kosonen zou de ontvoering hebben uitgevoerd. Hij is dood. Zijn drie kinderen zijn vermist. Dit riekt naar een valstrik. Kosonen was een sukkel. Als ze zijn kinderen kidnapten terwijl zijn vrouw weg was en hem dwongen Kaarina Saukko in zijn kelder opgesloten te houden en haar later af te leveren, zou hij nutteloos zijn nadat hij het losgeld voor hen had opgehaald. Vandaar dat hij een kogel door zijn kop kreeg. Dat was gewoon het meest praktische om met hem te doen. Zijn kinderen was waarschijnlijk dezelfde behandeling ten deel gevallen.

En ik had gelijk: onze geheime eenheid heeft voorgangers gehad, en dat waren militairen. Ik hield het op vermomde Erikoisjääkärit – een speciale eenheid – en ze waren naar Rusland vertrokken voor een missie in verband met mensenhandel. Net als ik hadden ze verder strekkende motieven dan alleen drugsdealers afzetten. En het waren professionals. Maar ze lieten er wel het leven bij. En wij zijn knoeiers. We moeten dus onze paramilitaire vaardigheden als de sodemieter op peil brengen.

De stilte duurt al veel te lang. Milo verbreekt die, nerveus als hij is. 'Wil je een grap horen?' vraagt hij aan niemand in het bijzonder.

Niemand antwoordt. Dat weerhoudt hem niet.

'Hoe noem je een priester die het met een non doet? Een priester op non-actief.'

Moreau grinnikt. Sweetness buldert van het lachen. Ik glimlach. Ik heb er niet aan gedacht te oefenen met lachen.

'Laat iemand een verhaal vertellen,' zegt Milo.

Sweetness vraagt: 'Wat voor verhaal?'

Milo denkt na. 'Een verhaal over neuken. En het moet waar zijn.'

Niemand biedt zich aan.

'Kari, wat ben je toch een zwijgzame klootzak. Vertel ons een verhaal.'

Ik heb nog nooit een seksverhaal verteld, hoewel ik er een aantal paraat heb. Ik ben jaren hoofd van de politie geweest in een streek met een groot skiresort. Als je de enige politieman in een toeristisch gebied bent, heeft dat het voordeel dat zich vrouwen aandienen die op zoek zijn naar vakantievertier in de vorm van een kortdurende seksrelatie. Ik ging me er niet bepaald aan te buiten, maar als ik de behoefte voelde, waren er vrijwel altijd vrouwen beschikbaar voor me. Ik heb ook zelden naar seksverhalen geluisterd. Het soort mensen met wie ik omga schept meestal niet op over intieme relaties, omdat ze er geen behoefte aan hebben hun eigendunk te vergroten. Ik besluit toch een eenmalige poging te wagen om te zien hoe het me afgaat, hoewel ik besef dat deze merkwaardige opwelling een gevolg is van mijn hersenoperatie.

'Oké. Voor deze keer dan. Toen ik een paar jaar geleden in Kittilä woonde, reed ik de avond voor kerstavond mijn ronde. Ik stopte bij Hullu Poro, een grote bar daar. Ik was in burger, maar had mijn Glock in een riemholster. Er kwam een meisje naar me toe. Het was een half-Arabische, half-Duitse aerobicsinstructrice van ongeveer een meter zestig, gekleed in een strak T-shirt en een spijkerbroek, en ik zag dat ze zo'n stevige kont had dat je er een blikje bier op kon zetten.

Haar huid had de kleur van melkchocolade. Zwart haar tot op haar kont. Pronte tietjes. Een jaar of vijfentwintig. Een prachtige meid. Ze had in haar eentje in een opwelling voor Kerstmis het vliegtuig naar Levi genomen.

Ze liep naar me toe, maar ik zag haar niet eens aankomen. "Mag ik je pistool zien?" vroeg ze.

Ik zei: "Nee." Ze vroeg of ik van de politie was, en ik zei: "Ja." "Wil je me het dan later laten zien?" vroeg ze. Ik zei: "Misschien."

Ze vroeg hoe laat ik vrij had, en ik zei middernacht. Ze wilde naar een technodancing en vroeg of ik met haar daarheen wilde. Ik zei dat het me een eer leek. Zij zei dat het jammer was dat ik agent was, omdat ze graag een pilletje slikte.

Nu had ik die avond toevallig een rijke Oostenrijkse verwende kwast op de bon geslingerd omdat hij ruim tweehonderd kilometer per uur reed. Baron Von Sockenstopfen of zoiets, die honderd van zijn beste vriendjes naar Levi had meegenomen om kerst te vieren. Hij had zoveel xtc bij zich dat ze allemaal dagenlang los konden gaan op die pillen. Hij had echt een hele zak vol en ik had het nooit geprobeerd, dus ik dacht: wat kan mij het verdommen, en ik stak vier van die pillen in mijn zak voordat ik ze veiligstelde in de bewijsruimte.

Na het werk ging ik naar haar kamer en nam een fles wijn mee. We dronken een glas, ik zei: "Verrassing", en haalde een paar pillen uit mijn zak. We namen er ieder eentje. Eerst vond ik het helemaal niks omdat ik het gevoel had helemaal van de kook te raken, maar dat duurde niet lang en daarna voelde ik me aangenaam high.

Ik nam haar mee naar een tent waar ze techno draaiden. Ze viel steeds weer lachend voorover en wist niet meer wat voor, achter of opzij was. Ik moest haar voortdurend overeind trekken. Ze veegde met haar arm alle drankjes van de bar. Ik bestelde nieuwe.

Ze wilde dat ik haar mee naar huis nam. Ze wilde de Finse taal horen en vroeg me haar voor te lezen. Daarom trok ik een bijbel uit de kast en opende die op een willekeurige pagina van het boek Johannes. Op het moment dat ik bij "Het woord werd vlees" was – ik zal het citaat nooit vergeten; het is 1:14 – greep ze haar kans en begonnen we te neuken. Op de grond, op bed. In de sauna. In de sneeuw. Je kunt het na de sauna een paar minuten lang in de sneeuw doen als je lichaamstemperatuur hoog genoeg is, zolang je ervoor zorgt dat je geslachtsdeel er niet in komt. Ik pakte een slaapzak en we klommen naar het dak en neukten in het licht van de maan.

En ze was een expert in pijpen. Telkens als ik klaarkwam zoog ze me weer af en steeds weer lukte het haar hem stijf te krijgen. Op zeker moment namen we de andere twee xtc-pillen in. Ze was dol op 69 en woog bijna niets. Ik was drie keer zo groot als zij en haar omdraaien en optillen was niet lastiger dan dat ikzelf in bed omrolde.

Het avontuurtje duurde dertig uur. Na de tiende keer of zo had ik alleen nog droge orgasmes, alleen maar sterke samentrekkingen. We deden het bijna twintig keer. Na afloop was mijn pik zo gevoelig dat ik hem dagenlang nauwelijks aan kon raken zonder dat het pijn deed. Ik bracht haar terug naar haar hotel.

Ze belde me om afscheid te nemen en ik gaf haar een lift naar het vliegveld. We hebben elkaar nooit meer gesproken. Ik wilde zoiets nooit meer doen. De ervaring viel niet te herhalen. Tijdens het proces tegen baron Von Sockenstopfen hoorde ik dat de xtc-pillen uit vier kwarten bestonden. We hadden ze in stukjes moeten breken en waren dus echt high geweest. Toen ik haar naar het vliegveld reed, vertelde ze me dat haar vader net was overleden en dat ze na zijn begrafenis zonder enige bagage naar Levi was vertrokken. Ze wilde gewoon ontsnappen. Het was een aardige meid.'

'Verdomme,' zegt Milo, 'dat was een mooi verhaal. Ik wist niet dat je in de sneeuw kunt neuken.'

'Milo,' zeg ik, 'je kunt in het brandende zand van de Sahara nog neuken. Mensen neuken altijd. Ze vinden altijd een manier.'

'Heb je nog meer verhalen?'

Een mislukt experiment. Ik vond er helemaal niets aan om over een seksueel avontuur te vertellen. 'Ja, maar meer dan dit krijg je niet. Nu is het jouw beurt.'

Terwijl hij zijn knieën tegen het stuur zet om te sturen opent hij zijn raampje en steekt een peuk op. 'Als ik er een wist, zou ik het vertellen. Ik heb niet zoveel ervaring. Ik heb twee redelijk lange relaties gehad, drie of vier korte en geen onenightstands. Ik heb het idee dat ik waardeloos ben in bed en gewoon niet weet waar ik mee bezig ben.'

Moreau zegt: 'Het is echt moeilijk om waardeloos te zijn in bed, tenzij je een probleem met vroegtijdige zaadlozingen hebt of impotent bent. Laten we de feiten onder ogen zien. Seks bestaat uit warmte, vocht en wrijving. Als dat allemaal in orde is, zal het met je seksuele prestaties waarschijnlijk wel meevallen.'

'Jij bent een man van de wereld,' zegt Milo tegen hem. 'Je hebt vast een stel mooie verhalen.'

'Ik heb al meer dan twintig jaar geen vriendin meer. Ik ga uitsluitend met prostituees naar bed. En nooit tweemaal met dezelfde vrouw.'

Dat intrigeert zowel Milo als Sweetness. Ze draaien hun hoofd naar hem toe. 'Waarom?' vraagt Milo.

'Relaties en de emoties die daarmee gepaard gaan kosten veel tijd en leiden alleen maar af van belangrijkere zaken. Maar zoals de meeste mannen geniet ik van seks. Een zakelijke transactie kent geen complicaties, en ik heb niet de zorgen die jullie kennen. De ervaring betreft uitsluitend mijn genot. En waarom nooit tweemaal met dezelfde vrouw? Dat voorkomt verveling. Ik ga nooit met Afrikaanse vrouwen naar bed omdat aids bij hen zo vaak voorkomt. Het allerliefst heb ik Zuidoost-Aziatische vrouwen. Ze zijn vaak mooi en gewillig en ik vind hun vagina's boeiend. Ze doen me denken aan olifantenhuid. Er is tegelijk iets exotisch en erotisch aan. Maar ook daar ga ik nog maar zelden naar prostituees, om dezelfde reden. Aids is een gevaar.'

Moreau heeft zelf iets exotisch. Hij is een vreemde man. Ik heb nog nooit zo iemand ontmoet.

'Sweetness, nu alleen jij nog,' zegt Milo.

Sweetness begint te blozen en neemt een lange teug uit zijn heupfles. 'Ik heb geen verhalen.'

We zijn allemaal even stil. We begrijpen wat hij bedoelt en willen hem niet nog meer in verlegenheid brengen. Zelfs Milo niet.

'Ik sta voor een dilemma,' zegt Sweetness. 'Ik ben verliefd op Jenna. Ik wil alleen maar met haar gaan, maar ik kan er niets mee doen. Ze is mijn achterachterachternicht.'

Milo en Moreau barsten in lachen uit. Ik sla ongelovig mijn handen voor mijn gezicht. Milo kan zich niet meer beheersen en moet de auto langs de weg stilzetten.

Sweetness neemt nog een slok, tegen de tranen vechtend. Hij is nu zo rood als een biet.

Ik buig me naar voren en leg een hand op zijn schouder. 'Als ze zo'n verre nicht is, is het geen incest. Er bestaat geen gevaar voor een genetische geboorteafwijking.'

Hij kijkt achterom naar me, ongelovig met zijn ogen knipperend. Hij is bang dat ik hem in de maling neem. 'Echt waar?'

'Als ik met Mirjami zou neuken,' zegt Milo, 'de dochter van mijn tante, zou ons kind misschien acht armen en drie hoofden hebben. Maar jij hoeft je geen zorgen te maken.'

Hij denkt daar een tijdje over na. 'Maar ze is nog maar zestien.'

'Ze is wettelijk meerderjarig,' zeg ik, 'en jij bent pas tweeëntwintig. Het is iets tussen jou en haar, en jou en je geweten.'

'Voor wat het waard is,' zegt Milo, 'en of ze nu mijn nicht is of niet, ik zou Mirjami helemaal uitwonen als ze me mijn gang liet gaan. Daarom heeft God geboortebeperking uitgevonden.'

'Ik vraag me af of Jenna ook iets voor mij voelt,' zegt Sweetness.

'Ik heb gezien hoe ze naar je kijkt,' zeg ik. 'Ik denk dat je gerust kunt stellen dat dat zo is.'

Hij kijkt me smekend aan, op zoek naar de waarheid, wijsheid en zekerheid. 'Weet je het zeker?'

Ik knik. 'Best wel. Ik denk dat je erop kunt rekenen.'

Zijn lach gaat over in gegrinnik, en Milo rijdt de weg weer op. Ik zie die petieterige Jenna en die reus van een Sweetness voor me. Ze trekken hun kleren uit. Hij heeft een pik waar een olifant nog een puntje aan kan zuigen. Doodsbang slaat ze op de vlucht, het donker in.

Ik realiseer me iets merkwaardigs. Mijn moordenaar, mijn Luca Brasi, en ik hebben zojuist ons eerste vader-en-zoongesprek gevoerd.

'Mag ik je stok zien?' vraagt Moreau.

Ik geef die aan hem. Hij draait hem rond in zijn handen, onderzoekt hem bewonderend. 'Dit is een unieke stok. Ik heb althans nog nooit zoiets gezien. Hij moet voor een zeer rijk man gemaakt zijn, hoogstwaarschijnlijk een vorst. Het leeuwenkophandvat bestaat uit bijna een half pond goud, lijkt me, en de juwelen zijn groot en van hoge kwaliteit. Het is het werk van een meesterlijk ambachtsman. Hoe werkt het?'

Hij geeft de stok terug. Ik sla de onderkant van de stok hard op de autovloer. De leeuwenbek klapt open in een hoek van bijna honderdtachtig graden. Soms draag ik hem met de bek open omdat je dan meer oppervlak hebt om vast te houden, en ook omdat ik het prettig vind om de scheermesjes tegen de huid van mijn vingers te voelen. Natuurlijk kan ik mijn greep niet wijzigen zonder dat het gaat bloeden.

'Aan weerszijden zijn de tanden dolkjes en de randen scheermesjes. De twee hoektanden zijn niet om te snijden. Dat zijn veerconstructies. Als je ze indrukt en naar achteren duwt, worden de veren geactiveerd en slaat de bek dicht. Dus als je er als een honkbalknuppel mee zwaait en met de hoektanden iets raakt, bijt de leeuw.'

'Geniaal,' zegt Moreau.

Ik ben nieuwsgierig naar hem en wantrouw zijn motieven. Hij is een spion voor een andere overheid. Ik heb werkelijk geen idee wat hij precies van plan is. 'Vertel me over Mexico,' zeg ik.

'Dat is een ellendig kloteland.'

Ik laat mijn geoefende neplach zien. 'Ik bedoelde wat je daar allemaal deed.'

'Ik heb je al verteld dat de drugshandel, zoals alle goederenhandel, een wereldwijde activiteit is, waarin een kwetsbaar evenwicht heerst. Vele landen zijn voor hun economische stabiliteit afhankelijk van drugs. En de VS en Mexico behoren daar ook toe. In Mexico werd het evenwicht verstoord en zijn duizenden mensen gestorven in een oorlog over de controle van de handel tussen het Sinaloa-kartel en de Juárez-bende.

De crisis werd zo acuut dat de VS al snel Mexico zouden moeten binnenvallen. De drugshandel zou dan geheel stilvallen of in elk geval zware averij oplopen, en daarmee ook de economieën van de twee landen. Wat de situatie uniek maakt, is dat het grootste deel van de drugs via een heel kleine corridor getransporteerd wordt, namelijk de grensovergang tussen de steden Ciudad Juárez en El Paso in Texas. Door die trechter – die de VS ironisch genoeg als onderdeel van de War on Drugs hebben gecreëerd – worden de drugs in de VS ingevoerd. Geld en wapens gaan richting Mexico. Als je die grensovergang onder controle hebt, heb je controle over de drugshandel.

Het antwoord was uiteraard dat een van beiden de oorlog zou winnen, zodat de moordpartijen zouden stoppen. Met een paar collega's heb ik de situatie geanalyseerd, en we kwamen tot de conclusie dat het Sinaloa-kartel van Joaquín Guzmán Loera de beste kandidaat was. Hij had de afgelopen decennia inmiddels meer dan tweehonderd ton cocaïne en een enorme hoeveelheid heroïne naar de Verenigde Staten geëxporteerd. Zijn leger doodde vele mensen, maar de verkeerde. We hielpen hem de juiste rivalen te doden en leidden hun beste soldaten op tot het niveau van commando's. Sinaloa won de oorlog, het aantal doden nam aanzienlijk af en de economieën van beide landen leden geen schade. Missie volbracht.'

'Dus je was een moordenaar,' zeg ik.

'In het Spaans is een moordenaar een *asesino*. Geen persoon van enig belang. Ik had de titel *sicario*, beul.'

'Wat is het verschil?'

Hij lachte spottend. Ik was duidelijk nog een groentje. 'Het aantal nullen van mijn maandelijkse uitbetaling.'

'Betaalde Guzmán jou dan als Frans adviseur?'

Hij trok een grimas; zijn geduld met mij raakte op. 'Natuurlijk at ik van twee walletjes. Hij heeft me ook de heroïne gegeven die je van mij hebt gekregen. Een afscheidscadeautje. Hij was me zeer dankbaar. Vorig jaar stond hij op de lijst van rijkste mannen ter wereld.'

We reden Turku binnen. Ik veranderde van onderwerp. 'Kun je valse paspoorten voor me regelen?'

'Natuurlijk, maar betekent "vals" namaak of geregistreerd in het betreffende land?'

Kate, Anu, ikzelf, Milo, Sweetness, en dan denk ik: Jenna. Sweetness zou in een romantische opwelling wel eens kunnen weigeren zonder haar te vertrekken. 'Zes, geregistreerd en liefst diplomatiek.'

Hij lachte. 'Beste vriend, je overschat mijn mogelijkheden, vrees ik.'

'Dat betwijfel ik.'

'Je stijgt in mijn achting, omdat je kennelijk beseft dat je ze nodig kunt hebben. Laten we een afspraak maken. Wat de paspoorten betreft: als wij onze zaken hebben afgehandeld en ik tevreden ben, zal ik ervoor zorgen dat jij ook tevreden bent. Het zullen geen diplomatieke paspoorten worden, maar wel paspoorten van een land met een hoofdzakelijk blanke bevolking, zodat jullie niet opvallen.'

Prima. De paspoorten zullen ons een stapje dichter bij een veilig bestaan brengen.

31

We rijden Turku binnen. Ik bel Kate. Ze zijn net op het stadsplein aangekomen. We parkeren en lopen langs een lange rij stallen met bloemen aan de rechterkant en verse groenten aan de linkerkant, terwijl de kathedraal voor ons opdoemt. Het is fris, maar de zonnestralen zijn warm. Alle grote steden in de landen ten westen van Rusland in dit deel van de wereld lijken op elkaar, wat mij betreft. Helsinki, Turku, Tallinn en Stockholm zijn bijna onderling uitwisselbaar. Er is altijd een oud centrum, een marktplein en winkelcentra met precies dezelfde winkelketens. Toeristen *über alles*.

Ik pak Anu op en zet haar in de kinderwagen voor me. We gaan meteen lunchen. Het is meer een brunch. Het is nog niet eens halfelf. De meisjes zullen volop tijd hebben om rond te lopen, terwijl wij onze zaken afhandelen. Bij een stalletje dat gespecialiseerd is in stevige kost halen Mirjami, Jenna, Milo en Sweetness *lihapiirakka*. Dat is gefrituurd brooddeeg, gevuld met vleespastei, naar ik vermoed van varken en rund. Sweetness eet er drie. Kate, Moreau en ik nemen roggebrood met gerookte vis. We eten allemaal een hoorntje met zacht vanille-ijs als toetje. Zelfs Moreau. Ik vraag me voortdurend af of hij altijd een façade draagt of dat ik toch zijn ware ik zie. Een ijsje maakt het antwoord makkelijker: zijn koele arrogantie is zijn natuurlijke houding.

Het is anderhalf uur rijden naar Nauvo. Niemand zegt iets. Moreau en ik zijn geen praters. Milo en Sweetness lijken diep vanbinnen aan te voelen dat er iets te gebeuren staat. Ik voel het ook. Malinen zal arrogant overkomen. De leeuw zal bijten. Sweetness zet *Sketches of Spain* op van Miles Davis. De muziek maakt rustig. We luisteren er twee keer naar. We wachten twintig minuten op de veerboot, en als we eenmaal op het eiland zijn, duurt het nog een halfuur voordat we Malinens zomerhuis hebben gevonden.

We parkeren op een paar minuten lopen van zijn buitenhuis en lopen er vanuit het bos in plaats van over de onverharde oprit naartoe. Ik controleer mijn riem en zakken. Mes. Knuppel. Taser. Ik schroef de geluiddemper op de van schroefdraad voorziene loop van mijn .45. De geluiddemper is zo dik dat het pistool niet in de holster past. Ik laat het in mijn jaszak glijden. De anderen doen hetzelfde. Malinen staat achter het buitenhuis, op ongeveer twintig meter van een kleine steiger die de zee in steekt.

Hij heeft familiegeld, bezit dit buitenhuis en een groot, duur appartement in een chic gebouw in de wijk Töölö in Helsinki. Topi Ruutio mag dan de leider zijn van de Ware Finnen, Malinen is de officieuze woordvoerder en chef Propaganda. Zijn blog is zo populair omdat hij er bedreven in is haat te ventileren terwijl hij die als een wetenschappelijk verantwoord, redelijk betoog vermomt, zoals de nazipropaganda begin jaren dertig.

Hij is hoogleraar antropologie aan de universiteit en een zelfverklaard genie dat beweert dat zijn unieke begrip van onze soort zijn tijd zo ver vooruit is dat eenvoudiger geesten dat niet ten volle kunnen begrijpen. Hij is een klein mannetje met rode appelwangen en dikke glazen in een zwart montuur dat de komische scènes van Jerry Lewis in herinnering brengt. Hij spuit aanstekervloeistof op de houtskool in zijn grill. Met een lange lucifer steekt hij de kolen aan, en ik zie de vlammen met een *woesj*-geluid oprijzen.

Naast hem zit een enorme hond met een meedogenloze bek.

Ik kom naar voren uit het geboomte. 'Hallo, Roope,' zeg ik.

Hij schrikt van mijn stem. Ik loop door tot ik een paar meter van hem vandaan ben, met de grill tussen ons in.

'Kennen wij elkaar?' vraagt hij.

'Nee.'

De anderen komen het bos uit en stellen zich op rij achter me op.

Hij ziet een mannetjesputter met twee .45's in het zicht, een andere man met de vleugels van Icarus onder zijn stoppels, en de kringen als inktvlekken onder Milo's ogen. Mijn knuppel-wandelstok. Er is iets vreselijk misgelopen.

Hij weet niet wat het is, of waarom, en dat maakt hem zichtbaar nerveus.

Hij heeft een vlakke, tamelijk absurde manier van spreken, zonder enige intonatie. Ra-ta-ta-ta. Ra-ta-ta-ta. 'Ik weet niet wat u wilt maar u bent niet welkom hier en als u niet meteen vertrekt en dan bedoel ik nu meteen dan bel ik de politie.'

Ik toon hem mijn politielegitimatie. 'Die is er al, en ze willen graag dat u een paar vragen beantwoordt.'

'Ik heb u niets te zeggen en ik wil dat u nu vertrekt van mijn terrein en dan bedoel ik nu meteen.'

Ik spreek langzaam en kalm. 'Ik ben bang dat dat niet gaat gebeuren. Waar is uw gezin op dit moment?'

Hij pakt een spatel op en wijst ermee naar me alsof hij me met een stengun onder schot houdt. 'U hebt niet het recht hier te zijn of me naar mijn gezin te vragen, en het gaat u helemaal niets aan. Vertrek nu meteen van mijn terrein anders bel ik mensen die ervoor zullen zorgen dat u dit berouwt.'

'Het lijkt me beter als u me vertelt waar uw gezin is. Als uw antwoorden op mijn vragen niet bevredigend zijn, kan de situatie wel eens... vernederend worden... en ik wil uw vrouw en kinderen niet aandoen dat ze daarvan getuige moeten zijn.'

Ik kom dichterbij en leun tegen een berk bij de grill. Het is een mooie grill, handgemaakt van stenen die hij vast en zeker aan de kustlijn heeft verzameld en op elkaar heeft gemetseld. De anderen komen in formatie eveneens dichterbij. De hond kijkt me strak aan. Ik ben te dicht bij zijn baas. Ik sla met de punt van mijn stok op de grond, en de leeuwenbek klapt open.

'Ze maken een boottochtje en ik eis dat u weg bent als ze terugkomen en ik krijg bezoek en die zullen hiervan getuige zijn. Getuigen.'

Moreau glipt het buitenhuis in om een kijkje te nemen. Hij komt terug en knikt. Het is leeg.

Ik zeg: 'Ik wil u spreken over de moorden op Kaarina Saukko en Lisbet Söderlund. En ik wil u spreken over een website met de naam "Ik zou twee jaar van mijn leven geven om Lisbet Söderlund te vermoorden". Ze is dood. Diezelfde groep had een lid met de naam Heinrich Himmler. Dat lid sprak erover de zwarte bevolking van Finland naar de gaskamer te sturen. Twee jonge zwarte mannen zijn in een provisorische gaskamer vermoord. Ik wil weten wie Himmler is.'

'Ik weet niets over dat soort zaken waarom zou ik iets over moorden en websites met bedreigingen en de contribuanten daaraan weten.'

'Veikko Saukko heeft beloofd een miljoen euro aan de Ware Finnen te doneren. Hij kwam zijn belofte niet na. Kort daarna werden zijn zoon en dochter ontvoerd en zijn dochter werd vermoord. Op uw blog hebt u Lisbet Söderlund talloze malen belasterd, haar persoonlijk de schuld gegeven van het Finse immigratiebeleid en na haar dood geïnsinueerd dat die het beste was wat ons land sinds jaren is overkomen. U ziet wel dat ik al uw blogs lees. Ik ben een grote fan. En aangezien u zo actief bent in racistische groepen op sociale netwerken op het internet, durf ik best te gokken dat u lid was van die Facebook-groep, en dat u, gezien uw populariteit bij vele racisten en als vertegenwoordiger van de Ware Finnen, over zeer veel informatie beschikt, ook al gaat het slechts om roddels en kennis van horen zeggen.'

Hij legde zijn hand op de rug van zijn hond, alsof hij steun zocht, of misschien omdat de hond een soort talisman voor hem was. 'Zoals ik al zo vaak heb gesteld, ben ik geen racist. Ik ben *maahanmuuttokriitikko* – een criticus van immigranten. In de woorden van "Martin Lucifer King": "Uiteindelijk zullen we ons niet de woorden van onze vijanden maar het zwijgen van onze vrienden herinneren", en daarom noteer ik mijn gedachten want ik hou van mijn land en andersdenkenden lezen die gedachten eveneens omdat ze de waarheid ervan inzien evenals de leugens achter de stinkende vernietigers van ons ras en vaderland zoals Lisbet Söderlund.'

'Het is me opgevallen dat racisten goed ingevoerd zijn in het werk van dr. King.'

'Ken uw vijanden. We hebben een moslimbuurt vol zwartjoekels rond Helsinki waar ze hun eigen huizen in brand zullen steken, zoals de zwartjoekels in Los Angeles en de zwartjoekels in Parijs. En zo is het ook als ze beginnen te plunderen. In plaats van hun zogenaamde onderdrukkers in de stad te beroven van hun waardevolle koopwaar slaan ze de etalageruiten van winkels in hun eigen buurt kapot en stelen opzichtige sportschoenen en flatscreen-tv's, merkspijkerbroeken en magnetrons. Zoveel hersenen hebben die gasten en zo bedanken ze ons ervoor dat we ze hierheen hebben gehaald en hun leven hebben gered en ze hier op onze kosten laten leven. Oprotten met die lui. Stuur ze naar huis waar ze met genocide worden bedreigd door met machetes zwaaiende zwarten van hun eigen soort.

En als er een nationaal referendum zou komen zou elke zwarte in Finland geëxecuteerd worden. Ze hadden helemaal nooit vrijgelaten moeten worden uit de hel die ze zelf gecreëerd hebben. En rot jij ook maar op en Lisbet Söderlund die vuile zwarten pijpende verraadster. Ik ben blij dat ze dood is en nu als de donder van mijn terrein af.'

'Helaas, u hebt mijn vragen nog altijd niet beantwoord.'

Malinen klopt zijn hond op de rug. 'Dit is mijn hond Sparky. Sparky is een bijzondere hond. Het is een Fila Brasileiro. Een ras dat zo agressief is dat het in sommige landen illegaal is. Het is een monster van zestig kilo. Een getrainde aanvalshond die mensen die mij bedreigen absoluut niet mag en zo meteen laat ik Sparky los en beveel hem jou te verscheuren.'

'Ga uw gang,' zeg ik.

Malinen roept het commando en de hond springt op me af. Ik zwaai met mijn stok en de leeuw bijt in de losse huid in zijn hals. Ik hou de stok op een armlengte afstand en sla keihard op de snuit met mijn taser. De dog valt sidderend op de grond. Ik tref hem nogmaals.

'Milo,' zeg ik, 'amputeer een poot van dat beest,' en ik sleep de hond met mijn stok naar hem toe.

Ik kies Milo omdat hij met zijn creatieve geest zeker begrijpt wat mijn bedoeling is en ook weet hoe hij het moet uitvoeren. Hij gebruikt een handboei als tourniquet en trekt die strak rond de achterpoot van de hond, ter hoogte van de heup.

Malinen begint bevend te huilen. 'Waarom doe je dat die arme Sparky aan?' vraagt hij, blijkbaar vergetend dat hij de hond opdracht heeft gegeven mij aan te vallen.

'U bedoelt zijn poot amputeren in plaats van hem doden?' vraagt Milo. 'U zei dat het een bijzondere hond was. Zo'n bijzondere hond als deze moet je niet in één keer opeten, en neem van mij aan dat u hem zult opeten.'

Ik zeg: 'Nadat Kaarina Saukko ontvoerd was, werd er gedreigd met amputatie van haar ledematen. Als het goed genoeg voor haar was, is het ook goed genoeg voor uw hondje.' En dan zeg ik: 'Wie schoffelt deze klootzak even onderuit?'

Sweetness haalt zijn stalen knuppel tevoorschijn en schuift hem met een ruk van zijn pols tot de volle lengte uit, waarna hij Malinen hard achter op zijn dij mept. Hij slaakt een gil en valt op handen en voeten neer.

'U denkt misschien dat u een belangrijk man bent,' zeg ik, 'maar we gehoorzamen allemaal aan de wetten van de pijn.'

Hij gromt iets onverstaanbaars.

'Moet ik mijn vragen herhalen of eet u Sparky op?' vraag ik.

Malinen breekt en begint te spuien. Hij gaat zitten, maar durft niet op te staan. Hij geeft me vijf namen van leden van de Facebook-groep. Heinrich Himmler, die over gaskamers voor Somaliërs oreerde, was niemand minder dan Veikko Saukko. Malinen was zelf lid. Zijn gebruikersnaam was die van de commandant van Auschwitz. Rudolf Höss.

Malinen probeert zich te verdedigen. Neonazi's zouden moskeeën met brandbommen willen bestoken, maar de Ware Finnen houden hen onder controle. Nu hun gelederen zo snel groeien, zullen ze bij de parlementsverkiezingen van 2011 een meerderheid halen en misschien in 2012 de president leveren. De rechtervleugel zal het land met rechtmatige middelen terugveroveren, op grond van de wil van het volk.

'Vertel me alles,' zeg ik, 'zodat ik niet terug hoef te komen. Wie heeft Lisbet Söderlund vermoord?'

'Ik weet het niet. Er ging een gerucht dat degene die haar vermoordde gegarandeerd een zetel in het parlement zou krijgen en haar plaats als minister van Immigratie zou innemen. Dat was niet waar. Ik word minister van Immigratie.'

'Om haar plaats in te nemen moet de moordenaar bekend zijn. Wie heeft haar vermoord?'

'Ik zweer dat ik dat niet weet.'

'Wie heeft dat gerucht in de wereld gebracht?'

Hij geeft geen antwoord. Ik neem aan dat dat betekent dat hij het zelf heeft gedaan. Dat maakt hem medeplichtig aan moord.

'Dan Kaarina en Antti Saukko. Wie heeft haar vermoord? Waar is hij?'

Zijn angst ebt weg. Hij heeft in de gaten dat de wrede mishandelingen daadwerkelijk stoppen als hij mijn vragen beantwoordt. Hij kijkt naar me op. 'Ik ben daar niet van op de hoogte. Het is waar dat Saukko tegen ons heeft gelogen, maar voor zover ik weet had niemand in onze partij daar iets mee van doen. Ik kende Antti. Topi Ruutio kent Saukko en heeft ons aan elkaar voorgesteld. Saukko wilde me ontmoeten omdat hij mijn blog goed vindt en ik heb Antti ontmoet en hem aan andere Ware Finnen voorgesteld en ik weet dat hij via die andere Ware Finnen neonazi's heeft ontmoet maar dat is alles wat ik weet behalve dat hij zijn vader haatte.'

Ik hoor de motor van een boot. Zijn gezin is op weg naar huis.

'Meer,' zeg ik.

Het gebrom van de motor brengt hem in paniek. 'De neonazi's handelen in drugs en schenken een deel van de opbrengst aan de Ware Finnen. En vertrek nu alstublieft.'

We lopen door het bos terug naar de SUV. Ik kijk nog eenmaal achterom. Hij zit nog steeds op zijn knieën, niet in staat om zich te verroeren. Wat een klootzak.

Hij hervindt zijn moed en roept me na. 'Dit zet ik je nog betaald!'

Ik antwoord: 'Als u dat waagt, steek ik het huis in brand terwijl uw gezin erin ligt te slapen.'

Hij heeft geen weerwoord. Ik zou zijn gezin trouwens niets aandoen. Maar ik wil hem iets geven om over na te denken, iets wat hem nachtmerries bezorgt, zoals hij bij vele immigranten heeft gedaan met zijn haatblogs.

We stappen weer in de SUV. 'Ik wil nu graag de zaken afhandelen waarover ik je vertelde,' zegt Moreau. 'Je mag best meekomen. Dat is zelfs de bedoeling. Maar ik zou het op prijs stellen als je niemand arresteert die je ontmoet.'

'Mij best. Als we terug zijn in Helsinki, moet ik maar eens afspreken met Veikko Saukko. Kun je dat regelen? Ik krijg de indruk dat hij je graag mag.'

'Dat wil ik graag doen. Omdat ik zoveel mensen met een andere huidskleur heb gedood, ben ik een van zijn favorieten.'

32

Moreau brengt ons naar La Cuisine, een winkel in het centrum van Turku die gespecialiseerd is in Franse levensmiddelen: Chaource en Époisses de Bourgogne-kazen, paté, gekonfijt fruit, wild en ham, rundvlees van Charolais-vee, Géline-kip. Moreau beweerde dat hij al jaren niet in Finland was geweest, maar zijn nauwkeurige richtingaanwijzingen duiden erop dat hij of het spreekwoordelijke geheugen van een olifant bezit of simpelweg loog.

Er zijn geen klanten in de winkel. De twee mannen die er wel zijn herkennen hem, en het is duidelijk dat ze zich verheugen over zijn komst. Ze begroeten hem lachend en kussen hem op beide wangen, waarna ze met zijn drieën een tijdje in het Frans converseren.

Moreau stelt hen aan ons voor als Marcel Blanc en Thierry Girard. Ze begroeten ons in het Fins, met een accent dat op dat van Moreau lijkt. Ze zijn alle drie tegelijk in dienst van het Franse Vreemdelingenlegioen getreden. Blanc en Girard hebben het militaire leven na tien jaar vaarwel gezegd, en na hun carrière als legionairs hebben ze hier samen deze winkel geopend.

De winkel is aantrekkelijk ingericht, er is beslist een getalenteerd binnenhuisarchitect aan te pas gekomen. Er klinkt zachte newagemuziek, het geluid van klokkenspellen en ruisend water. De eigenaars zijn van middelbare leeftijd en verzorgd gekleed. Marcel draagt Nantucket Reds en een Lacoste-shirt. Thierry een oxford overhemd en een geruite sweater. Ik zie het businessmodel al voor me. Ze doen alsof ze Frans zijn en een beetje blasé. Klanten denken dat ze mogelijk een stelletje zijn. Rijke huisvrouwen komen graag langs bij die verveelde, intellectuele homo's voor exquise hapjes en maken graag een praatje met hen. Ze verkopen foie gras, geven te kennen dat ze hetero zijn, tonen zich verrast dat de vrouwen daar anders over dachten en geven de verveelde huisvrouwtjes er in bed stevig van langs. Geen slechte truc.

'Tien jaar,' zeg ik. 'Waarom hebben jullie niet bijgetekend en het tot je pensioen uitgehouden?'

Marcel heeft zwarte schroeilittekens aan de linkerkant van zijn gezicht. Hij is blijkbaar iets te dicht bij de loop van een ratelend machinegeweer gekomen. Ik vraag me af hoe hij dat aan die huisvrouwtjes uitlegt. 'In het Legioen komt het vooral aan op marsen,' zegt hij, 'Ik heb zo vaak gemarcheerd dat ik de hele aarde rond ben gelopen. Ik had er schoon genoeg van.'

Thierry zet een paar stappen om het me te laten zien. 'Door het marcheren is het kraakbeen in mijn knieën helemaal versleten. Ik kon het gewoon niet meer aan. En daarom zijn we hierheen verhuisd en doen het rustig aan. Het is geen slecht leven.'

Moreau ritst zijn rugzak open en haalt er twee plastic zakjes met wit poeder uit, precies zoals het zakje dat hij me op mijn feestje gaf. 'Dit is al tot vijftig procent zuiver versneden. Doe rustig aan. Dit is alles wat je voorlopig krijgt. Ik ga niet terug naar Mexico. Ik denk dat de volgende levering uit Afghanistan komt.'

Marcel en Thierry kijken me angstig en wantrouwend aan.

'Maak je geen zorgen,' zegt Moreau, 'hij zal jullie niet arresteren. Maar ik heb hem beloofd dat jullie in ruil hiervoor een paar vragen voor hem beantwoorden.'

Moreau richt zich tot mij. 'Als ex-legionairs leiden ze hier een aangenaam leven, maar ze hebben nogal last van verveling, dus soms liefhebberen ze wat in de misdaad. Ik voorzie ze van heroïne, uit vriendschap.'

De twee jonge zwarten, die bekende drugsdealers waren, zijn op de dag dat ze door koolmonoxidevergiftiging vermoord werden in Turku geweest. Jussi Kosonen, ontvoerder van Kaarina en Antti Saukko, kreeg hier in Turku aan de rivier een kogel door zijn hoofd. En nu sta ik hier in een winkel in Turku waar een kilo heroïne op de toonbank ligt. Hm.

Ik laat de leeuwenkop op mijn wandelstok openklappen en laat de vlijmscherpe tanden in het vlees van mijn vingers drukken. 'En welke vragen zou ik ze moeten stellen?'

'Vraag ze aan wie ze heroïne verkopen en wie ze kennen.'

Ik neem niet de moeite de vragen te herhalen.

Marcel zegt: 'Verreweg onze grootste klanten zijn de neonazi's. We leveren grootverpakkingen aan hen. We verkopen ook xtc van een bron in Amsterdam, maar daar hebben we andere klanten voor.'

'Zijn jullie racisten die om politieke redenen aan neonazi's verkopen of is het simpelweg een economische kwestie?'

'Ik geef toe dat we racisten zijn,' zegt Thierry, 'en dat we actief zijn in de racistische gemeenschap, maar we zijn geen rabiate racisten die ons leven aan haatpropaganda wijden.' Hij grinnikt. 'We zijn heel goed in haten, maar we zijn er ook slim in. Haat is een soort drug. Als je er helemaal in opgaat, word je erdoor verteerd. Ik was geen racist, totdat ik in Afrika diende en tussen de zwarten woonde, overigens, en ontdekte wat voor verachtelijke schepselen het zijn.' Hij huivert, met een blik vol afkeer.

'Omdat we zoveel zwarten en andere kleurlingen hebben gedood, zijn we geliefd bij de racistische gemeenschap – helden zelfs, als je het zo wilt noemen. En dus moesten we overal opdraven en werden we aan allerlei mensen voorgesteld.'

'Ik doe onderzoek naar de moord op Lisbet Söderlund. Kent u iemand die daarbij mogelijk betrokken is?'

'Nou, de nazi's natuurlijk, en mogelijk de Ware Finnen of leden van Finse Trots, of iemand die in zijn eentje handelt.'

'Kent u Antti Saukko?'

'Zeker wel, en zijn vader ook. Het ging ongeveer zo. We kenden Antti al. We waren met Roope Malinen aan het praten, die het onvermogen van de Finse autoriteiten om de ontvoerders en moordenaars van zijn kinderen voor het gerecht te brengen aan de orde stelde. We zeiden tegen hem dat we een van de beste rechercheurs ter wereld kenden: Adrien. Malinen bracht Adrien ter sprake bij Ware Finnen-partijleider Topi Ruutio, met het idee dat als Adrien de criminelen zou vinden die de familie Saukko hadden belaagd, Veikko Saukko van zijn waardering blijk zou geven in de vorm van een forse bijdrage aan de campagnekas. Veikko vroeg om een gesprek met ons, en onze aanbeveling leidde ertoe dat Adrien hier nu aanwezig is.'

Hij geeft Moreau een klap op zijn schouder. 'Wat fijn je weer te zien, ouwe makker.'

'Ik heb de theorie,' zeg ik, 'dat het een publiek geheim is wie Lisbet Söderlund heeft vermoord. Een teken van prestige. Vertel me de waarheid. Weet u wie haar heeft vermoord?'

'Nee, dat weet ik niet. En Marcel evenmin.'

'Dat jullie in drugs dealen interesseert me op dit moment niet, en ik zal jullie een permanente vrijbrief geven om beperkte hoeveelheden dope te verhandelen als jullie me vertellen wie haar heeft vermoord. Als ik erachter kom dat jullie tegen me hebben gelogen en de identiteit van haar moordenaar kennen, zal ik jullie veel zwaarder laten boeten dan de wettige straf die jullie opgelegd wordt. Begrijpen we elkaar?'

'Ja inspecteur. Maar we weten het niet en kunnen u niet helpen.'

De nuffige racistische drugsdealers bereiden luxe hapjes voor ons om mee te nemen, geven het adres van het neonazihoofdkwartier in Turku en doen ons uitgeleide.

33

Het is voor een politieagent, of eigenlijk voor iedereen, een uitstekende vuistregel om nooit te anticiperen. We stellen ons van alles voor, maar de werkelijkheid beantwoordt zelden aan onze verwachtingen. Ik verwacht dat het neonazihoofdkwartier in Turku een bouwvallig huis met een verwaarloosde tuin is waarin een paar wrakken op betonnen blokken staan weg te roesten. Ik verwacht een huis vol lege bierblikjes en een zware wietwalm. Geflipte schurken. Vieze blaadjes waarvan de bladzijden aan elkaar plakken.

Het adres dat Marcel ons heeft gegeven is een chic appartementencomplex met dure woningen. Ik heb geen naam gekregen, maar dat hoeft ook niet, want op een van de naambordjes naast de deurbellen staat in plaats van een naam een swastika op een rode ondergrond. Ik druk op de bel en als mijn naam wordt gevraagd, zeg ik 'Hans Frank'. De voordeur gaat open. In de lift bevestigen we allemaal geluiddempers op onze Colts en stoppen ze weg.

Ik bel aan en de deur gaat open. Er staat een jonge, goed geklede man met een ronde metalen bril in de opening. 'Kan ik u ergens mee helpen?' vraagt hij.

Ik toon hem mijn politielegitimatie. 'Ik hoop het.'

'Hebt u een huiszoekingsbevel, inspecteur?'

'Nee.'

'Komt u maar terug als u dat kunt laten zien.'

Hij probeert de deur te sluiten. Ik duw die open met mijn voet. 'Huiszoekingsbevel of niet, u en ik gaan een praatje maken. Hoe is uw naam?'

'Ik ben niet van plan u mijn naam te geven,' zegt hij, maar omdat hij weinig keus heeft, bindt hij in en opent de deur. We stappen allemaal naar binnen en kijken rond. In een fraai gemeubileerde, smetteloze woning zien we zeven jonge mannen. Een erker kijkt uit op de rivier en verder. Er is geen televisie. Alleen maar goed gevulde boekenkasten.

Hij gaat zitten. De andere jongemannen zien er al even keurig uit. Slechts eentje valt er op door zijn lengte. Hij is groter dan Sweetness. Alleen hun kale skinheadhoofden duiden erop dat deze mannen neonazi's zijn. Ze zitten allemaal rond een salontafel, waarop kopjes en schotels en een bord koekjes staan. Aan de muur hangt een grote Waffen SS-vlag. Ik loop erheen en bekijk hem.

'Dat is een familie-erfstuk,' zegt de jonge man. 'Mijn overgrootvader was lid van SS Viking en bracht hem na de oorlog mee. Voor het geval u het niet wist, SS Viking was de Vijfde Zware Pantserdivisie, die uit buitenlandse militairen bestond. Een aantal Finnen hebben zich bijzonder onderscheiden in deze divisie.'

'We beginnen al slecht,' zeg ik. 'Ik wil jullie alleen een paar vragen stellen, dan vertrekken we weer.'

'Ten eerste is het buitengewoon onbeleefd dat u in mijn huis rondloopt met uw schoenen nog aan. Het is dat u meteen weer vertrekt, maar anders had ik u gevraagd die uit te trekken. Kom terug als u een huiszoekingsbevel hebt.'

Ik slaak een zucht. 'We zouden een aantal zaken kunnen bespreken, zoals de heroïnehandel, maar ik doe onderzoek naar een moord en ben momenteel niet geïnteresseerd in jullie misdadige activiteiten. Maar dat zou natuurlijk kunnen veranderen.'

'Huiszoekingsbevel,' zegt hij.

Ik loop de kamer door en bekijk zijn boekenplanken. Geen populaire fictie te zien. Hij leest filosofen met soortgelijke overtuigingen: Heidegger, Descartes, Hobbes, Spinoza, Leibniz, Locke, Berkeley, Hume, Kant, Hegel, John Stuart Mill, Nietzsche, Schopenhauer, Ayn Rand, Plato, Aristoteles. Hij weet blijkbaar veel van filosofie, maar zijn kennis vertoont lacunes.

Ik zeg: 'Het staat een rechercheur vrij om het onderzoek zonder huiszoekingsbevel voort te zetten als er een misdrijf gepleegd gaat worden of gepleegd wordt, dan wel als er gevaar dreigt, van welke aard ook. De rechercheur dient in redelijkheid te handelen. Ik heb vernomen dat je drugs bezit en verdenk je ervan illegale vuurwapens in dit perceel te bewaren, en ik beschouw dat als een reëel gevaar. We gaan dit appartement doorzoeken.'

'Ik heb geen drugs in bezit en mijn vuurwapens zijn geregistreerd. Ik hou me volledig aan de wet.'

'Hoe is je naam?' vraag ik nogmaals.

Hij blijft me uitdagen. 'Krijg de klere.'

'Hoe is je naam?'

'Gaat je geen donder aan.'

Ik wilde het niet zover laten komen, maar dat Lisbet Söderlund vermoord is, heeft mensen zoals hij plezier gedaan. Hij moet en zal meewerken, ook al betekent dat dat er bloed vloeit. Ik steek een sigaret op.

'Ik sta niemand toe om in mijn huis te roken,' zegt hij. 'Doof uw sigaret.'

'Goed.' Ik neem een stevige haal om de sigaret flink te laten gloeien en druk hem midden in overgrootvaders vlag uit. Er blijft een lelijk gat met verschroeide randen over.

Hij schiet uit zijn stoel op maar stopt opeens, niet goed wetend wat hij moet doen.

De grote man staat op. 'Jesper,' zegt hij, 'ik zal dit wel afhandelen.'

Hij is bijna twee meter lang en weegt zo'n honderdvijftig kilo. Zijn bouw doet vermoeden dat hij aan powerlifting doet. 'U bent te ver gegaan,' zegt hij tegen me. 'Uw positie geeft u niet het recht de huizen van anderen binnen te dringen en hun kostbaarste bezittingen te vernielen. Ik zal nog eerder mijn straf uitzitten wegens belediging van een agent dan dat ik dit zomaar zal laten passeren.'

Hij staat ongeveer vier meter van me vandaan. Ik haal de Colt met geluiddemper uit mijn zak en richt die op zijn borst. Vanuit mijn ooghoek zie ik dat Sweetness een slok uit zijn heupfles neemt.

'Schiet me dan neer,' zegt hij, een stap naar me toe zettend.

'Neem het eerst maar tegen mij op,' zegt Sweetness, die tussen ons in springt. Het is Godzilla tegen Rodan.

Grote Man lacht. 'Moest je je eerst moed indrinken, wijffie?'

'Neu, ik word er alleen rustiger van,' zegt Sweetness, een vechtershouding innemend. Hij schuifelt met zijn voeten, lokt een klap van

Grote Man uit zodat hij te ver overhelt om de reactie af te weren, en zo kan Sweetness op hem inslaan, waarbij hij zijn linkerwenkbrauw openhaalt. Hij bloedt als een rund. Ze draaien om elkaar heen.

Een neonazi begint het gevecht met de camera van zijn mobieltje te filmen. Moreau richt zijn Beretta op het hoofd van de man.

Grote Man is dom en valt voor dezelfde schijnbeweging en uithaal. Sweetness is snel. Nu zijn beide wenkbrauwen fors opengescheurd en zitten zijn ogen onder het bloed. De losse huid hangt erin.

Moreau haalt het geheugenkaartje uit de mobiele telefoon van de jongen en geeft hem terug aan hem.

Grote Man is nu blind. Ik tel de stoten. Een twee drie. Sweetness slaat steeds iets harder, om zich ervan te verzekeren dat Grote Man niet terug kan vechten, voordat hij de zware klappen kan geven waardoor Sweetness uit zijn evenwicht raakt en risico's loopt. Vier: zijn neus breekt. Vijf: er vallen tanden uit zijn mond, die op het karpet terechtkomen. Bloed spettert tegen de erkerruit. Zes: kaak breekt en weer vliegen tanden en bloed in het rond. Zeven: een rechtse uithaal verbrijzelt de oogkas van Grote Man. Hij valt. Zijn hoofd slaat tegen de salontafel. Halfvolle kopjes vallen om. Grote Man ligt half bewusteloos op de grond. Zijn oog puilt uit omdat er niet genoeg vast bot meer over is om het in de kas te houden.

Ik pak een koekje, neem een hap en draai me naar Jesper toe. 'Deze zijn heel lekker. Heb je ze zelf gebakken?'

Iedereen in de kamer is doodstil, behalve Milo. Hij moet giechelen van de blikken op de gezichten van de neonazi's. Hij pakt een koekje. 'Je hebt gelijk. Deze zijn heel lekker.' Hij vraagt vervolgens aan Jesper: 'Heb je misschien nog koffie? Je hoeft voor mij alleen geen verse te zetten.'

Jesper is zo verdwaasd dat hij niet snapt dat Milo hem plaagt en loopt naar de keuken. 'Gebruik je melk en suiker?' vraagt hij.

'Nee, zwart is prima.'

Jesper komt terug met een kop en schotel en Milo bedankt hem.

Ik zeg tegen Jesper: 'Goed, we gaan nu met elkaar praten, of anders vergaat het jou ook zo.' Ik wijs naar Grote Man.

Ik ga op de bank zitten en klop op het kussen naast me, als teken dat Jesper naast me moet plaatsnemen.

'Mijn vriend heeft medische hulp nodig,' zegt Jesper.

'Die kan hij krijgen zodra wij hier klaar zijn. Dus werk alsjeblieft mee. Al dit gedoe was trouwens helemaal niet nodig geweest. Waar is je wapenkluis?'

'Er zijn er drie. In mijn slaapkamer. De sleutels liggen boven op de middelste.'

Milo loopt weg om dat te controleren. Hij is op zoek naar het sluipschuttersgeweer waarmee Kaarina Saukko is vermoord.

Ik zeg tegen Jesper: 'Mijn vraag aan jou is: wie heeft Lisbet Söderlund vermoord?'

'Dat weet ik niet.'

'Jij dealt in heroïne. Klopt dat? Dit gesprek is off the record.'

'We verrichten een dienst voor de publieke zaak. We leveren aan dealers die alleen aan zwarten verkopen, in een poging de zwarten – nou, in feite de hele immigrantenbevolking – te verdoven. En de opbrengsten komen niet in onze zakken terecht, maar gaan naar politieke doelen.'

'Zoals donaties aan de Ware Finnen?'

Hij geeft geen antwoord.

'Je maakt me nieuwsgierig,' zeg ik. 'Jullie willen geen immigranten in Finland, maar vanwaar dat nazisme?'

'Omdat dat maatschappelijke bescherming biedt. Is het te veel gevraagd om geen multicultitoestanden te wensen en om gewoon alles te willen behouden wat voor mij waardevol is? Om in een land te leven met anderen van hetzelfde ras en met dezelfde normen en waarden als ik? Joden, slaven, zwarten, Arabieren – genetisch en cultureel zijn ze allemaal minderwaardig. Hun geloofsovertuigingen staan lijnrecht tegenover de onze en zouden het fundament van dit land vernietigen. In feite ben ik blij dat we een kleinschalig experiment met immigranten hebben uitgevoerd, zodat onze burgers kunnen zien wat een puinhoop dat met zich meebrengt, zelfs op zo'n kleine schaal. Kijk naar België. Dat land is door immigranten overlopen, en nu zijn de Belgische cultuur en manier van leven onherstelbaar vernietigd. Aangezien wij maar weinig immigranten hebben opgenomen, kunnen we nog steeds van ze af en onze fouten corrigeren.'

'Wil je een nieuwe Holocaust?'

'Er is nooit een Holocaust geweest. Dat is een mythe. Vertel de waarheid, inspecteur. Wilt u niet dat ons ras en onze cultuur bewaard blijven?'

Gezien de beproeving waaraan ik hem heb onderworpen, verdient hij in elk geval een antwoord. 'Ik denk dat je overtuigingen en alles waar je zo aan hecht een mythe zijn.' Ik maak een eind aan onze politieke discussie. Mijn nieuwsgierigheid naar zijn haatgevoelens is bevredigd.

Milo komt met een grijns op zijn gezicht terug. 'Hij heeft zeven Sako AK-47-stijl-geweren, maar ze zijn niet volautomatisch en dus legaal. Een tiental Smith & Wesson 9mm automatische pistolen. Vier jachtgeweren, maar geen .308 sluipschuttersgeweer. Moet je deze zien.' Hij houdt een doelwit in elke hand. Het ene is een man en profil met een enorme neus. Vast en zeker een jood. De andere heeft enorme lippen en een afrokapsel. Een zwarte natuurlijk. Leuk.

'Twee jonge zwarte mannen,' zeg ik, 'van wie bekend is dat ze drugs dealen, zijn naar Turku gereisd en werden later die avond in Helsinki vermoord, in een garage met een auto waarvan de motor liep, zodat de ruimte een gaskamer werd. Dit riekt naar nazi's. Heb jij of iemand die je kent op de avond dat ze vermoord werden nog contact met die mannen gehad?'

'We doen onder geen enkele omstandigheid zaken met nikkers,' zegt Jesper. 'We verkopen nooit rechtstreeks drugs aan nikkers – anderen moeten zich maar bezoedelen – en we zijn geen moordenaars. We proberen onze doelen via politieke middelen te bereiken. En dat werkt.'

'Waarom verzamelen jullie dan zoveel geweren?'

'Die vormen voor ons een verzekering.'

Ik richt me tot de groep. 'Ik geloof dat heel wat mensen in deze kamer weten wie Lisbet Söderlund heeft vermoord en naar alle waarschijnlijkheid hebben sommigen hier daaraan deelgenomen. Jullie zijn allemaal schuldig aan diverse misdrijven waarop zware gevangenisstraffen staan. Als iemand van jullie me vertelt wie haar heeft vermoord, zal ik die misdrijven door de vingers zien. Zo niet, dan zal ik erop toezien dat iedere neonazi in Turku de cel in gaat.'

Ik loop de kamer rond, deel visitekaartjes uit en zie erop toe dat iedereen ze in zijn portemonnee stopt. 'Ik verwacht niet dat iemand zijn kameraden hier ter plekke erbij lapt, maar je kunt me bellen. Als je niet hebt deelgenomen aan de moorden, heb je niets te vrezen en alles te winnen.'

Zonder twijfel hebben sommigen van hen dit gesprek opgenomen of zelfs een videoclip gemaakt. We halen de geheugenkaartjes uit al hun telefoons.

'Jullie politieke ideeën interesseren me niet,' zeg ik tegen de groep. 'Ik moet alleen een moord oplossen.' Ik wijs naar Grote Man. 'Het spijt me dat het zo ver moest komen.'

En we vertrekken.

34

Ik bel Kate en vertel haar dat ons werk voor vandaag klaar is. Ze zegt dat ze in een bar zitten die The Cow heet, niet al te ver van waar we nu zijn. Mijn eerste gedachte is dat ze weer aan het drinken is geslagen. Ik weet niet goed waarom ik me zorgen maak over haar drankgebruik van de afgelopen dagen. Ze heeft nooit veel gedronken en ze is ermee begonnen op Vappu, als het bijna wettelijk verplicht is om alcohol te drinken. Ze heeft veel tijd doorgebracht met mensen die veel drinken, zoals Mirjami en Jenna, en daarom is het logisch dat ze zelf ook iets meer drinkt.

Ik denk dat ik me over twee dingen zorgen maak. Ten eerste: het conflicteert met haar verantwoordelijkheid als moeder. Ze kan ons kind niet de borst geven. Ten tweede: ik maak me zorgen dat er iets diepers achter zit, wat door mij of mijn werk wordt veroorzaakt. Ik weet dat dit een avond met veel drank wordt, dus heb ik flesvoeding meegenomen voor het geval ze weer laveloos wordt.

We treffen hen in The Cow. Mirjami en Jenna drinken Lumumba's. Kate heeft warme chocolademelk. Je zou kunnen zeggen: een maagdelijke Lumumba. Ik let op Mirjami's reactie op mij. Die is er niet. Ik word nog steeds geil van haar, maar ik geloof dat haar liefde voor mij weggeëbd is, godzijdank. De meisjes zijn een beetje teut. De dag is niet volgens plan verlopen.

Ze zijn naar Naantali gegaan, maar het is nog vroeg in het seizoen. Muumimaailma gaat pas over een paar weken open, dus ze konden niet met de trollen spelen. Kate kreeg haar kunstnijverheid en de oude binnenstad. Het is aan de kille kant, dus het leek de meisjes het verstandigst al vroeg aan de drank te gaan. Kate is een beetje verveeld en zit in de bar te kijken hoe de meisjes drinken, maar ze zegt dat ze veel gevoel voor humor hebben en dat ze zich goed met hen vermaakt. Ze kan ook nog niet helemaal wennen aan het idee dat je best je baby kunt meenemen naar een bar.

Het is hier nu eenmaal anders dan in de Verenigde Staten, dat beseft zij ook wel. Mensen gaan naar bars om elkaar te ontmoeten, koffie te drinken en de krant te lezen. Het gaat niet alleen om drinken. Bars zijn ook ontmoetingsplekken.

We hebben heel wat beleefd vandaag en gaan zitten om een biertje te drinken – Sweetness zet drie glazen kossu op de bar en drinkt ze achter elkaar leeg – en nadat we even gerelaxt hebben vertrekken we naar het huis van mijn broer Timo. De alcohol lijkt geen enkele invloed op Sweetness te hebben. Dat komt vooral door zijn omvang, maar ik heb ook nog nooit iemand ontmoet die zoveel kan drinken als hij. Vaak wordt het als een mannelijke eigenschap gezien, maar drinken kan ook tot leverfalen en een vroegtijdige dood leiden. Ik maak me er zorgen over.

Timo is vijf jaar ouder dan ik en het zwarte schaap van de familie. Mijn vader zei altijd tegen hem dat hij een waardeloze nietsnut was. Timo nam dat ter harte en deed er alles aan om pa's gelijk te bewijzen. Als tiener zat hij altijd in de problemen. Hij pleegde kruimeldiefstallen, spijbelde vaker dan hij naar school ging en bleef op zijn zestiende voorgoed van school weg. Op zijn vijfentwintigste zat Timo zeven maanden in de cel wegens clandestien drank stoken. Daarom hemelt mijn moeder hem sinds jaar en dag op en heeft ze hem tot haar favoriete kind bestempeld. Het is duidelijk dat ze dat doet omdat ze zich schaamt voor zijn criminele verleden en hij haar teleurgesteld heeft, en het is vernederend voor hem wanneer ze maar over hem doorzanikt.

Hij was zoveel ouder dan ik dat we niet veel tijd met elkaar doorgebracht hebben en elkaar nooit goed hebben leren kennen toen we opgroeiden, maar we hebben altijd goed met elkaar overweg gekund. We zijn met vier broers. Hij en ik zijn groot, maar Jari en mijn andere broer Juha zijn kleine kereltjes. Juha, die de oudste is, is jaren geleden naar Noorwegen verhuisd, en ik kan me niet eens herinneren wanneer we voor het laatst contact met elkaar hebben gehad.

Timo is intelligent en voorzag de toekomst. Hij zwierf een tijdje rond voordat hij uiteindelijk in Pietarsaari in West-Finland neerstreek. Hij vond een baan bij een papierfabriek, waar hij zeventien jaar lang werkte. Het was een goedbetaalde baan en hij kon flink sparen. Toen de fabriek naar India of China of zo werd overgeheveld, kocht hij meteen deze boerderij. Timo ziet eruit als een rasechte plattelander. Overall, bierbuik, volle baard en honkbalpet.

Hij woont heel bekoorlijk. Samen met zijn vrouw Anni, met wie hij niet officieel is getrouwd, geeft hij ons een rondleiding. Ze wonen in een oude boerderij bij een meer. Ze zijn al meer dan twintig jaar samen en hebben twee kinderen grootgebracht, een jongen en een meisje. Ze zijn inmiddels volwassen en het huis uit. Timo en Anni hebben een grote schuur, een saunagebouw waar gasten kunnen logeren, op een paar passen van het meer, en een klein speelgoedhuisje dat net groot genoeg is om in te lopen. Er past precies een bed in, en ook daar kunnen gasten logeren. Jenna vindt het schitterend. Het is net een huisje voor Muumit, en ze wil erin slapen. Ik kijk naar Sweetness' gezicht. Hij hoopt dat hij met haar de nacht daarin kan doorbrengen.

Ze nemen ons mee voor een rondleiding. Timo heeft een stokerij in de schuur. Hij maakt *pontikka* – illegaal gestookte sterkedrank. Er staat een tinnen beker naast de distilleerkolf, en hij biedt ons wat aan om te proeven.

'Wat is het precies?' vraagt Kate.

'Alcohol van gemout graan,' zegt Timo. 'Ik heb er ditmaal gemengde bessen in gedaan die we zelf hebben gekweekt of geplukt, en aan de gistende brij heb ik nog een paar chocoladerepen toegevoegd.' Hij draait het kraantje open en laat een flinke hoeveelheid in de beker lopen. 'Proef maar.'

'Wat is het alcoholpercentage?' vraag ik.

'Iets meer dan tachtig.'

'Voorzichtig, Kate,' zeg ik, 'je kunt je longen verbranden. Giet wat in je mond en slik het door zonder in te ademen.'

Ze probeert het. Haar gezicht klaart op en ze zegt dat het heerlijk is.

De meisjes nemen ook een slokje en vinden het heel lekker.

Timo biedt de beker aan anderen aan. Milo zegt: 'We moeten nog naar de schietbaan. Ik denk dat ik nog even wacht.'

Ik kijk op mijn horloge. Het is acht uur. De dagen worden steeds langer. We hebben zat tijd om te schieten.

'Met een klein beetje alcohol op heb je een vastere hand,' zegt Moreau. 'Als je problemen met bevende handen hebt, moet je een recept voor een bètablokker halen. Dan zul je een veel vastere hand hebben.'

Milo nipt van de pontikka en verklaart eveneens dat die uitstekend is. Ik laat de drank voorlopig aan me voorbijgaan, evenals Moreau. Sweetness neemt een grote mondvol, slikt en zucht tevreden. Hij haalt zijn heupfles uit zijn zak. 'Vind je het goed?'

'Ga je gang,' zegt Timo.

Sweetness zuigt het laatste restje kossu uit de heupfles en vult die met pontikka.

'Ik wil niet ongastvrij lijken,' zegt Timo, 'maar mijn huis is jouw huis, behalve de zolder van deze schuur. Daar mag geen politie komen.'

Hij vult zijn inkomen dus aan met gestolen goed of een of andere vorm van contrabande. Het gaat niet altijd om geld. Sommigen moeten misdrijven plegen om het gevoel te hebben dat ze leven. Ik denk dat Timo zo iemand is.

'Geen probleem,' zeg ik.

'Waar willen jullie gaan schieten, en mag ik meedoen?' vraagt Timo.

'Natuurlijk,' zegt Milo. 'We willen schieten met pistolen, een jachtgeweer en een sluipschuttersgeweer, en verder willen we nog wat flitsgranaten uitproberen.'

'Voor het jachtgeweer hebben we zeker vijfhonderd meter nodig,' zegt Moreau.

Timo wijst over de weg heen naar een heuveltje. 'Mijn buurman is er niet. We kunnen de doelwitten hier bij het meer neerzetten en van daaraf schieten, dan zullen de kogels in het water terechtkomen. Met de andere wapens kunnen we hier bij de schuur schieten.'

'Ik steek de grill en de sauna aan,' zegt Anni, 'dan kunnen we eten, drinken en relaxen als jullie je vermaakt hebben.'

'Klinkt geweldig,' zeg ik.

Milo en Sweetness halen het arsenaal uit de SUV. We beginnen met het geweer om sloten te forceren, wat simpel genoeg is. Gebruik oog- en oorbescherming. Speciale munitie, gemaakt van samengeperst zinkpoeder of tandporselein, gebruikt alle energie op, zodat het slot uit elkaar spat. Je hoeft er alleen maar voor te zorgen dat je je van rondvliegende scherfjes afwendt. We hebben hier geen sloten om te forceren, dus ieder schiet er eenmaal mee om te weten hoe het is.

We zetten pistooldoelwitten op ruim zeven meter, wat volgens Moreau best ver weg is, aangezien de meeste pistoolgevechten zich in een gebied van hoogstens twee meter afspelen.

Milo beschouwt zich als een uitstekend schutter, en dat is hij ook, maar Moreau houdt hem voor dat hij te veel fout doet voor een echte professional. Milo gebruikt zowel het voor- als het achtervizier. Hij moet het achtervizier negeren en alleen op het voorste vizier letten en dan het pistool gebruiken alsof hij met zijn vinger naar het doel wijst, zonder het pistool te richten. Milo is hier niet gekomen om schietles te krijgen, alleen om zijn Colt uit te proberen. Ik zie dat hij zich ergert aan het lesje.

Moreau laat het zien. Zijn Beretta zit veilig in de holster, en nu trekt hij zijn pistool uit de holster, haalt de veiligheidspal over, zodat er een patroon in de kamer schiet en het pistool gereed is om te vuren. Hij waarschuwt dat veel schutters hun tenen verliezen doordat ze die eraf schieten terwijl ze deze uiterst efficiënte techniek oefenen. Ik gooi zeven lege bierblikjes in de lucht.

Hij treft ze allemaal terwijl ze op het hoogste punt van de baan in de lucht zijn.

Milo kan niets raken zonder het achtervizier te gebruiken. Hij is zelf apetrots op zijn schutterskwaliteiten. Hij ergert zich enorm maar hij probeert dat zwijgend te verbergen, met opeengeperste lippen.

'Maak je geen zorgen,' zegt Moreau. 'Als je een paar duizend patronen hebt afgevuurd op de oefenbaan, schiet je even goed als ik. Iedereen kan het.'

Ik ben aan de beurt. 'Ik ben rechtshandig, maar kijk met links. Schieten is daarom moeilijk voor me. Ik kan de kogels op het doelwit richten, maar ik kan geen strak patroon schieten.'

'Ik herroep mijn eerdere bewering,' zegt Moreau. 'Je zult nooit een uitstekend schutter worden.'

Daar maal ik niet om. 'Ik beperk mijn vuurgevechten liever tot de twee meter waar je het over had.'

'Maar je hebt al iemand doodgeschoten,' zegt hij. 'Na de eerste keer blijven schutters gewoonlijk kalm en kunnen ze een goed schot lossen. Dat telt voor mij als ervaring.'

Dit is de eerste keer dat Sweetness met een vuurwapen schiet. Hij is tweehandig en draagt de twee Colts die Milo hem gaf in schouderholsters aan weerszijden. De eerste paar keer probeert hij simpelweg te richten en haalt de trekker over. Beide schoten treffen bijna de roos. 'Ik denk dat ik wel weet hoe het moet,' zegt hij. Hij stopt de op scherp staande pistolen weer weg in de holster. Ik krimp ineen, ervan overtuigd dat hij zichzelf gaat neerschieten. Dan trekt hij feilloos beide pistolen en schiet de twee middelste cirkels uit de naast elkaar staande doelen. 'Zoiets?' vraagt hij.

Moreau trekt een zuinige grimas. 'Ja, zoiets.'

Milo balt zijn vuisten zo stevig dat zijn knokkels er wit van zien. Sweetness heeft hem de loef afgestoken.

Timo probeert al onze pistolen en lost in hoog tempo zo'n honderd schoten. Hij is een behoorlijk goede schutter. Hij oefent regelmatig, zegt hij.

We zetten de doelen bij het meer neer, erop lettend dat de kogels in zo'n steile hoek het water raken dat ze niet teruggekaatst worden en kilometers verderop in iemands woonkamer terechtkomen. Moreau steekt een stok in de grond, blaast een paar ballonnen op die hij heeft meegenomen en bindt die met touw losjes aan de stok. We rijden over de weg de heuvel op, tot op ongeveer zeshonderd meter van het meer.

Milo haalt het .50 kaliber Barrett-sluipschuttersgeweer tevoorschijn, een wapen dat in de juiste handen op een afstand van drie kilometer nog kan doden. Hij wil zijn kennis weer eens etaleren en begint de handleiding op te lepelen.

Moreau wordt er ongeduldig van. 'Ja, ja, ja, een geïntegreerde elektronische ballistische computer die direct op het vizier wordt bevestigd en aan de elevatiehendel is gekoppeld. Drie interne sensoren berekenen automatisch de ballistische uitwerking.'

Milo zwijgt. De kringen rond zijn ogen zijn diep en donker. Zijn mondhoeken staan omlaag. Dit moest voor hem de dag worden waarop hij zou schitteren, en nu wordt hij overklast.

Moreau instrueert hem hoe hij het wapen gereed moet maken, en dat is geen simpele klus. Hij praat snel en een groot deel van wat hij zegt begrijp ik niet. Hij geeft uitleg over de lichaamshouding, hoe je moet gaan liggen en druk op de borst moet voorkomen zodat de ademhaling en de hartslag elkaar niet in de weg zitten. Hij laadt vier patronen in het geweer.

Hij zegt dat drie patronen genoeg moeten zijn om het in te stellen. Hij schiet driemaal, telkens aanpassingen makend. Zijn vierde schot is in de roos. Elk schot buldert als een donderslag, en de terugslag lijkt hevig.

Hij laadt het magazijn vol. 'Dan zal ik jullie nu laten zien wat er mogelijk is.'

Hij gaat in de schiethouding liggen en vuurt. Hij doorklieft de stok en de ballonnen komen los. Tegen elkaar botsend zweven ze weg. Hij schiet ze allemaal lek, zonder één misser.

Hij geeft het geweer aan Milo. Als je een bedreven schutter met de Barrett wilt worden, moet je de techniek erachter begrijpen, en dat is iets wat Milo uitstekend beheerst. Hij stelt het vizier met drie schoten in en vuurt nog een paar maal in een strak patroon. Ik kan zien dat hij er genoeg van heeft. Hij is maar klein, en ik vermoed dat zijn schouder door de terugslag al bont en blauw is.

Het is Milo's kindje, en moet voor elke schutter apart worden ingesteld. Sweetness bedankt voor de eer, zodat Milo het geweer niet opnieuw hoeft in te stellen. Hij zegt ook dat hij honger krijgt. Slokjes pontikka drinken is goed voor zijn eetlust. Ik weiger te schieten, omdat een dergelijke schok me niet heilzaam lijkt als je net een hersenoperatie achter de rug hebt. Timo schiet een paar keer, gewoon voor de lol. Hij schiet in een strak patroon onder en links van Milo, omdat het vizier niet voor hem is ingesteld, maar hij grijnst volop na afloop, dus ik neem aan dat hij zich heeft vermaakt.

Het wordt al laat en de zon gaat onder, dus we laten nog een paar flitsgranaten ontploffen. Het lawaai en het intense licht zijn bedoeld om tegenstanders uit te schakelen. Instructies: pin eruit trekken, weggooien, je omdraaien. Oren dichtstoppen en je ogen sluiten. Ze ontploffen in drie seconden. Zelfs hier in de openlucht is de flits nog zo fel en de knal zo luid dat je lichtelijk gedesoriënteerd raakt. Binnen moet het effect verwoestend zijn.

We rijden terug naar Timo's huis. Ik ben uitgehongerd, en van de grill en uit de sauna komen heerlijke geuren. We lopen om het huis heen en treffen Anni, Mirjami en Jenna aan, die in dekstoelen op het terras zitten te relaxen. Ik hoor kokhalsgeluiden. Anni heeft Anu op schoot.

'Slecht nieuws,' zegt Anni wijzend. Ik loop naar het geluid toe en zie dat Kate op handen en voeten in de bosjes zit te braken.

Het lukt haar om naar me op te kijken. Ze zegt het langzaam. 'Sorry hoor.'

Ik ga naast haar zitten en leg mijn arm om haar heen.

Met dubbele tong brengt ze uit: 'Pontikka.'

Ik ben bang dat er kots in haar lange rode haar komt, en daarom trek ik dat naar achteren en bind het in een losse knoop om het van haar mond vandaan te houden.

'Ga alsjeblieft weg,' zegt ze.

Ik heb zoiets zelf meegemaakt en ken het gevoel. 'Oké. Ik kom straks wel terug om te kijken hoe het gaat.'

Ik ga terug naar het terras. 'Wat is er gebeurd?'

'Mirjami en Jenna wilden nog wat pontikka,' zegt Anni, 'en Kate nam ook nog wat. Ik gaf ze allemaal een dubbele, en Kate heeft daarna niets meer gedronken. Het is gewoon verkeerd gevallen.'

Zoals met alles moet je ook leren drinken. Kate drinkt bijna nooit. Mirjami en Jenna wel. Ze hebben glaasjes pontikka op de stenen vloer van het terras naast hun stoelen staan, naast flessen perencider. Zij zijn geoefende drinkers.

Het is koud buiten. De meisjes hebben hun jacks aan en dekens om zich heen gewikkeld, maar dit is het begin van de Finse zomer, en de algemene stemming is zoiets als: verdomme nog aan toe, we moeten en zullen ons vermaken buiten, wat voor kloteweer het ook is.

Ik neem Moreau apart. 'Ik wil morgen met Veikko Saukko praten.'

Hij antwoordt niet maar begint een bericht in zijn gsm te typen.

Het is bijna elf uur in de avond. 'Is het daar niet een beetje laat voor?' vraag ik.

'Hij slaapt nooit. Dat staat het drinken in de weg.'

Het antwoord volgt meteen. 'Tien uur morgenochtend.'

Zuipende, kotsende mensen die de hele nacht smerig bocht gaan zitten drinken. Het wordt een zware ochtend.

Milo, Sweetness en Timo storten zich op de pontikka, afgewisseld met bier. Ik krijg een bord gegrilde worstjes met groenten en ga naast Timo zitten. Hij zegt: 'Je weet waar we het over gehad hebben, dat we erover moeten praten waarom we elkaar niet meer hebben gesproken.'

'Ja.'

'Ik heb een idee. Dat komt grotendeels doordat we uit een moeilijk gezin komen. Waarom vergeten we dat niet gewoon? In plaats van daarover te zeuren, kunnen we ook lekker van de avond genieten.'

'Afgesproken.'

En we houden ons aan de afspraak. Af en toe ga ik naar binnen om naar Kate te kijken. Ze is gestopt met kotsen en lijkt elk moment weg te kunnen zakken. Ik draag haar naar een lege slaapkamer. Moreau en ik drinken niet. Hij omdat hij nooit drinkt, en ik omdat ik voor Anu moet zorgen. Ik ben sowieso niet in de stemming. Moreau, Timo en ik genieten van de sauna en nemen een duik in het ijskoude meer. Voor Anu was het haar eerste sauna, en ze leek ervan te genieten.

Als we naar buiten komen na ons tweede rondje in de sauna treffen we Milo en Sweetness in een dronken vuistgevecht aan. Moreau wil hen tot de orde roepen, maar ik zeg nee, dit zat er al lang aan te komen. Ik denk dat Sweetness Milo's borst aan gort zal slaan, maar hij houdt zich staande. Sweetness is snel, maar Milo is klein en nog sneller. Zijn stoten behendig ontwijkend weet hij zich binnen Sweetness' bereik te werken. In nuchtere staat zou Sweetness hem hebben gedood, maar door de pontikka vallen de verschillen weg. Milo weet een paar flinke klappen uit te delen, maar er zit niet genoeg kracht in om Sweetness op de grond te krijgen, en uiteindelijk rollen ze dronken en lachend door het gras. Samen vertrekken ze onder het bloed naar de sauna.

Na afloop verdwijnen Sweetness en Jenna, en uit het Muuminhuisje hoor ik liefdevol gekreun. Anni maakt Timo wakker in een dekstoel en neemt hem mee naar bed. Milo en Mirjami zijn in de sauna zeker in slaap gevallen. Ik zet de wekker op zeven uur en vlij me naast Kate in het logeerbed.

35

De wekker gaat af. Kate verroert zich niet en ik probeer haar wakker te schudden. 'Ik kan me niet bewegen,' zegt ze, 'ik ben ziek.'

'Sorry, maar je moet toch opstaan. Ik heb een afspraak die met de moord op Söderlund te maken heeft en we moeten vertrekken.'

Het kost haar moeite te gaan zitten, maar het lukt haar toch. 'Ik voel me draaierig. Ik kan niet autorijden.'

'Dat geeft niet, iemand anders rijdt wel. Kun je eten?'

Ze schudt haar hoofd.

Ik ben zelf ook een beetje moe. We zijn nog tot laat opgebleven, en ik moest vannacht tweemaal opstaan voor Anu. 'Jij was niet de enige die dronken was. Ik betwijfel of de anderen er beter aan toe zijn. Kun jij voor jezelf zorgen terwijl ik hen in beweging probeer te krijgen?'

Ze knikt bevestigend. 'Kari,' zegt ze, 'het spijt me. Ik heb het verkloot. Ik heb de laatste tijd veel verkloot. Ik...'

Ze heeft een waanzinnige morkkis. Ik snoer haar de mond. 'Alles is in orde. Met Anu is het prima. Je hebt niets gênants gedaan. Je bent alleen ziek geworden en bent buiten westen geraakt, en toen heb ik je in bed gelegd. Je hebt nog niet eens half zoveel als de anderen gedronken. Maar omdat jij er niet aan gewend bent, viel het bij jou helemaal verkeerd. We kunnen er later nog over praten als je wilt.'

Ik ga weer naar beneden. Anni is inmiddels op en heeft een goed humeur. 'Zal ik voor iedereen ontbijt klaarmaken? Dat is goed tegen de kater.'

Ik heb het gevoel dat er geen remedie is tegen hun katers. 'Bedankt, maar daar hebben we geen tijd voor. Ik heb een afspraak in Helsinki.'

Ik doe de ronde. Moreau heeft een kussen van zijn jas gemaakt en heeft op de grond geslapen. Hij is al wakker. Ik ga naar buiten en hoor gelach in het Muumin-huisje. Jenna praat zachtjes. Sweetness fluit. Smakkend gekus. Hij heeft zijn maagdelijkheid verloren met zijn ware liefde. Leuk. Misschien zal hij weer enig perspectief krijgen door deze bekrachtiging, kan hij eindelijk vrede hebben met de dood van zijn broer en zal hij ermee stoppen zowel 's ochtends en 's middags als 's avonds voortdurend dronken te zijn.

Milo en Mirjami slapen gekleed, de een met het hoofd naast de voeten van de ander, op een bed in de wasruimte van de sauna. Ik maak ze wakker. Ze zijn nog niet ziek, maar dat komt omdat ze nog dronken zijn. De kater zal in elk geval niet lang meer op zich laten wachten. Ik maak iedereen wakker en drijf ze in de auto's. Ik krijg niet de kans Timo gedag te zeggen, hij is nog altijd bewusteloos. Maar ik heb het gevoel dat we elkaar binnenkort weer zullen spreken.

Ik bestuur de Audi en Moreau de SUV. De anderen zitten de hele weg te dutten. We zetten hen af bij hun huizen en rijden met de Audi naar het monumentale huis van Veikko Saukko.

Het museum van zijn stichting ligt vlak bij de weg. Zijn huis staat aan het eind van een uitgestrekte groenzone op zijn terrein, met de zee niet ver daarachter.

De deur wordt geopend door een man die op een honderdveertig kilo wegende kikvors lijkt en een strakke zwarte coltrui draagt en een dikke gouden ketting om zijn nek. Bodyguardchic. Hij controleert de bezoekerslijst op een iPod en vraagt ons te wachten.

Veikko Saukko komt naar de deur om ons te begroeten. Hij schudt me krachtig de hand en zegt tegen me dat het een eer is een politieman van mijn kaliber te ontmoeten. Hij omhelst Moreau, klopt hem op zijn rug en noemt hem 'oude vriend'.

Hij nodigt ons uit in zijn studeerkamer, die aan een victoriaanse herenclub doet denken. Donkere houten lambrisering en diepe leren fauteuils. Een kostbaar Parnian-bureau met alleen een Aurora Diamante-pen erop. De diamanten, het platina en het goud glinsteren. Ondanks het vroege uur staat hij erop dat we samen met hem een Richard Hennessy-cognac en een La Gloria Cubana Reserva Figurado-sigaar nemen. Hij gaat bij ons in een kring van drie stoelen rond een kleine tafel zitten, in plaats van achter zijn bureau, om een wat intiemere sfeer te creëren. Hij vraagt waarmee hij me van dienst kan zijn.

'Ik doe onderzoek naar de moord op Lisbet Söderlund,' zeg ik, 'en ik geloof dat die verband kan houden met de ontvoering en moord die uw gezin het afgelopen jaar hebben getroffen en waarmee ik u condoleer.'

Hij neemt een grote slok cognac en giet daarmee voor een paar honderd euro door zijn keel. 'Ik ben blij dat dat kreng dood is, maar als u me ervan overtuigt dat er een verband met mijn gezin is... nou, dan zal ik naar u luisteren, om het zo maar te zeggen.'

'U hebt vijanden gemaakt onder extreem rechts in Finland. Ik heb gehoord dat u hun een campagnebijdrage van een miljoen euro had beloofd, maar die belofte niet gestand hebt gedaan. Dat heeft een bepaalde antipathie gecreëerd, die mogelijk geleid heeft tot de misdrijven die tegen uw gezin zijn gepleegd. Dezelfde groeperingen hadden ook een hekel aan Lisbet Söderlund en spraken er openlijk over om haar te vermoorden. Slechts een klein aantal mensen in ons landje is in staat dergelijke misdrijven te plegen, op grond van zowel het psychologische profiel als de benodigde technische vaardigheden, en dan is het natuurlijk geen vreemde gedachte dat de moordenaar of de groep moordenaars dezelfde is.'

'U hebt toch een nikker vermoord, inspecteur?'

Ik neem aan dat hij naar de zaak-Sufia Elmi verwijst, waarin haar vader met benzine werd overgoten en in brand werd gestoken.

'Het zou accurater zijn om te zeggen dat ik toekeek terwijl hij verbrandde. Vanwege mijn slechte knie kon ik hem niet op tijd bereiken.' Ik test Saukko's grenzen om te weten te komen hoe krankzinnig hij is. 'Ik heb een Est door zijn hoofd geschoten, en het zou best kunnen dat hij Slavisch bloed had. Krijg ik daar punten voor?'

Hij lacht ha-ha-ha en slaat op zijn knie. 'Adrien hier heeft heel veel nikkers vermoord. Daarom mag ik hem graag. Hoeveel nikkers denk jij gedood te hebben, Adrien?'

Moreau blaast een lange rookpluim uit. Hij weet hoe hij dit spel moet spelen en Saukko moet manipuleren. Ik denk dat Moreau veel mensen doodt, maar niemand haat. 'Wil je alleen Afrikanen meetellen of ook hispanics, zoals Mexicanen? Die bonenvreters zijn gewoon bruine negertjes. En Arabieren zoals Afghanen zijn zandnikkers. En wil je ook de doden meetellen die vielen door ondersteunend artillerievuur en luchtaanvallen, of doden op grote afstand, of alleen de mensen die ik heb koud gemaakt terwijl ik ze in de ogen kon kijken?'

'Jemig,' zegt Saukko, 'wat een hoop mogelijkheden. Laten we alle minderheden meetellen, maar op twee manieren tellen, dus op afstand en van dichtbij.'

'Op afstand: een paar duizend. Aan een nauwkeurige schatting wil ik me niet wagen. En van dichtbij: een paar honderd.' Moreau toont een toegeeflijke glimlach. 'Veikko, je hebt dit allemaal al eerder gehoord. Geniet je er echt zo van?'

'Kunnen negers dansen?'

'Ik dacht dat het Franse Vreemdelingenlegioen de afgelopen decennia vooral betrokken is geweest bij vredesmissies,' zeg ik.

'Vaak moet je mensen laten zien dat het voor hen profijtelijk is om vreedzaam te leven,' antwoordt Moreau, 'en ik ben al een tijd weg uit het Legioen. Sindsdien hebben mijn missies allerlei doelen gekend.'

Ik zeg tegen Saukko: 'Mag ik u een paar vragen stellen?'

'Ga uw gang.'

'Waarom bent u van gedachten veranderd over uw donatie aan de Ware Finnen?'

'Alle patriotten zijn met elkaar verbonden. Ware Finnen. Neonazi's. Anderen. Er zijn diverse groepen, die grotendeels dezelfde leden hebben. Ik wilde van hen een demonstratie van hun bedoelingen, en niet alleen maar praatjes. En ik heb hun niet gevraagd iemand te vermoorden, alleen om zich sterker teweer te stellen tegen het besmettelijke virus van de niet-blanke immigratie.'

'Wat voor demonstratie dan?'

Hij aarzelt, de implicaties van zijn antwoord overdenkend. 'Bent u een echte blanke? Is dit gesprek off the record?'

'Inderdaad.'

'Finland is een paradijs voor blanken. Nu is zuiver Fins bloed besmet door een giftige, zwarte bacteriële infectie. We worden overlopen door zwartjoekels. Zionistische vampiers. Joodse kanker. Het is tijd ons land weer terug te nemen. Daarvoor dienen offers te worden gebracht en er zal bloed worden vergoten.'

Hij begint te oreren. Ik laat mijn geoefende glimlach zien, die instemming uitstraalt. Op dit moment is het maar goed dat ik geen emotie voel. Was dat wel zo geweest, dan had ik hem een vreselijke afranseling gegeven. Ik luister.

'Nikkerbaby's. Smerige blanke teven zonder zelfrespect onteren zich met nog smeriger zwarten – roetmoppen – en maken vieze bruine baby's. Bepaalde groepen verkopen de zwarten heroïne om ze te verdoven. Ze zouden de heroïne met strychnine moeten vergiftigen om het aantal zwarten terug te brengen en de besmetting van het zuivere Finse bloed te vertragen. De blanken die het gebruiken deugen niet en hebben geen nut voor de maatschappij. Opgeruimd staat netjes. Maar deze lui, die bereid zouden zijn hun leven te geven voor de goede zaak, weigeren zwarten te vergiftigen omdat ze de gevangenis vrezen, alsof ze gewone misdadigers zouden zijn in plaats van patriotten en politieke gevangenen. Lafheid. Pure lafheid. En toch komen ze met hun uitgestoken groezelige handen bij mij.' Ik wijs hem er niet op dat zijn eigen dochter een heroïnejunk was en nu een methadonverslaafde, of dat moslims niet snel naar drugs grijpen, al ken ik de statistieken niet. Aan de andere kant is het me opgevallen dat heel wat moslims zijn gaan drinken. Misschien gebruikt een aanzienlijk aantal inmiddels ook drugs.

'Hebt u overwogen dat de moord op Lisbet Söderlund wel eens precies het soort demonstratie zou kunnen zijn dat u beoogde?' zeg ik.

'Dat heb ik inderdaad overwogen, en ik zou dat ook belonen als ik wist wie het had gedaan.'

Ik nip aan de cognac die ik niet wil en geef desondanks blijk van mijn voldoening. 'Uitstekend.'

'Inderdaad.' Hij drinkt zijn glas leeg, staat op, schenkt een driedubbele in en gaat weer zitten.

'Ik heb vernomen dat u en uw zoon Antti voor zijn ontvoering ruzie hadden gemaakt.'

Hij gnuift. 'We hadden zo vaak ruzie. Hij kwam altijd met hangende pootjes terug, en ik beloonde zijn onderdanigheid met een geldbedrag.'

'Stel dat hij ditmaal niet met hangende pootjes is teruggekomen? Stel dat hij zich heeft aangesloten bij de extremisten die zich door u verraden voelden – ik heb begrepen dat ze elkaar allemaal goed kenden – en dat ze de ontvoering gezamenlijk in scène hebben gezet? Het lijkt er tenslotte op dat Jussi Kosonen een sukkel was. Als we zijn profiel nader beschouwen, lijkt het zelfs belachelijk dat hij zo'n misdrijf heeft kunnen begaan.'

'Maar waarom is Kaarina dan vermoord?' vraagt Saukko, die weer een paar honderd euro in één teug door zijn keel giet. 'Antti zou haar niet hebben doodgeschoten.'

'Maar Kosonen is wel degelijk doodgeschoten. Misschien heeft Antti zijn maatjes belazerd en Kosonen gedood, om er vervolgens met het geld vandoor te gaan. Mogelijk hebben ze Kaarina als vergelding doodgeschoten.'

'Antti is een mietje,' zegt Saukko. 'Hij is veel te laf om iemand dood te schieten.'

Ik rook, terwijl ik probeer te voorkomen dat ik moet proesten en mijn mannelijke imago beschadig, dat hij zo lijkt te waarderen. Ik haat sigaren. 'Integendeel, ik heb gehoord dat hij gek is op watersport – surfen, zeilen – en ook op extreme sporten, zoals skydiven en bungeejumpen. De indruk bestaat dat hij onverschrokken en roekeloos is.'

'Dat is een façade, en heel iets anders dan een fysieke confrontatie.'

'Dat is waar. Toch kunnen mensen je verrassen. Ik heb begrepen dat de drie schilderijen die van u zijn gestolen, nog niet verzekerd waren. Het zou lastig zijn geweest dat te verifiëren en uit uw enorme bezit te distilleren.'

Hij denkt hierover na. 'Tamelijk lastig.'

'Als ik vragen mag: wie droeg er zorg voor de installatie van het beveiligingssysteem, dat nog relatief nieuw is, als ik het goed heb begrepen?'

Hij neemt de tijd om na te denken alvorens te antwoorden. 'Antti.'

'Hoeveel van deze informatie hebt u verteld aan Saska Lindgren, de rechercheur die nu aan deze zaak werkt?'

Hij lacht spottend. 'Zo min mogelijk natuurlijk. Die verdomde zigeuner kwam hier in huis om te stelen, en ik moest alles laten steriliseren nadat hij vertrokken was. Daarom is Adrien hier, om dit uit te zoeken, om te zorgen dat ik mijn geld terugkrijg en om de moordenaar van mijn dochter te vermoorden.'

Ik heb die bullshit die over Howard Hughes de ronde deed tot nu toe nooit geloofd, maar zijn soulmate zit nu voor me.

'Meneer Saukko, hebt u er bezwaar tegen dat ik onderzoek doe naar de mogelijkheid dat Antti betrokken was bij een valse ontvoering, Kosonen erin luisde en vermoordde en vervolgens met uw tien miljoen euro ontsnapte?'

'Nee. Daar mag u onderzoek naar doen.'

'Ik zal Saska Lindgren moeten bellen en hem om toestemming vragen.'

'Ik bel hem wel, verdomme.' Hij verdwijnt naar een andere kamer. Hij komt terug en geeft me zijn mobiele telefoon. De premier is aan de lijn. 'Ik weet dat u niet kunt praten in het bijzijn van Saukko,' zegt hij. 'Maar u kunt de zaak zelf onderzoeken, althans voorlopig. Ik regel het verder wel met rechercheur Lindgren. En ik zal erop toezien dat hij met de eer gaat strijken als u de zaak oplost. Hij heeft er tenslotte een jaar in geïnvesteerd. Het is niet meer dan eerlijk, omdat Saukko zijn onderzoek belemmerde.'

'Oké,' zeg ik. De premier hangt op.

Ik ga weer zitten. 'U hebt hier toch uw eigen droogdok?'

'Ja, ik heb een aantal boten van verschillende grootten en variëteiten, waaronder mijn kleinste jacht. Ik verzamel ook auto's, waarvoor ik een grote garage heb. En ik heb een fulltime schipper, bemanning en monteurs in dienst om alles goed te onderhouden.'

'Zou u het merken als er een kleine boot ontbrak?'

'Niet per se. Omdat de hele familie toegang heeft tot de auto's en schepen, zou alleen de schipper het kunnen weten door het manifest te controleren. De kinderen maken daar een aantekening op als ze gaan varen.'

Ik drink de cognac op en druk de sigaar uit. 'Kosonen is op de rivieroever vermoord. Antti zou een kleine boot gehad moeten hebben om weg te komen. Kunnen we nu het manifest controleren om te zien of er sinds de ontvoering een geschikte boot ontbreekt?'

'Zeker.'

We rijden met zijn drieën in een golfbuggy het landgoed over en stoppen bij het droogdok. We gaan naar binnen. Het is enorm voor een privédok; er liggen zo'n vijftien schepen in. De meeste zijn klein, maar er ligt ook een jacht van tien meter. Maar goed, dit is dan ook de rijkste man van Finland. Ik neem aan dat je dan zoiets mag verwachten. De schipper, die de gemakkelijkste baan ter wereld moet hebben als Saukko niet aanwezig is, vergelijkt de vaartuigen met het papierwerk. Twee vaartuigen ontbreken, en daar zou volgens de gegevens al meer dan een jaar niet mee gevaren zijn. Het ene is een normale boot, bestemd om te vissen, maar met een krachtige dubbele motor. De andere is een onderwaterjetski.

Ik vraag hem de specificaties van de jetski te controleren, zoals de maximale snelheid en de actieradius. Hij kan onder water twaalf kilometer per uur afleggen, en op het water meer, en de acculading is goed voor circa een uur varen.

Dat is perfect om de Aurajoki naar zee te volgen zonder zelf opgemerkt te worden. Maar hij moest ook nog twee zware zakken met geld meenemen.

De schipper zegt dat ze drie accu's hebben. Die zijn allemaal weg. Antti had dus de mogelijkheid om een lading mee te nemen en om meer kilometers af te leggen.

Saukko ontslaat de schipper ter plekke. De schipper stamelt geschokt: 'Ik... ik werk al achttien jaar voor u.'

'Je hebt tien minuten om je spullen te pakken, en dan zal de beveiliging je naar buiten begeleiden.'

Wat kom ik toch een aardige mensen tegen in mijn beroep. Ik negeer dit allemaal en zeg tegen Saukko: 'Laten we ons het volgende scenario eens voorstellen: Kosonen zou Antti ontmoeten, die hem zou ophalen in de boot die Kosonen een paar dagen eerder had gekocht. Maar Antti vermoordt Kosonen, ontdoet zich van de boot en vertrekt met de jetski. Waar zou hij naartoe gaan?'

Ik kopieer de merken en de serienummers van de jetski en de vermiste boot in mijn notitieboekje. Net als bij Sweetness lijkt de alcohol op Saukko in het geheel geen vat te krijgen. Oefening baart kunst. 'Naar Åland,' zegt hij.

Ik vermoed hetzelfde. Åland, een archipel in de Oostzee, tussen Finland en Zweden, bestaat uit meer dan vijfenzestighonderd eilanden en rotsformaties, waarvan er vijfenzestig bewoond zijn. Vele ervan zijn niet veel meer dan stipjes die maar een paar decimeter boven de waterlijn uit komen. 's Zomers is Åland razend druk met boten en toeristen. De meeste verzamelen zich op Fasta Åland, het hoofdeiland, en de eilanden daaromheen.

Sommige van de eilanden zijn zo plat als een pannenkoek. Op de populairste vind je goed onderhouden fietspaden, en het hele gebied is geliefd bij fietsers. De bewoners bezitten om die reden veel meer fietsen dan gemotoriseerde voertuigen. Op sommige plekken zijn die laatste vrijwel nutteloos. Op veel van de eilanden staan oude huisjes, meestal niet meer dan zeer eenvoudige schuren, die ooit door beroepsvissers werden gebruikt. Nu dienen ze als onderkomen voor iedereen die hier de nacht wil doorbrengen.

'Kunt u bedenken waar hij zich het liefst zou willen verbergen? Bezit u een privé-eiland waar Antti zich kon verbergen?'

Saukko lacht. 'Weet u, ik was dit bijna vergeten. Ik bezit zoveel onzin. Ik heb een privé-eiland, Saukkosaari geheten, waar een prachtig zomerhuis staat. Het is eigenlijk te luxueus om het een zomerhuis te noemen. Ik heb het eiland gekocht en er stond een oud, gammel huis op, dat ik heb laten opknappen. Dat is vijftien of twintig jaar geleden. Ik ben er een paar keer geweest en had er snel genoeg van. Ik ben gewoon nooit terug geweest. En niemand van de familie maakt er verder gebruik van. Ik heb een jachtopzichter aangesteld die daar in een huisje woonde. Ik heb geen idee of hij er nog steeds zit. Het zou heel goed kunnen dat hij inmiddels dood is neergevallen en nog steeds op de loonlijst staat. Met drie accu's zou Antti dat eiland hebben kunnen bereiken.'

Dit beurt me op. Maar we hebben ook nog de andere ontbrekende boot. Hij had die kunnen gebruiken om veel verder weg te vluchten.

Saukko zegt: 'Ik was ook eigenaar van meer dan honderd eilanden in het noorden van de archipel. Ik heb de eigendom aan een stichting overgedragen, maar heb de jacht- en visrechten gehouden. Er komen zelfs bijna geen toeristen. En het is een ruig gebied. Geen voorzieningen. Niets. Ik betwijfel of hij daar zit. Zo ja, dan zal hij verdomd moeilijk te vinden zijn. Maar goed, ik hecht nog steeds niet veel geloof aan die Antti-is-een-moordenaar-theorie.'

Ik betwijfel ook ten zeerste of hij daar zit. Maar toch. 'Het kost niets om een kijkje te nemen.'

'Dat is waar,' zegt hij. 'Weet je wat? Neem mijn jacht maar.'

'Bedankt, maar we kunnen een politieboot nemen.'

'Hebben de politieboten rijkelijk gevulde bars en zitten ze vol vistuig?'

Ik geef toe dat dat niet het geval is.

'Dan sta ik erop dat u het jacht neemt.' Dan begint het hem te dagen. 'Kut. Ik heb net de schipper ontslagen.'

Deze boot is gemotoriseerd. Geen zeilen. Daarvoor hoef je niet zo bedreven te zijn. 'Eerst wil ik op Saukkosaari kijken. Mijn collega Milo weet hoe je moet varen, hij kan de weg wijzen. Ik zal hem meteen bellen.'

Moreau zegt dat hij eveneens een jacht kan besturen. Moreau. De alleskunner. Het begint op mijn zenuwen te werken. Ik bel Milo en Sweetness en zeg tegen hen dat ze over een uur bij me moeten zijn.

36

Milo's vader is dood, maar was blijkbaar nogal een apart figuur – Milo's moeder stak hem eens met een mes omdat hij achter de meiden aan zat. Milo heeft het vrijwel nooit over hem. Hoe dan ook, hij heeft Milo leren varen. Hij start de motoren en geeft instructies, en binnen korte tijd zijn we op open zee. Milo kan een irritante klootzak zijn, maar zijn vertrouwdheid met allerlei apparatuur is soms een hele geruststelling, en dit is zo'n moment.

Hij is strontziek van de pontikka-overdosis en moet een paar keer over de reling heen kotsen. Sweetness vergaat het niet veel beter. Zelfs volgens zijn normen is hij straalbezopen geweest en hij ziet eruit als een lijk. Ze zijn niet alleen ziek door het drinkgelag, maar zitten ook onder de snijwonden en blauwe plekken door hun gevecht. Milo heeft een zwaluwstaart op zijn voorhoofd die zijn wenkbrauw bij elkaar moet houden. Ze hebben allebei zwarte ogen. Milo hinkt. Sweetness heeft een dikke lip, die opengespleten is maar niet gehecht hoeft te worden. Maar geen van beiden is wrokkig. In plaats daarvan lachen ze erom. Het was precies wat ze nodig hadden. Zo zijn mannen soms nu eenmaal. Sweetness gaat op zoek naar de bar om zijn nadorst te bestrijden.

Na een paar uur vinden we het eiland en binden de boot aan de steiger naast een oudere, kleinere en ietwat verwaarloosde boot. We lopen een kronkelpad op dat naar het zogeheten zomerhuis voert. Ik schat de ouderdom op een jaar of honderd, en zoals Saukko al zei is 'zomerhuis' een verkeerde benaming. Het is groter dan een huis en te klein om een landhuis genoemd te mogen worden.

We treffen hier niemand aan, maar een tijdje geleden is hier iemand geweest. De vuilnis is niet meegenomen. Vuile vaat in de gootsteen. En Saukko had gelijk over de jachtopziener. Zijn huisje is leeg. Zijn bezittingen bevinden zich in het huis zelf. Ik denk dat hij zich op zeker moment, misschien na een paar jaar, realiseerde dat het eiland vergeten was, dat hij weliswaar als werknemer was aangesteld maar eveneens was vergeten, en dat hij toen naar een prachtig gerenoveerd huis in een idyllische omgeving is verhuisd. We maken een wandeling over het terrein. Achter het huis zijn bos en weiden, voor het huis kijk je uit over de zee.

De jachtopziener moet hier vredig hebben gewoond, tot er op een dag een of meer schurken kwamen die alles vernielden. We vinden vier ondiepe graven achter het huis. Als we een beetje graven en aarde met onze handen en voeten weghalen, zien we vier vrijwel geheel verteerde lichamen, wat betekent dat ze ongeveer een jaar dood zijn. Een volwassen man en drie kinderen. De jachtopziener en de drie kinderen van Kosonen. Die werden hier dus gegijzeld om hun vader te dwingen de ontvoering uit te voeren. Er is nog steeds geen overtuigend bewijs dat Antti daarachter zat, maar de kans lijkt me groot.

Er is nog een andere hypothese, realiseer ik me met een schok. Drie kinderen doden is niet gemakkelijk voor een onervaren moordenaar. Ik denk dat hij een of meer medeplichtigen had. In dit onderzoek ben ik tot nu toe op drie mannen gestuit die ik in staat acht tot de gepleegde misdrijven. Een van hen is nu bij ons. De twee anderen verkopen heroïne en paté.

Mijn idee: de jachtopziener werd meteen vermoord. Antti verborg zich hier op het eiland terwijl hij zogenaamd ontvoerd was. Het was zijn taak om Kosonen te vermoorden, hier terug te komen met het geld en op zijn medeplichtigen te wachten. Ze zouden de tien miljoen euro verdelen, waarna ieder zijns weegs zou gaan en hij zou verdwijnen om een nieuw leven onder een nieuwe identiteit te beginnen.

Maar hij wachtte niet. Hij had een andere boot die hij van zijn vader had gestolen, een Ocean Master 310 Sport Cabin, aldus het manifest. Hij liet de kinderen aan zijn trawanten over en vertrok. Toen die trawanten zich realiseerden dat ze belazerd waren, vermoordden ze de kinderen – het waren tenslotte getuigen – en gingen op zoek naar Antti en hun geld. Ze zijn nog altijd op zoek. Naar alle waarschijnlijkheid is dat de reden dat Moreau hier is. Ze hebben zijn hulp ingeroepen en hem daarvoor Antti's aandeel aangeboden. Ze hebben Kaarina vermoord om Antti te straffen, en als ik het bij het juiste eind heb, zijn ze nu bezig foie gras te bereiden en wachten ze op de finale van dit spel.

En dan Lisbet Söderlund. Hoe past zij hierin en waarom is ze vermoord?

Saukko had weliswaar niet om haar dood gevraagd, maar die was wel het soort symbool waarnaar hij op zoek was, om zijn miljoen euro te doneren. Hij en Jesper spraken erover heroïne te verkopen om de zwarte bevolking te verdoven. Het is mijn taak om de drugs in Helsinki te bestrijden. Ik heb bewezen dat ik daarin zeer bedreven was. Moreau vertelde me dat inmiddels duidelijk is dat we niet zonder narcotica kunnen, maar dat ze gereguleerd moeten worden. De minister van Binnenlandse Zaken vertelde me dat hij gelooft dat mannen die bedreven zijn in een bepaalde taak bijna altijd ook bedreven zijn in andere taken. Daarop gaf hij me een extra taak, het roddelblad, waarmee hij op extra verantwoordelijkheden hintte. Hij en anderen geloven dat ik het geld zal vinden. Het zal verdwijnen. Saukko zal het nooit terugkrijgen.

Ik denk dat ze allemaal wel weten dat de patéverkopers haar hebben vermoord en dat Antti de tien miljoen euro heeft. Plus de andere beloofde miljoen euro, in ruil voor 'een blijk van toewijding aan de racistische zaak', dus elf miljoen in totaal. Dit geld moet over diverse belangengroepen verdeeld worden. Draaf ik nu door, of krijgen de legionairs de concessie voor de heroïne-import en de neonazi's de groothandelsconcessie, waarbij geldt dat onze immigrantenbevolking de beoogde consumentenmarkt is en dit geld eveneens verdeeld moet worden? Ik weet inmiddels dat er in de drugshandel immense bedragen omgaan, en zelfs heel kleine partjes van de taart kunnen velen rijk maken. En moet ik dan Finlands drugstsaar worden, die andere drugsondernemers in het hele land moet ontmoedigen, zoals ik ook in Helsinki heb gedaan? Ik zal in naam nog een politieman zijn, maar in werkelijkheid zal ik als Finlands makelaar in drugs opereren, zoals de ex-legionairs in naam in foie gras handelen, maar in werkelijkheid de heroïnekoningen van Finland zijn.

Het is zo'n bedrieglijk scenario dat het moeilijk te bevatten is, maar ik geloof zeker dat het mogelijk is.

Saukko zal het niet leuk vinden, maar de ontdekking van de kinderlijken komt toch echt op naam van Saska te staan. Ik bel hem op en stel voor dat hij met een politieheli hierheen komt, hen daarmee terugbrengt en een verhaal verzint om de doorbraak in de zaak te verklaren.

De vraag blijft: waar is Antti? Ik denk dat hij zich ergens schuilhoudt en wacht tot hij vergeten is. We vertrekken, zodat we uit de buurt zijn als Saska zijn doorbraak in scène zet, en keren terug naar Saukko's huis.

Saukko is zo begeesterd dat de jacht na een jaar weer is begonnen dat hij niet eens over Saska's betrokkenheid begint te zeuren. Saukko staat erop dat ik in noordelijke richting zoek. Ik geef toe en vraag hem om een kaart van de bezittingen van zijn stichting. Na enig zoeken weet hij die te vinden.

Ik bel ook de minister van Binnenlandse Zaken en leg de situatie uit. Ik vraag hem of hij kan regelen dat we de onbemande vliegtuigjes met radiobesturing kunnen gebruiken in de werkelijke zoektocht naar Antti, om te vermijden dat hij argwaan krijgt als hij echt in noordelijk Åland zit. Ik leg hem uit wat voor type vliegtuigen we willen hebben.

Langs de kust van diverse eilanden liggen rotsholen of grotten. Daar kunnen kleine boten verborgen liggen, die van bovenaf onzichtbaar zijn. Ik stel voor dat de vreemdelingenpolitie schepen rond alle eilanden laat varen om er zeker van te zijn dat Antti zijn boot niet op zo'n plek heeft verborgen.

'Nee, inspecteur,' zegt de minister, 'dat zijn geen goede ideeën. Zo worden onze mogelijkheden beperkt. De vreemdelingenpolitie zou Antti moeten arresteren. Als u hem zou oppakken, zouden onze opties openblijven.'

'Zoals?'

'Zoals dat zijn vader een machtig man is, die liever niet heeft dat zijn zoon in de gevangenis wegkwijnt, ongeacht wat hij heeft uitgespookt. Hij zou zwaar bij ons in het krijt staan als we dat zo regelden. Als u Antti vindt, belt u me op, en dan laat ik u weten wat u te doen staat.'

Ik hoor mezelf zuchten. Corruptie kent geen grenzen onder de machtigen, zelfs als het om moord gaat. Mijn vorige ik zou in woede zijn uitgebarsten. Door me emoties te herinneren, heb ik kunnen verbergen dat ik helemaal geen emoties meer heb. Ik merk nu dat mijn herinneringen langzaam verdwijnen en steeds waziger worden.

'U moet daar naartoe gaan, inspecteur, en alle eilanden stuk voor stuk zelf omvaren. Als u hem niet weet te vinden, zal ik uw suggestie in overweging nemen.'

'U begrijpt dat dit een tamelijk hopeloze onderneming is,' zeg ik. 'Hij zou daar de winter doorgebracht moeten hebben, wat hem heel veel voorbereidingstijd moet hebben gekost. De enige reden waarom ik denk dat dit toch mogelijk zou zijn, hoe onwaarschijnlijk ook, is dat zijn vader over de middelen beschikt om werkelijk overal ter wereld naar hem te zoeken, en dit verlaten gebied zou dan een reële optie zijn.'

'Ik begrijp dat, en ik ben het met u eens. Maar hij heeft zelf tenslotte ook de middelen. Hij zou in het geheim een winterbestendig huis hebben kunnen bouwen.'

'Heel goed,' zeg ik, en ik hang op.

Ik vraag Saukko of ik zijn jacht morgen weer kan gebruiken om de zoektocht voort te zetten en zeg dat het waarschijnlijk een meerdaagse tocht wordt. Hij vindt het prima. Hij wil meekomen. Ik zeg tegen hem dat het me voor iedereen het beste lijkt als dit uitsluitend een politiezaak blijft. Als we Antti zouden vinden, zou hij zo emotioneel kunnen worden dat hij een strafbaar feit zou plegen. Hij gaat met tegenzin akkoord. Het is echt een reusachtige gok om te proberen Antti daar te vinden. Hij heeft zijn vrouw en kinderen verlaten, dus hij wilde echt heel graag weg. Zijn vader beschikt in feite over onbeperkte middelen om Antti te vinden. Als hij echt wil verdwijnen, zoals ik tegen de minister zei, dan moet hij zich ergens aan het eind van de wereld ophouden. Het is een heel kleine kans, maar Noord-Åland komt zeker in aanmerking.

37

Moreau rijdt met me terug naar Helsinki. Ik zeg tegen hem dat hij morgen niet met ons mee kan. 'Het is een sluipschuttersjacht, maar als we Antti en het geld vinden, kan ik geen verklaring geven voor jouw aanwezigheid. Misschien kun je Saukko vergezellen bij zijn triomftocht. Dat zou hij leuk vinden.'

Moreau gaat akkoord. Ik vraag waar ik hem kan afzetten.

'Ik logeer in dat kleine hostel dat jouw vrouw drijft, Hotel Kämp.' Ik zet hem af, koop meer flesvoeding en ga naar huis. Kate ziet eruit als een levend lijk. Ze drinkt een glas water met twee handen. Ze heeft zo'n kater dat ze beeft.

Ik pak Anu op, laat haar op mijn knie paardjerijden en vertel Kate wat ik allemaal te weten ben gekomen. Het interesseert haar geen donder.

'Is er iets, behalve dat je een kater hebt?' vraag ik.

'Waar moet ik beginnen? Misschien moeten we erover praten hoe ik mijn kind dagenlang aan haar lot heb overgelaten terwijl ik dronken was.'

Ik heb geleerd dat je in het huwelijk soms dingen goed moet maken met een omhelzing, en soms juist niet. Nu is het laatste het geval.

'Kate, je probeerde met de grote jongens mee te doen. De mensen met wie je de laatste dagen bent omgegaan drinken veel. Jij niet, en daarom kon je niet meekomen. Misschien had je meteen de eerste keer al van je vergissing moeten leren. Maar gisteravond, toen die pontikka op tafel kwam, is het iedereen overkomen. Anni zei tegen me dat je er niet eens veel van gedronken had. Je bent geen slechte moeder, je hebt alleen een typisch Finse leerervaring doorgemaakt.'

Aan de blik op haar gezicht te zien, zou Kate nu tegen me gaan schreeuwen als ze er niet te ziek voor was. 'Heb je aan de mogelijkheid gedacht dat ik dronken was omdat ik zo enorm baal dat ik mezelf niet meer in de hand heb, zo erg zelfs dat het ten koste gaat van ons kind, en dat jij mogelijk de reden bent dat ik zo enorm baal?'

Ik wist wel dat ze mijn werk niet bepaald zag zitten, maar dat het zo erg was wist ik niet.

'Toen jullie gisteren bij ons kwamen in die bar, liep het bloed uit verwondingen op Sweetness' knokkels. Waarom denk ik dat hij die verwondingen had opgelopen door iemands voortanden uit te slaan?'

'Ik doe onderzoek naar een moordzaak van ongekende proporties en heb bij het oplossen daarvan te maken met zware criminelen, het soort schurken dat onschuldige vrouwen onthoofdt. Ik doe wat ik noodzakelijk acht.'

'Is het voor jou noodzakelijk misdrijven te begaan waardoor je in de cel terecht kunt komen, en zie je in dat je met halvegaren werkt die geen flauwe notie hebben waar ze mee bezig zijn? Jij diste me dat kulverhaal op over een geheime operatie waarmee mensen geholpen zouden worden, en ik kon mezelf er niet toe zetten nee te zeggen, omdat ik dacht dat je misschien zou sterven. Maar deze geheime operaties zijn niet bedoeld om mensen te helpen. Ze zijn alleen bedoeld om corrupte politici te helpen anderen af te persen. Ik liet het allemaal gaan omdat je me een keuze had gegeven en ik er aanvankelijk mee akkoord was gegaan, en ik heb woord gehouden. Ik had het mis. We hadden moeten vertrekken en naar de Verenigde Staten moeten terugkeren. Jij en je team zijn pionnen die zich laten belazeren, en je zult zwaar boeten voor je stupiditeit.'

Ik heb haar nog nooit zo verbitterd gezien.

Ze zegt dat ik even slecht ben geworden als de lieden die ik juist wilde bestrijden en mijn eed om de wet te handhaven heb gebroken. 'Je bent de weg kwijt,' zegt ze. 'Je zult in een kist of in de gevangenis eindigen. Ik ben teleurgesteld en gedesillusioneerd, ik heb alle respect voor je verloren. Je zult moeten veranderen om weer de rechtschapen man te worden met wie ik ooit trouwde.'

'Ik probeer juist goed te doen,' zeg ik.

'Arvid is dood,' gaat ze verder. 'Door de operatie ben je veranderd. En alles wat daarna gebeurd is, heeft ons allemaal veranderd.'

'Kate, het is ook niet zo gelopen als ik zelf had gepland. Ja, ik ben bedrogen en als pion gebruikt. Ik ben ook teleurgesteld en gedesillusioneerd. Als ik had geweten waar deze weg naartoe zou leiden, zou ik die nooit met jou zijn gevolgd. Ik heb een fout gemaakt. En ja, ik weet dat de hersenoperatie me heeft veranderd. Ik kan daar niets aan doen. Ik doe mijn best. Ik begin morgen een zoektocht die maar een kleine kans van slagen heeft. We gaan een paar dagen rond Åland varen. Ga met ons mee. Dat zal je goeddoen. En als we door een of ander wonder Antti Saukko vinden, de man naar wie we op zoek zijn, zul je zien dat we nog altijd politiemannen zijn, geen moorddadige schurken. De zon en de zeelucht zullen ons allemaal goeddoen.'

Ze grijnst sceptisch. Ze denkt erover na, met een bijna spottende blik. 'Oké,' zegt ze.

38

Het is warm vandaag. De lucht is blauw. Een prachtige dag om te varen, en het duurt nog een paar uur voordat we de noordelijke Åland-eilanden bereiken. Saukko heeft zijn kok opdracht gegeven de boot vol te stouwen met etenswaren, genoeg voor een heel leger. Saukko heeft aan alles gedacht, van vers visaas tot een kistje Figurado-sigaren, dezelfde die we samen hebben gerookt. Ik denk dat het me goed gelukt is hem ervan te overtuigen dat ik hem mocht. De zee is kalm en ik hoop dat de relatie tussen Kate en mij door deze tocht ook in kalmer vaarwater komt.

Nadat ik deze moord heb opgelost, wat al snel het geval kan zijn, zal ik mijn problemen met het werk ook oplossen. Ik ben geen politieman geworden om een schurk te zijn. De tijd zal hier een oplossing voor bieden. Ik ga compromitterende informatie over machtige prominenten verzamelen, zodat ze mij niet kunnen attaqueren zonder zelf ook te gronde te gaan. Ik heb zoveel vuige roddels verzameld dat ik al bijna zover ben. Dan zal ik mijn werk op mijn eigen voorwaarden voortzetten, of er gewoon mee stoppen. Ontslag nemen. Ik zal doen wat Kate me heeft gezegd. Met het geld dat ik heb gestolen vertrek ik met haar naar de Verenigde Staten en ga postzegels verzamelen.

Kate en ik smeren ons flink in met zonnebrandolie, zorgen ervoor dat onze baby van top tot teen tegen de zon beschermd is en gaan naast elkaar zitten in dekstoelen die je helemaal plat kunt leggen zodat je erin kunt liggen. Haar kater verdwijnt langzaam en haar humeur verbetert, en na een poosje haakt ze haar pink om de mijne. We snacken wat en drinken frisdrank, en we laten Milo al het werk opknappen. Ik zie dat Sweetness niet drinkt. Ik vraag me af of het aan de verandering in zijn relatie met Jenna te danken is dat hij nog nuchter is. Toen we uit Helsinki vertrokken, was het een drukte van belang op zee, maar hoe noordelijker we komen, hoe minder schepen we zien.

Het leven op een klein eiland in Åland lijkt best interessant. Een wereld vol water. Een alternatieve manier van leven. De inwoners gaan met boten naar de supermarkt, 's avonds naar de bar als ze onder elkaar willen zijn, overal heen.

Milo heeft de kaart, en na een paar uur varen zegt hij tegen ons dat we nu in het gebied zijn met de eilanden die door Saukko's stichting gedoneerd zijn. Het is tijd om rond te gaan kijken. Sommige zijn niet meer dan een rotsblok, andere zijn veel groter. Kate wordt milder, haar verbittering ebt weg. Op zeker moment gaan we naar een hut beneden en vrijen met elkaar. Als we terugkomen, ligt het jacht voor anker bij een tamelijk groot eiland. Er steekt een steiger de oceaan in, maar naast en achter de steiger is een grot. Het plafond ervan is een paar meter hoog en strekt zich uit tot zo'n twintig meter onder het eiland. We bevinden ons aan de zuidkant van het eiland, dat hier licht bebost is en ongeveer honderd meter in doorsnee meet.

In de grot liggen een vissersboot met twee motoren en een jetski. Het is niet te geloven: we hebben Antti echt gevonden.

'We meenden dat er geen reden tot haast was en hebben op jou gewacht,' zegt Milo. Voorzichtig legt hij aan tegen de steiger. Sweetness springt erop en maakt de touwen vast.

Ik betwijfel of het nodig is, maar we trekken toch kogelvrije vesten en de rest van onze uitrusting aan. Antti heeft tenslotte een man vermoord, als mijn theorie klopt. We volgen een smal pad en gaan af op de geur van vlees dat bereid wordt. We lopen een meter of vijftig en treffen op een open plek een grote, bouwvallige hut aan, waar twee mensen in dekstoelen eten zitten te grillen. Een van hen is Antti. Hij draagt een batikhemd, een korte broek en slippers. De ander is een knappe vrouw van halverwege de twintig die een maand of acht in verwachting is.

Antti glimlacht. 'Verdomme, het is al bijna een jaar geleden. Ik dacht dat jullie je zoektocht inmiddels wel hadden gestaakt. En we zouden volgende week naar Fasta Åland verhuizen, waar medische zorg is, voordat Mari gaat bevallen. Kan ik jullie ergens mee helpen?'

'Het spijt me,' zeg ik tegen hem, 'maar ik moet je aanhouden.'
'Waarvoor?'
Goed dan, als hij per se wil kunnen we het spel helemaal uitspelen. 'Je eigen ontvoering in scène zetten, de ontvoering van je zus, de diefstal van tien miljoen euro en de moord op Jussi Kosonen.'
Hij gaat achterover zitten, slaat zijn benen over elkaar en neemt een slokje bier. 'Ik heb geen idee waar je het over hebt. Ik ben ontvoerd en weer vrijgelaten. Toen ze me lieten gaan, besloot ik dat ik niet naar mijn oude leven terug wilde. Ik ben met Mari hierheen vertrokken vanwege de rust en de stilte, en we wachten hier tot we vergeten zijn. Dat is allemaal niet strafbaar.'
'Ik ben ervan overtuigd dat we het losgeld vinden als we ernaar op zoek gaan. Dat is ons bewijs.'
'Je mag zoeken tot je een ons weegt,' zegt hij.
Mari heeft nog geen woord gezegd, maar ze lijkt doodsbang. 'Alles goed met je?' vraag ik aan haar. 'Kan ik iets voor je doen?'
'Vertrekken, meer niet.'
'Laten we binnen beginnen,' zeg ik. 'Antti, zou je met ons mee willen gaan?' Ik wil hem in de gaten houden.
Wat we binnen aantreffen, verbijstert me. Hij heeft een klein, maar fijn modern huis gebouwd met alle voorzieningen en de buitenzijde met planken van oude vissershutten gecamoufleerd.
'Dit is geweldig,' zeg ik. 'Ik ben onder de indruk.'
'Bedankt,' zegt Antti. 'Ik heb alles zelf gedaan in mijn vrije tijd. Het heeft me vijf jaar gekost. Ik wilde mijn oude leven al heel lang achter me laten.'
'Had je geen gemakkelijker manier kunnen bedenken?'
Hij schudt zijn hoofd. 'Je kent mijn vader niet.'
Hij is zo ontspannen en vriendelijk dat we de procedures negeren. We doen hem geen boeien om. Helemaal niets. We lijken wel gek. Ik buk me om onder het bed te kijken. Ik schrik zo hevig van een geweerschot dat ik bijna in mijn broek pis. De kogel vliegt rakelings langs me heen en verbrijzelt een raam aan de overkant van de slaapkamer. De volgende kogel treft me in mijn zij. Het kogelvrije

vest houdt hem tegen, maar het schot jaagt me de stuipen op het lijf. Milo heeft zijn pistool getrokken terwijl Antti op zijn hoofd richtte. En dan breekt de hel los. Terwijl de ene na de andere luide knal het huis doet schudden, begint Antti opeens spastisch als een marionet te kronkelen, totdat zijn halve hoofd eraf wordt geschoten en hij valt. Sweetness gaat over hem heen staan en schiet het restant van zijn munitie op Antti's gezicht leeg totdat de patronen in zijn .45's op zijn.

Na zestien treffers in zijn borst, gezicht en hoofd is er niet veel meer van hem over. Het is echt een gore bende. Zijn vriendin probeert binnen te komen, maar Milo duwt haar naar buiten, zodat ze het niet ziet.

Een paar minuten lang blijven we allemaal zo staan, niet goed wetend wat te doen, totdat een bekende stem de zin herhaalt die ik hem het eerst heb horen zeggen. 'Ik hoop dat ik je niet op het verkeerde moment stoor.'

Ik draai me om en zie Moreau in de deuropening staan, met Kate voor hem. Ze heeft Anu in haar armen. De loop van zijn Beretta raakt haar hoofd.

'Zullen we naar buiten gaan?' zegt hij. 'De stank van opengereten ingewanden is me hier iets te overweldigend.'

We lopen naar buiten, en hij zegt tegen iedereen dat we het ons gemakkelijk moeten maken. Hij haalt zijn pistool van Kates hoofd weg en haalt een stoel voor haar. 'Leg alsjeblieft een voor een jullie wapens voor je neer en schop ze naar me toe.' Milo – God zegene hem – probeert te bewijzen dat hij de bedreven schutter is die hij altijd had willen zijn en trekt snel zijn pistool in een poging ons allemaal te redden. Adrien reageert bliksemsnel en schiet een kogel door Milo's pols. Zijn pistool valt op de grond en hij houdt zijn arm omhoog om ernaar te kijken. Hij probeert zijn vingers te bewegen, maar dat lukt niet.

'Ik heb je toch verteld dat Deputy Dawg Yosemite Sam nooit kan verslaan,' zegt Moreau. 'Ik ben de meest geroutineerde outlaw van het Westen. Je pols- en spaakbeenzenuw zijn vernield. Ik betwijfel of je die hand ooit weer kunt gebruiken. Over een minuutje gaat het vreselijk pijn doen.'

'Krijg de klere,' zegt Milo. Op dit moment heeft hij slechts een beperkt repertoire aan gevatte reacties. Hij zakt op de grond maar gaat weer zitten, zijn pols met zijn andere hand ondersteunend.

Moreau verzamelt onze Colts en legt ze een eind buiten ons bereik op een hoop. Er zijn slechts twee stoelen. Kate heeft er eentje, ik neem de andere. 'Wat wil je?' vraag ik.

'De tien miljoen. Geef die aan mij, dan laat ik je verder met rust.'

'Antti is gestorven voordat hij ons vertelde waar het geld is.'

'Het spijt me. Ik kan niet geloven dat je zo stom zou zijn hem te doden voordat hij dat aan jou had verteld.'

Hij zal nooit geloven dat ik te stom was om hem te boeien en te bewaken, maar ik probeer het toch. 'Hij trok een pistool en toen schoot Sweetness hem neer.'

'En met verve! Maar toch, zo stom ben je niet.'

Ik overweeg een beroep op zijn gemoed te doen, maar wat ik ook zeg of doe, het zal niets uitmaken. Hij zal vasthouden aan zijn eigen plannen, hoe die ook mogen luiden.

'Weet je alles?' vraag ik. 'Bijvoorbeeld wie Lisbet Söderlund heeft vermoord?'

'Natuurlijk! Dat weet ik de hele tijd al. Het volgende staat te gebeuren,' zegt Moreau. 'Ik zal dat groepje van jou martelen totdat ik het geld heb. We hebben alle tijd van de wereld, en het zal je immense pijn bezorgen. Ik zou je dat kunnen besparen. Geef me dus het geld.'

'Het spijt me,' zeg ik, 'als ik het had, zou ik het geven. Maar ik heb het niet.'

'Dan zal ik je de details geven terwijl je lijdt,' zegt hij. 'Als leider moet jij eerst lijden. Zoals je eerst was, zul je weer worden.'

Ik probeer alle gedachten uit mijn hoofd te zetten en me te wapenen voor wat komen gaat. Ik vraag hem niet om Kate te sparen, omdat dat teken van zwakte hem ertoe kan aanzetten haar eerst te kwellen.

'Ik zal bij het begin beginnen,' zegt Moreau. 'Meer dan een jaar geleden hebben mijn voormalige kameraden van het Vreemdelingenlegioen de ontvoering van Kaarina Saukko met Antti in scène gezet. Ze hebben Kosonen gevonden, de stakker. Hij kwam vaak in hun winkel, en zij hebben zijn kinderen meegenomen. Zij hebben het misdrijf gepland en het huis leeggehaald, het technische werk gedaan. Antti kende de gebruikersnaam en het wachtwoord bij het beveiligingsbedrijf omdat hij daar geweest was toen het systeem gepland werd. Hij had meegekeken toen de technicus zijn computer aanzette en heeft alles onthouden. Geen kwestie van toverij dus, maar door de inval bij het bedrijf leek de inbraak nog professioneler en niet zozeer door bekenden uitgevoerd.'

Ik heb een korte broek aan. Moreau onderzoekt mijn knie, zet zijn pistool precies op de plek waar ik eerder door een kogel ben getroffen en schiet. De kogel vliegt door de oude uitgangswond. De pijn is vreselijk en ik kreun, maar ik gun hem niet het plezier om een gil te slaken. Vaarwel, gereconstrueerde knie.

'Die klungel haalde het losgeld op, Antti vermoordde hem, lapte mijn collega's erbij en verdween. Hij heeft de schilderijen bij hen gelaten, naar ik aanneem als compensatie, zonder daarbij te bedenken dat de herkomst bekend is. Dat betekent dat ze waardeloos zijn, omdat er vóór de overval geen koper voor een privécollectie was. Blijkbaar is hij naar dit eiland vertrokken om zijn vriendin te ontmoeten.'

Ze knikt en bevestigt dit.

'Als straf voor het verraad hebben ze Kaarina doodgeschoten. Ze hebben haar vermoord met een .308 Winchester, die ze arrogant genoeg behielden, in plaats van zich ervan te ontdoen. Zoek dat ding. Dan heb jij je moordwapen en zul je het misdrijf zonder twijfel binnen de kortste keren oplossen. Daarna gingen ze zonder succes op zoek naar Antti. Ze hebben de politie een jaar lang in de gaten gehouden en hun vorderingen gevolgd. Het lukte de politie niet hem te vinden. Als ze de politie, die altijd omzichtig moet handelen in het onderzoek van een zaak, maar één stapje voor konden blijven, zouden ze de tien miljoen incasseren. Er verstreek te veel tijd. Omdat ze bang waren dat de politie steeds minder interesse in de zaak zou krijgen, belden ze mij, boden me een percentage aan en overtuigden Veikko Saukko er met hulp van hun connecties van dat ik erbij betrokken moest worden. Ik heb contact met jou gezocht om je ervan te overtuigen dat de ontvoering en moord op Saukko en de moord op Söderlund waarschijnlijk verband met elkaar hielden, en ook om te waarborgen dat de zaak-Saukko de hoogste prioriteit behield, terwijl ik tegelijk op de hoogte bleef van de ontwikkelingen. Dan kon ik Antti doden en het geld terugpakken. Om me daarbij te ondersteunen pleegden Marcel en Thierry de overvallen, vermomd als islamitische fundamentalisten. Ze hadden hun gezicht met houtskool gecamoufleerd om voor zwarten door te gaan en schreeuwden daarbij leuzen met belachelijke accenten. Ze begingen ook de racistische moorden, simpelweg om de schijn te wekken dat die verband hielden met de moord op Söderlund en om jou enthousiast te houden.'

Hij kijkt me onderzoekend aan. 'Doe je mond open.'

Ik weiger.

'Oké,' zegt hij, 'of je gehoorzaamt, of ik schiet je door allebei je kaken.'

De wijsheid gebiedt dat ik mijn mond open. Hij steekt de loop erin, schiet het brugwerk eruit op de plek waar mijn eigen kiezen zijn weggeschoten en creëert een wond die precies zo'n litteken zal achterlaten als ik heb laten verwijderen. De pijn is verschrikkelijk. Ik voel me duizelig. Hij steekt zijn hand in zijn zak en geeft me iets. 'Dat is een zakje heroïne. Snuif er een heel klein beetje van. Jij bent niks gewend als het om opiaten gaat. Als je te veel gebruikt, krijg je een overdosis of ga je van je graatje. Je moet precies weten wat heroïne doet.'

Hij loopt naar Antti's vriendin. 'Als je me niet vertelt waar het geld is, dood ik je baby.'

Ze gilt en legt haar handen op haar buik. 'Ik weet het niet, dat heeft hij me nooit verteld.'

'Je hebt tien seconden,' zegt hij.

Huilend smeekt ze hem om genade. Hij telt. Ik open het zakje, strooi wat heroïne op mijn duimnagel en snuif het op. De pijn trekt weg. Ik slaak een zucht van verlichting. Ik ben wel zeker het een en ander gewend; ik heb drugs gebruikt om mijn hoofdpijn te bestrijden. Ik kan nog steeds coherent denken.

Hij telt tot nul af en schiet schuin door haar buik heen. De kogel treedt aan de andere kant van haar buik weer naar buiten. Als de baby al niet dood is, zal dat niet lang meer duren. Ze kreunt alleen maar en huilt stilletjes. Haar man, haar droom, haar kind. Ze is alles kwijt.

'We komen nu in tijdnood,' zegt Moreau. 'Als ze niet snel medische hulp krijgt, zal ze aan interne bloedingen overlijden.'

Kate maakt geen geluid, maar de doodsangst staat in haar gezicht geëtst, en ze houdt Anu stevig vast.

Hij knielt naast haar neer. 'Je hoeft niet bang te zijn voor mij. Je doet me heel sterk denken aan iemand die me zo nabij was dat ik liever zelf zou sterven dan dat ik jou iets zou aandoen. Zij is er niet meer, maar zolang jij er nog bent, is zij er in zekere zin ook nog.'

Hij loopt weer naar mij toe. 'Zeker, er deed een gerucht de ronde dat degene die Lisbet Söderlund vermoordde haar baan zou krijgen, maar dat was niets meer dan een gerucht, in de wereld gebracht door Roope Malinen. In werkelijkheid hebben mijn collega's van het Vreemdelingenlegioen haar vermoord op grond van een afspraak met Malinen, die hun een permanente, lucratieve concessie in de Finse heroïnemarkt had beloofd, zonder enige concurrentie. Malinen loog. Hij had helemaal de macht niet om hun in ruil voor de moord op Söderlund iets te beloven. Hij haatte haar en deed een valse belofte over een heroïneconcessie in de hoop dat hij dat later wel recht kon breien, uitsluitend omdat ze van hem dood moest. Dankzij jouw recente activiteiten had hij die belofte nog bijna gestand kunnen doen ook. In hun levensmiddelenwinkel hebben ze haar hoofd met een vleeszaag afgesneden. Als je vandaag overleeft, dan zul je vast en zeker genoeg DNA van de zaag en bloedspetters in hun keuken vinden om dat te bewijzen. Saukko eiste dat ze zouden laten zien dat ze zich daadwerkelijk wilden inzetten voor de haatcampagnes, en aan die eis voldeden ze. Saukko zei dat ze niet meer alleen op het internet de boel moesten opstoken en echt iets moesten doen, daarmee suggererend dat hij van gedachten zou veranderen over zijn campagnedonatie. Via Malinen werden ze ervan op de hoogte gebracht dat Saukko daadwerkelijk actie wilde zien. Marcel en Thierry deden het om politieke redenen, in de hoop dat Saukko zijn campagnebelofte van een miljoen euro zou nakomen. Maar Saukko belazerde de boel.'

Kate vindt haar stem terug. 'Waarom zou je ons laten leven? We weten wie je bent.'

'Ik verzeker je dat je dat niet weet. Ik werk inderdaad voor de Franse regering, maar ik heb een hele stapel valse identiteiten. Ze zullen je de ene dag vertellen dat ik voor hen werk en het de volgende dag glashard ontkennen.'

'Heb je overwogen dat we niet weten waar het geld is en dat je ons mogelijk voor niets ombrengt?' vraagt ze.

'Dat is inderdaad een mogelijkheid.'

'Je bent een slecht mens,' zegt ze.

'Zoals ik je man ooit heb verteld, bewaar ik juist de vrede. Soms zijn er extreme maatregelen nodig om de vrede te bewaren. Als je me de tien miljoen euro geeft, zal dat de harmonie in het leven van ons allemaal herstellen.'

'Voor zo'n groot altruïst lijk je nogal gepreoccupeerd met rijkdom.'

'Feitelijk heb ik geen andere interesses dan mijn werk, en ik heb een eenvoudige smaak. Mijn rijkdom is symbolisch. In de duistere momenten dat ik twijfel, tel ik mijn tegoeden, en de totale som dient als bewijs en geruststelling dat ik het carrièrepad heb gevolgd dat mijn lot was. Veel meer valt er niet over te zeggen.'

'Maar toch zou je ons allemaal doden om het geld te krijgen?'

'Zeker, behalve jou dan.'

Hij loopt naar Milo toe, klapt zijn stiletto open en snijdt Milo's rechteroor af. Het bloed gutst langs zijn nek. 'Jij bent de zwakste. Ik geloof dat jij het eerst zult praten. Ook dit is een kwestie van tijd. Als je te lang wacht, kan het niet meer aangenaaid worden. De volgende keer dat je aan de beurt bent, maak ik een scherpe punt aan een stok, steek je oog eruit en verricht een provisorische lobotomie op je. In plaats van briljante berekeningen te maken met je enorme brein, zul je dan je leven doorbrengen in een rolstoel, met een kwijlbakje aan je kin bevestigd. Het is verbazend gemakkelijk uit te voeren. De man die de methode algemene bekendheid heeft gegeven, deelde honderden hersenen per dag, waarbij soms hele inrichtingen vol psychiatrische patiënten tegelijk werden behandeld.'

Milo maakt geen geluid. Zelfs de blik op zijn gezicht verandert niet. Het oor lijkt op een vreemd gevormde paddenstoel op een steen in de zon.

Moreau vervolgt zijn uitleg. 'Antti bracht de kinderen onder in het zomerhuis, dat de familie in geen jaren had gebruikt, terwijl hij tijdens de ontvoering verdween. Toen hij met het geld vertrok, liet hij hen achter. Nu hun vader dood was, konden Marcel en Thierry er verder weinig mee, en ze dienden ze een overdosis heroïne toe in hun slaap.'

'En denk je niet dat ze zullen proberen jou op te sporen en te vermoorden nadat je hun zuurverdiende fortuin hebt gestolen?'

'Ze waren niet langer nodig en zaten me alleen nog maar in de weg. Ik zag geen reden om de tien miljoen met ze te delen nadat ze hun eigen missie hadden verknoeid en een beroep op mij deden om de boel recht te breien. Ik ben hier om meerdere redenen. Een ervan is de drugshandel onder controle te houden. Een andere is de racistische beweging te vernietigen die in Finland explosief lijkt te groeien. Daarmee wordt de bestaande orde verstoord. Mijn missie voor mijn werkgevers is om de orde te herstellen waar de situatie dat vereist, kort gezegd.

In de heroïne die ik in jouw bijzijn aan mijn ex-kameraden gaf, zaten onderin vergiftigde brokjes om de verwarring te vergroten en de vergiftiging een tijdje te verbergen. Terwijl de heroïne die ik jou gaf zuiver is en niet versneden. Ze hebben dus heroïne die met strychnine was vermengd aan racistische elementen gegeven, die het spul vervolgens verkocht hebben aan dealers die voornamelijk met zwarten zakendoen, ten behoeve van de "nikkerverdoving", zoals zij het noemen. Helaas zal dit een aantal doden kosten, maar het spoor zal uiteindelijk naar de blanke racisten leiden. Dat zal echter resulteren in de opsluiting van deze racistische drugsdealers, terwijl tegelijkertijd sympathie wordt gewekt voor hun slachtoffers, de immigranten. Mijn kameraden waren een blok aan het been geworden. Als je vandaag overleeft, zul je ontdekken dat ik het voor jou gemakkelijk heb gemaakt je zaken op te lossen en weer als een held onthaald te worden. Maar wel een kreupele held. Misschien doet het je goed om te weten dat ze, na alle onnodige pijn die ze hebben veroorzaakt – grotendeels uit plezier, kan ik eraan toevoegen – op ellendige wijze zijn gestorven.'

Kate zegt: 'Milo heeft vreselijke pijn. Mag ik hem wat heroïne geven en zijn oor in de schaduw leggen zodat het misschien nog te redden is? Het wordt veel te heet op die steen.'

'Jou kan ik niets weigeren,' zegt hij.

Hij geeft haar een zakje en ze loopt naar de overkant van de open plek om voor Milo te zorgen. Kate pakt zijn oor op en legt het in de schaduw, zodat het koeler blijft en minder snel ontbindt.

Moreau stapt naar Sweetness toe. Hij zit in kleermakerszit op de grond, met zijn heupfles in zijn hand. Hij zuigt eraan.

'Verstandige actie,' zegt Moreau. 'Om een mannetjesputter als jou kapot te maken is heel wat denkwerk vereist. Hoe martel je een olifant? Ik heb het gevoel dat je veel pijn kunt verdragen, maar je bent ook een romanticus die veel affectie voor de anderen voelt. Daarom heb ik hen eerst pijn gedaan.'

Hij staat met zijn rug naar Kate toe. Milo draagt zijn leren jack met de speciaal gemaakte holster om zijn geweer met afgezaagde loop onzichtbaar te maken. Blijkbaar heeft Milo dat nooit aan Moreau laten zien. Kate zet Anu op de grond, haalt het geweer uit de holster en richt het op Moreau. Het lijkt een enorm wapen in haar handen. Het is moeilijk voor haar, maar ze zet haar duimen tegen elke hamer en trekt uit alle macht. Langzaam glijden ze weer terug en klikken vast.

Moreau hoeft niet te kijken en draait zelfs zijn gezicht niet naar haar om. Hij kent het geluid.

'En dat na alle aardige dingen die ik daarnet over je heb gezegd.'

Ze zegt: 'Verroer je niet.'

Hij gehoorzaamt.

Ze houdt de lopen recht, hoewel ze hevig beeft en het geweer zwaar is. Als ze op ruim een meter afstand van hem staat, haalt ze beide trekkers over. Het geweer gaat met een enorme knal vlammend af en rook ontsnapt uit de lopen. Milo had het geweer met steenzout moeten laden, maar nu blijkt dat de munitie uit vlijmscherpe pijltjes bestaat. Moreau wordt door het schot dwars over zijn middenrif bijna in tweeën gespleten. Zijn boven- en onderlichaam zitten nauwelijks nog aan elkaar vast. Bloed en ingewanden, botsplinters en lichaamsvocht spuiten naar buiten en komen op Sweetness terecht. Moreau valt, maar hij leeft nog steeds. Ik zie hem met zijn ogen knipperen. Zijn jack staat in brand. De vlammen breiden zich uit over zijn lichaam.

Door de terugslag is het geweer tegen Kates slaap geknald en heeft die opengereten. Het bloed loopt over haar wang. Ze veegt het bloed weg en smeert het uit. Het druipt op haar schouder. Ze laat het geweer vallen en zakt op de grond neer. Ik praat tegen haar, maar ze is in shock en helemaal in zichzelf gekeerd. Ze beweegt noch spreekt. Haar mond hangt open en speeksel vloeit langs haar kin omlaag.

Nu staan Moreaus overhemd en broek in brand. Sweetness giet kossu op hem. De vlammen laaien op. Moreau kan niet bewegen, maar knipoogt naar Sweetness, alsof dit een grap is die alleen zij beiden kunnen begrijpen. Sweetness haalt zijn enorme paardenpik tevoorschijn en pist over hem heen, 'Adieu' zeggend.

Ik kijk rond. Mari, het zwangere meisje, is dood. Ze is leeggebloed. Alleen Sweetness is ongedeerd. Ik vraag hem Milo's oor naar de boot te brengen en op ijs te leggen.

Door de heroïne kan ik helder blijven denken. De pijn komt in golven terug. Ik snuif nog wat op en duw mezelf met mijn stok omhoog. Ik strompel naar Milo toe en strooi een beetje heroïne op mijn duimnagel.

Praten valt me moeilijk, en ik slis. 'Sjnuif thit.'

Hij snuift het spul op en zegt nog steeds niets, maar ik zie dat zijn lichaam ontspant.

Ik strompel naar Kate toe en zak naast haar op de grond. Ze staart recht voor zich uit en wil niet met me praten. Ik kijk naar haar hoofd. Het zit onder het bloed, maar dat zegt niets. Hoofdwonden bloeden altijd hevig.

Ik denk dat het een gewone snijwond is, meer niet. Ik pak haar hand op en laat die los. Hij valt slap terug op haar schoot. Het licht is aan, maar er is niemand thuis. Een traumatische shock.

Sweetness komt terug. 'Ik weet waar het geld is,' zegt hij.

Ik kan hem wel wurgen. 'Waarom heb je hem dat dan niet verteld?'

'Ik heb het net ontdekt. Kijk maar naar het kerkhof achter het huis.'

Achter aan de open plek zie ik vier steenhopen, gemarkeerd met houten kruisen. Ze getuigen ervan dat hier ooit vissers zijn gestrand die waarschijnlijk te lang hebben gewacht om te vertrekken, door de winter zijn overvallen en zijn doodgevroren. Omdat de grond te hard was om te graven, bedekten de andere vissers hun vrienden met stenen en markeerden hun laatste rustplaatsen.

'Alle stapels zijn even verweerd, op eentje na,' zegt Sweetness, 'en het kruis is ook een beetje anders. Het geld ligt onder de stenen.'

Ik moet een traumahelikopter bellen om ons allemaal te evacueren, maar ik zal niet toestaan dat dat geld terugkeert bij die racistische klootzak van een Saukko of gestolen wordt – waarschijnlijk als ze dit eiland gaan uitkammen, op zoek naar het geld. Na al het leed dat het heeft veroorzaakt, zal ik het eerst verbranden. Ik probeer zo min mogelijk te praten, gezien de helse pijn die elk woord me bezorgt. 'Probeer het te pakken.'

Hij brengt Anu naar me toe en gaat aan de slag. Hij begint te graven, de stenen op de andere hopen gooiend. Hij breekt het kruis in stukken, zodat er geen bewijs overblijft dat hier ooit een steenhoop is geweest. En dan nog zijn er mensen die hem een domkop vinden. Onderop liggen de twee sporttassen met bankbiljetten. Het heeft hem tien minuten gekost.

Milo komt naar me toe. Hij zit onder het bloed, maar dankzij de heroïne is hij nog alert genoeg. Hij zegt tegen Sweetness: 'Kun je met een boot naar Turku varen?' Milo wijst. 'Die kant op. De gps-navigatie van de boot geeft de route aan.'

Sweetness knikt. 'Ik denk van wel.'

Milo praat langzaam en pauzeert halverwege zijn zinnen, maar hij blijft geconcentreerd. 'Die van Antti is de snelste boot, en de enigen die er nog van weten zijn wij en Saukko, maar die zal er niet aan denken hem in de gaten te houden. De sleutels hangen aan een spijker bij de gootsteen. Zorg dat je genoeg brandstof hebt en vertrek meteen. Zodra je in Turku bent, neem je een bus naar Helsinki. Onderweg neem je een duik en was je het bloed zo goed mogelijk af. Je zult door de wind opgedroogd zijn voordat je daar aankomt. Zodra je in Helsinki bent, verberg je het geld voordat je naar huis gaat op een plek waar niemand ooit zal kijken.'

Kate rolt op haar zij en neemt de foetushouding aan. Ik vraag Milo: 'Kun je bellen?'

Hij verzoekt om de helikopter en zegt dat er dode burgers en politieagenten zijn. Wat een lul is Milo toch. Hij kan geen afstand doen van zijn speeltjes. Hij verzamelt de Colts en zijn afgezaagde geweer, stopt ze in onze holsters en zakken en gaat naast me liggen.

Ik hou Anu met mijn ene hand tegen mijn borst. Mijn andere hand leg ik op zijn schouder. Ik zeg: 'Vertel ze gewoon de waarheid, behalve over Antti: zeg maar dat Moreau hem heeft doodgeschoten.'

'Oké,' zegt hij, en hij valt flauw.

Ik denk aan Moreau. Hij vloog te dicht bij de zon, zijn Icarusvleugels smolten en hij stortte brandend op aarde neer, zijn dood tegemoet.

39

Ik word wakker in een ziekenhuisbed, volkomen verdoofd. Mijn eerste gedachten zijn of ik nog een been en kaak heb. Ik til het laken op. Mijn been is er nog steeds. Ik voel aan mijn gezicht. Er zit zo'n dik verband omheen dat ik niets kan voelen.

Ik bel, de verpleegster komt opgewekt glimlachend binnen en zegt tegen me dat ze blij is dat ik weer wakker ben. Ik bedank haar en vraag of ze een dokter kan halen om met me te spreken. Ik wil niet alleen weten hoe ik er zelf aan toe ben, maar ook hoe het mijn vrouw, dochter en collega vergaat.

Er gaat een uur voorbij voordat er een dokter binnen komt sjezen, die ook al glimlacht, en me vraagt: 'En hoe voelen we ons vandaag?'

Ik zou hem graag een oplawaai verkopen.

'Heb ik nog een kaak?' vraag ik.

Hij kijkt naar mijn status. 'Met uw kaak is alles goed. Het bot is nog intact. Wat dat betreft hebt u weinig schade opgelopen. De kiezen die zijn weggeschoten waren prothesen en toch al niet van uzelf. De kogel heeft verwondingen aangericht in een eerder getroffen gebied. Mogelijk is er enige extra zenuwbeschadiging en u kunt moeite hebben die kant van uw gezicht te bewegen. Dat zal de tijd moeten leren.'

'En mijn knie?'

Hij zucht. 'Het eerste schot door uw knie heeft veel kraakbeen vernietigd, en in de loop der jaren is er nog meer weggesleten in het normale gebruik, nadat het door de beschadiging kwetsbaar was geworden. Tijdens uw recente hersteloperatie is een deel van dat beschadigde kraakbeen verwijderd. De prothese is door het laatste geweerschot vernield. Ik betwijfel of een nieuwe prothese zin heeft. Nogmaals, de tijd zal het leren. Maar het ziet ernaar uit dat u dezelfde problemen als voor de hersteloperatie zult hebben, alleen ernstiger. Ik betwijfel of u zonder hulp zult kunnen lopen, in elk geval niet zonder stok. Maar uw been blijft behouden. Daar mag u dankbaar voor zijn.'

'Mijn vrouw en collega zijn ook gewond geraakt. Kunt u nagaan hoe het met hen gaat?'

'Natuurlijk.'

'En ik wil sigaretten hebben. Kunt u dat regelen?'

'Ik zal naar het kantoor gaan en zien welke persoonlijke bezittingen er van u bewaard worden.' Hij klopt me op mijn schouder. 'Ik koop er wel een paar voor u en neem u zo nodig zelf wel mee naar buiten.'

Even later komt hij terug. Hij heeft mijn portemonnee, mobiele telefoon, stok, sigaretten en aansteker. Mijn andere bezittingen zijn in bewaring bij de politie.

Hij rijdt me in een rolstoel naar buiten zodat ik kan roken. Daar tref ik Milo. 'Uw vriend kan zelf over zijn toestand vertellen. Uw dochter is in onze kinderkamer en uw vrouw reageert uitsluitend op haar. Uw vrouw lijdt aan een acuut stresssyndroom, wat blijkt uit haar onvermogen op stimuli te reageren, desoriëntatie en dissociatieve gevoelloosheid. Ze is zwaar gesedeerd. Haar toestand zal waarschijnlijk verbeteren; het is alleen de vraag wanneer. Het zal een kwestie van dagen of weken zijn.'

'Wanneer kunnen we allemaal naar huis?'

'U kunt naar huis, maar hebt daar voortdurend professionele hulp nodig, omdat u allebei niet voor elkaar kunt zorgen en u allebei nauwlettend in de gaten gehouden moet worden. Uw verband dient bijvoorbeeld zeer nauwkeurig verschoond te worden. Ik kan u de contactinformatie voor thuiszorg geven. Als u dat niet kunt betalen, kunt u hier blijven totdat de situatie verbetert.' De dokter brengt me naar mijn kamer terug en Milo komt met ons mee. Ik bedank de dokter, die ons verder met rust laat. 'Er zijn hier waarschijnlijk microfoons aangebracht,' zeg ik, 'dus zeg niets wat privé moet blijven. Hoe gaat het?'

Zijn hoofd zit eveneens in het verband. 'Ze hebben mijn oor weten te redden. Misschien blijft het in een rare stand hangen. Mijn hand zal nooit meer goed functioneren, als ik hem al kan bewegen. Misschien helpt fysiotherapie.'

'Ik denk dat je moet leren linkshandig te schieten.'

Hij zucht. 'Dat denk ik ook. Maar ik mag morgen naar huis. Dat is tenminste iets. Ik vind het hier verschrikkelijk.'

'Ik wil geen vreemde in mijn eigen huis hebben. Je zei toch dat Mirjami verpleegster was?'

'Misschien herinner je je nog dat ze verliefd op je was. Ik denk niet dat ze nee zal zeggen.'

Ik herinner me ook dat ik zo opgewonden van haar werd dat ik bijna in mijn broek klaarkwam toen ik haar ontmoette. Maar seks staat momenteel heel laag op mijn verlanglijstje. 'Ze heeft momenteel niet veel aandacht voor me. Ik denk dat het voorbij is. Wil je haar voor me bellen? Zeg tegen haar dat ik haar betaal wat ze vraagt.'

'Goed. En ik kom nog wel langs, zodat we buiten kunnen roken.' Dat is alles waar ik op dit moment naar uit kan zien. 'Tot straks.'

Als hij naar buiten loopt, komen er twee SUPO-rechercheurs binnen om een verklaring van me op te nemen. Ik vertel mijn verhaal. Ze stellen geen vragen zoals in een verhoor, maar nemen mijn verhaal alleen op de band op. Dan feliciteren ze me met de doorbraak in de zaak-Saukko, geven me een hand en wensen me het beste met mijn herstel. Ik dut meteen in.

Als ik wakker word, zit Sweetness in een stoel naast het bed. 'Hier,' zegt hij, en hij geeft me een bos bloemen en een doos snoepjes. Ik weet niet of het een grap is of niet.

'Het was bedoeld om je aan het lachen te maken,' zegt hij.

Ik laat mijn neplachje zien. 'Sorry, alles doet pijn. Kijk uit met wat je zegt. Ik weet zeker dat hier microfoons hangen. Alles goed met je?'

'Alles is volgens plan verlopen, en ja, alles gaat goed. Ik ga nu met Jenna.'

'Geweldig zeg, je moet een gelukkig man zijn.'

'Ik moet er wel wat voor overhebben: ze heeft me mijn heupfles laten inleveren.'

'Nog beter zelfs. Verstandig meisje. Dat spul zou anders je dood nog worden.'

Hij haalt zijn schouders op. 'Je moet toch ergens aan dood. Vraag maar aan mijn broer.'

Milo komt binnen. 'Hé! De hele bende zit hier.'

'Hoe gaat het met jullie?' vraagt Sweetness.

Milo zegt: 'Naar de kloten en voorgoed beschadigd, maar we leven nog. Hoe gaat alles bij jou?' Hij doelt op het geld.

Sweetness snapt zijn bedoeling. 'Alles onder controle.'

'Mirjami heeft verlof genomen om voor je te zorgen,' zegt Milo tegen me. 'Haar baas voelde er niets voor, totdat ze vertelde dat ze voor de grote gevallen held ging zorgen. Zodra je akkoord gaat, is ze bij je thuis.'

'Dan kunnen we vertrekken. Sweetness, wil je mij een plezier doen en ons allemaal in de SUV naar huis brengen?'

'Pak je spullen maar. Hij staat buiten geparkeerd.'

Omdat ik een neergeschoten agent ben, krijg ik een vipbehandeling. Ik vraag een verpleegster of ze mijn vrouw kan aankleden, mijn kind kan ophalen en ons in de hal kan opwachten. Ze heeft een halfuurtje nodig, zegt ze.

We gaan naar buiten, zitten even bij elkaar zonder afluisterapparatuur en lopen, hinken en rijden om de beurt naar de SUV. 'Ik heb een plan,' zeg ik. 'We lossen deze moorden in een paar dagen op en maken ondertussen nog een paar mensen ongelukkig.'

40

De jongens helpen ons de bagage het appartement in te brengen. Mirjami verschijnt, een en al zakelijkheid. Ze draagt een spijkerbroek, geen make-up en een effen grijs sweatshirt. Kate loopt naar de bank en gaat zitten. Ze geeft geen blijk van herkenning, maar het is duidelijk dat dit de plek is waar ze wil zijn. Ze steekt haar armen uit. Ik leg Anu erin. Kate beweegt haar ogen niet eens, maar ze lijkt tevreden. Ik vraag Sweetness met Milo mee te gaan om de apparatuur tegen afluisteren te halen. Ze doorzoeken het huis. Alle kamers zijn van microfoons voorzien. Ze maken de afluisterapparatuur onklaar en vertrekken zodat we een beetje tot rust kunnen komen.

Ik bel mijn voormalige psychoanalyticus Torsten Holmqvist en vertel hem over Kate en haar toestand. Ik zeg dat ik een diagnose van het ziekenhuis heb, maar graag een second opinion wil. Kate zal verzorgd moeten worden, en ik heb graag dat dat hier thuis gebeurt. Ik kan hem bijna spottend horen lachen en zeg dat de kosten geen probleem zijn. Hij is de beste in zijn vak, en dat verdient mijn vrouw gewoon. Hij gaat akkoord.

Mirjami zegt tegen me dat ze mijn verwondingen wil bekijken en brengt me naar de slaapkamer. Ze wikkelt het verband af, bekijkt de wonden langdurig, zegt 'Tut-tut' om van haar betrokkenheid blijk te geven en brengt nieuw verband aan.

Torsten arriveert. Ik vertel hem het verhaal niet, en zeg alleen dat Kate een vreselijke, traumatische gebeurtenis heeft meegemaakt. Hij stelt als diagnose dat ze een acuut stresssyndroom heeft en lepelt dezelfde symptomen op als de eerste dokter. De eerste diagnose was dus juist. Ze reageert alleen op Anu, die ze stevig vasthoudt en die ze ook de borst geeft. Dat lijkt hem een goed teken.

Dit zal waarschijnlijk twee tot vier weken gaan duren. Hij schrijft voor een paar dagen tachtig milligram van het kalmeringsmiddel diazepam per dag voor, verdeeld over vier doses. Ze zal het grootste deel van de tijd slapen, en dan wordt de dosering tot zestig milligram verlaagd, afhankelijk van hoe het gaat. Hij zal over een paar dagen terugkomen en zegt dat ik hem moet bellen als er iets bijzonders gebeurt.

Ik verwacht dat iedereen, van Heinrich Himmler/Saukko tot Jyri Ivalo, binnen een dag zal bellen of op mijn deur zal bonzen om die tien miljoen euro bij hem in te leveren. Zelfs als het waar was, zouden ze niet willen aannemen dat ik het geld niet heb. Ze willen het zo graag hebben dat ze niet kunnen geloven dat het weg is.

Ik overweeg Saukko zelf te bellen. Hij wil vast weten hoe het zijn zoon is vergaan. Maar dan denk ik: laat hem maar verrekken, hij is een smeerlap. En hij heeft nooit de moeite genomen mij te bellen met de vraag hoe zijn zoon aan zijn eind is gekomen.

Ik besluit dat ik nu verder wil met het onderzoek, of ik nu zelf daaraan kan deelnemen of niet. Ik bel Sweetness en vraag hem naar Turku te gaan om de huizen en de winkel van de twee ex-legionairs te doorzoeken en de heroïne en de geweren die bij de moorden zijn gebruikt op te sporen. Ik bel Milo en zeg tegen hem wat we van plan zijn, en hij wil ook mee, ondanks die verdomde verbrijzelde hand. Tenzij ze schoongemaakt zijn, zijn de geweren die bij de moorden zijn gebruikt de enige met buskruitresidu. Ze rijden naar Turku en treffen beide mannen in Marcels huis aan, dood.

Sweetness belt me via onze beveiligde telefoons. Ze hebben een overdosis gehad. De een had een naald in zijn arm, de ander een naald in zijn penis. Zoals Moreau al zei, zijn ze op afschuwelijke wijze aan hun eind gekomen. Overal kots. Hun gezichten en lichamen verwrongen door stuiptrekkingen. Strychnine. Ze gebruikten zelf niet. Ze hadden wel andere priksporen van naalden op hun lichaam om de indruk te geven dat ze zelf gebruikten. Die sporen zijn zonder twijfel toegebracht met lege naalden, mogelijk zelfs na hun dood. Moreau heeft zijn oude vrienden omgebracht met een van de pijnlijkste methoden die er bestaan. Ik zeg dat ze daar voorlopig moeten blijven liggen. De voornaamste reden daarvoor is dat ik dan een paar dagen tot rust kan komen voor de ontknoping van de zaak.

Ik zeg tegen Sweetness dat hij de geweren die bij de racistische moorden zijn gebruikt moet zoeken en die ergens moet achterlaten waar ze niet moeilijk te vinden zijn. Hij moet de .308 Winchester opsporen die gebruikt is bij de moord op Kaarina Saukko, naar Malinens zomerhuis gaan, vingerafdrukken van zijn bezittingen opnemen en die vingerafdrukken op het geweer overbrengen. Dan moet hij het geweer ergens half verborgen in het zomerhuis achterlaten, samen met een hoeveelheid heroïne. Hij heeft een moord geënsceneerd, dan zal hij er ook voor boeten. Moreel zie ik geen verschil of hij voor de moord op Lisbet Söderlund betaalt, die op zijn instigatie is gepleegd, of voor die op Kaarina Söderlund, waarvoor het wapen werd gebruikt. Ik vraag Milo of hij Jyri's bankrekening kan leegtrekken. Hij zegt dat dat geen probleem is. Ik zeg tegen hem daarmee te wachten totdat ik opdracht daartoe geef.

Mirjami verricht goed werk. Ze is attent en ook heel intelligent, zoals ik ontdek. Kate verkeert nog steeds in een soort catatonische toestand. Mirjami houdt voortdurend in de gaten of zij en Anu iets nodig hebben.

Ze verwisselt ook het verband en maakt de verwondingen aan mijn inmiddels niet meer gereconstrueerde knie schoon, evenals de wonden in mijn mond en gezicht. Ze slaapt in het logeerbed in Anu's kamer.

Die eerste nacht thuis ben ik versuft en uitgeput. Ik val in een diepe slaap. Ik droom over seks met Kate. Het is een levendige, intense droom.

Ik word wakker, maar het is geen droom. Mirjami heeft mijn pik in haar mond. Wat een prachtige meid. Dat heerlijke genotsgevoel, ondanks de pijn. De dope. Ik sluit mijn ogen en zucht. Opeens hoor ik Kate in de woonkamer in haar slaap woelen. Ik kan me nog maar moeilijk herinneren wat ik gedaan zou hebben toen ik emoties voelde, maar ik graaf diep in mijn geheugen en probeer het.

Ik draai Mirjami's haren in mijn hand en trek haar van me weg. 'Nee. Alsjeblieft.' Mijn kracht vloeit weg. Ik kan niet meer zeggen dan die twee woorden.

Ze zegt niets en komt naar me toe in het bed. Haar lichaam is vlak bij het mijne, maar ze drukt het niet tegen me aan. Ze slaat haar arm om me heen. Dat betekent niets voor mij. Ik laat hem daar rusten en glij weer weg. Als ik wakker word, is ze van het bed af en voert Kate met een lepel. Ik vraag me af of dit echt is gebeurd. We praten er met geen woord over.

Mijn wonden hebben veel van me gevergd. Ik heb veel pijn. Ik gebruik veel narcotica. Ik zit meestal bij Kate en Anu of in mijn enorme leunstoel te lezen of tv te kijken. Ik slaap veel. Ik lees geen kranten. Ik kijk niet naar het nieuws. Ik neem de telefoon niet op, tenzij ik een goede bekende op het schermpje van mijn mobiel zie.

De volgende ochtend komt Jyri onaangekondigd bij me thuis. Hij ziet mij en mijn toestand, hij ziet Kate en haar toestand. Ik vertel hem het hele verhaal, minus de tien miljoen. Die is nooit gevonden. Antti Saukko is dood. Moreau is dood. Drie kinderen zijn vermoord. In heel Helsinki sterven junks aan strychninevergiftiging. Er zijn al negenentwintig doden. Tweeëntwintig van hen zijn zwart.

Hij gelooft me niet, of hij denkt dat het geld er wel is maar dat ik het gewoon niet heb gevonden. Ik zeg tegen hem dat hij de zaak moet laten rusten. Alles is voorbij. Jyri bedreigt me, probeert me te intimideren. Ik ga tegen hem in: 'Dan moet je eens kijken wat er gebeurt als je je niet gedeisd houdt. Ga naar huis, kijk rond op je zolder, op de dakspanten en in de tweede winterband vanaf de grond in de stapel van vier in je garage. Controleer je bankrekening.' Hij vliegt naar buiten.

Een paar uur later belt hij. Zijn stem klinkt beheerst. Ik vermoed dat hij tegelijk geschokt is en onder de indruk, en uiteindelijk toch respect voor me heeft gekregen. 'Een MAC-10 en een assortiment drugs,' zegt hij. 'En ik ben blut.'

Jyri vraagt of ik denk dat ik nu de leiding heb. Ik antwoord van niet, maar ik heb deze baan aangenomen en ben met deze illegale operatie begonnen nadat me beloofd was dat ik daarmee mensen zou helpen. Op dat moment verwees Jyri specifiek naar jonge vrouwen die tot slavernij en prostitutie werden gedwongen. Dat was een leugen. Dit is niets meer geweest dan corrupt bedrog om de rijken nog rijker te maken. Een karikatuur van rechtvaardigheid die velen het leven heeft gekost. Dat is nu afgelopen.

Hij schraapt zijn keel en gaat hakkelend akkoord. Ik zeg tegen hem dat hij zijn geld vandaag terugkrijgt. Maar de volgende keer, als ik nog eens zo word belazerd, zal er meer contrabande en geld uit verdachte bronnen aan het licht komen. Nadat ik een video van hem op YouTube heb geplaatst waarin een vrouw die later vermoord zou worden een grote groene dildo in zijn reet steekt, zal ik hem tijdens zijn arrestatie vermoorden. Ik vraag hem of hij het begrijpt en ik dwing hem om ja te zeggen.

Ik bel Saska Lindgren en geef hem een tip, waarbij hij moet beloven dat hij het niet van mij weet. Het geweer dat bij de moord op Kaarina Saukko is gebruikt, staat achter in een kast in Roope Malinens zomerhuis. De moord is opgelost, en hij hoeft er alleen nog een verhaal bij te verzinnen. Ik heb ook de moord op Lisbet Söderlund opgelost en zal dat vandaag bekendmaken. Uit bewijs dat ik heb aangetroffen moet tevens blijken dat haar moordenaars de zwarten hebben vermoord die vergast en met napalm overgoten werden en de bankroof hebben gepleegd. Hij wil me vragen hoe ik dat weet, maar bedenkt zich. Hij bedankt me en hangt op.

De met strychnine besmette heroïne die zoveel doden heeft veroorzaakt, blijkt van de neonazi's afkomstig. Ze beweren onschuldig te zijn en proberen de twee ex-legionairs de schuld in de schoenen te schuiven. Helaas zijn ze dood en kunnen ze geen bewijs of getuigenis meer leveren. In totaal worden er zevenenveertig neonazi's gearresteerd.

Ik ga met Milo naar Turku. Om de een of andere reden wil ik sterk en niet kreupel lijken. Ik gebruik mijn stok in plaats van krukken, ook al bezorgt dat me meer pijn. We vinden de vleeszaag die is gebruikt om Lisbet Söderlund te onthoofden. Een forensisch team onderzoekt de kamer. Ze vinden haar DNA op de zaag en in bijna onzichtbare bloedspetters daaromheen. Het is een zware klus om haar DNA te scheiden van dat van de honderden dieren die met de zaag zijn bewerkt.

Ik neem aan dat we wederom helden zijn. Ik blijf elke blootstelling aan de media vermijden en zeg tegen Milo en Sweetness dat ik een paar dagen alleen wil zijn. Ik ga naar huis om te rusten, neem ziekteverlof om mijn wonden de kans te geven te genezen.

Ik heb nog steeds geen emoties. Elke avond kruipt Mirjami bij me in bed zodra ik slaap. Ik besef dat niet, totdat ik haar hand mijn haar of arm voel strelen. Ik heb haar eenmaal gezegd dat ze weg moest gaan en dat deed ze ook, maar ik denk dat ze teruggekomen is. Ik weet het niet zeker. Ze komt nooit te dichtbij en probeert me nooit te verleiden. Voor mij zou het evengoed een hondje kunnen zijn dat naast me in bed ligt, dus ik laat het maar zo.

We praten er nooit over; het gebeurt gewoon niet. Tot Kate op een dag slaapt terwijl ik zit te lunchen.

'Je weet dat ik verliefd op je ben,' zegt ze.

'Je kent me niet eens. Je hebt dat nog geen vijf seconden nadat je me ontmoet had tegen Milo gezegd.'

'Heb je nooit van een bliksemschicht gehoord?' vraagt ze.

'Ik ben vereerd,' zeg ik. 'Je bent een prachtige vrouw en een aimabele meid, maar ik ben getrouwd en mijn emoties zijn... niet zoals ze zouden moeten zijn.'

'Je bent beschadigd. Ik zie je pijn. Ik wil je helen.'

Ik weet niet wat ik moet zeggen.

'Het is al goed,' zegt ze, 'onbeantwoorde liefde is triest en mooi. Op een bepaalde manier kan ik je in elk geval een tijdje lenen. En je zult me nooit vergeten.'

'Nee, zeker niet.'

Ik heb het gevoel dat het steeds slechter met me gaat, niet beter. Ik slaap steeds meer. Als ik wakker ben, ben ik helemaal suf van de pijnstillers en kalmerende middelen. En ik kan niet zonder. De pijn is vreselijk. Ik leef weer op soep, zoals de vorige keer dat mijn tanden uit mijn mond werden geschoten. Mijn knie bonkt van de pijn en er wordt voortdurend met een mes in gestoken. Ik kan het voelen, en ze hoeven me niet te vertellen dat ze hem niet meer kunnen repareren.

Die middag buigt Kate zich naar me toe en pakt mijn hand. Ze is terug.

Ze is niet alleen terug, maar is ook meteen helder. En ik ben ook opeens terug. Helemaal terug. In een oogwenk. De emoties beginnen door me heen te stromen. Het is zo overweldigend dat ik het even niet meer weet en een maalstroom bezit van me neemt.

Het is zowel pijnlijk als prachtig. Ik verstijf even door de schok.

Ik kan me niet bewegen en de kamer wordt eerst zwart en vult zich dan met een wazig wit licht.

Zoals Jari me al voorhield, zijn mijn emoties door een gebeurtenis teruggekeerd. Ik voel voor het eerst liefde sinds mijn operatie. Ik voel opluchting dat Kate weer bij me terug is. Ik strompel naar haar toe. We houden elkaar lange tijd vast, zonder iets te zeggen.

'Het laatste wat ik me herinner,' zegt ze, 'is dat ik Adrien neerschoot. Waar ben ik geweest en wat is er sindsdien gebeurd?'

'Je bent meestal hier geweest. Ik vertel je later wel wat er gebeurd is.' Ik ben haar trouw gebleven, maar zal haar niet vertellen dat Mirjami verliefd op me is geworden. Maar ik leg wel uit dat ze heel zorgzaam voor ons is geweest.

Uiteindelijk laat Kate me los en pakt Anu op zodat ze haar kan voeden. Ze blijft lange tijd stil, een paar uur wel. Dan zegt ze dat ik vreselijke dingen heb gedaan. Ze weet niet of die het gevolg waren van mijn operatie, of dat ze de man met wie ze is getrouwd niet kent. En nu is zij ook nog een moordenares geworden. Ze is alles geworden wat ze verafschuwt.

Mirjami vraagt of haar diensten nog nodig zijn. Ik zeg dat ik het niet zeker weet, maar Kate en ik redden het in elk geval vanavond wel. We moeten tijd samen doorbrengen.

Mirjami pakt haar spullen. 'Als je behoefte aan me hebt,' zegt ze, 'moet je bellen.'

Kate vat de dubbele betekenis niet.

Kate zegt de hele avond bijna niets, en we slapen samen, maar de afstand tussen ons is enorm.

De volgende ochtend zegt ze: 'Ik neem Anu mee en ga een tijdje in Kämp logeren.'

Ik ben haar kwijtgeraakt door mijn hersenoperatie, heb haar uiteindelijk weer teruggekregen, en nu verlaat ze me. Ik laat dat in iets andere bewoordingen aan haar weten.

'Ik verlaat je niet, maar heb gewoon tijd nodig om na te denken. Kun je voor jezelf zorgen?'

Ik knik. In werkelijkheid zal het moeilijk zijn. Ik ben tot het besef gekomen dat ik in zo'n slechte conditie ben dat ik ernstig in de problemen zit. De pijn is soms zo intens.

Ze toont geen enkel teken van genegenheid. De deur klikt achter haar in het slot.

41

De twaalf dagen daarna eten we twee keer met elkaar. Het is een vergissing om dat te proberen. Ze wil niet bij me zijn. De stilte is oorverdovend.

Op een dag krijg ik een sms van Saska Lindgren. 'Ze hebben het moordwapen dat ik uit het zomerhuis van Roope Malinen heb gehaald verdonkeremaand. Hij is de dans ontsprongen.' Geen verrassing.

Op 26 juni is het Midzomeravond, drie jaar nadat Kate en ik elkaar ontmoet hebben. Op 24 juni stuur ik Kate een sms en vraag of ze die dag samen met mij wil doorbrengen. Ze antwoordt niet.

Op die twee rampzalige etentjes na heb ik niemand gezien sinds ik me in mijn zelfverkozen isolement heb teruggetrokken. Ik bel mijn broer Timo. Hij heeft een feestje. Hij heeft me een poosje geleden uitgenodigd en ik vraag of ik nog welkom ben. Natuurlijk.

Ik ga, word lazarus van Timo's pontikka en eet gegrilde worstjes. Om middernacht wordt het vreugdevuur ontstoken. Ik krijg een sms van Kate. 'Ik mis je.' Ik denk niet dat ze een antwoord verwacht. Ik stop de telefoon weer in mijn zak, neem een grote slok uit mijn glas pontikka en kijk toe hoe de vlammen steeds hoger reiken.

Achtergrond van het verhaal

In het eerste Inspecteur Vaara-boek, *Engelen van sneeuw*, schreef ik dat Finnen in stilte haten. Op dat moment geloofde ik dat dat waar was, maar inmiddels is het anders. De geluiden van de rassenhaat weerklinken als het geroffel van een oorlogstrom die met de dag luider klinkt. Deze atmosfeer vormde voor mij de inspiratie om *Helsinki Noir* te schrijven.

De haat kreeg een stem met de komeetachtige opkomst van de politieke partij Perussuomalaiset, oftewel de Ware Finnen. Bij de voorlaatste parlementsverkiezingen behaalden ze vijf zetels. Bij de verkiezingen van 2011 behaalden ze er negenendertig, nog net de derde plaats achter Kokoomus, de Nationale Coalitie Partij, en de SDP, de sociaaldemocraten.

Dit gaf de Ware Finnen het recht op regeringsdeelname, en zo konden ze hun programma onder de aandacht brengen, dat naast andere radicale ideeën bijvoorbeeld de terugtrekking uit de Europese Unie omvat. Niet alle, maar wel veel Ware Finnen keren zich tegen immigratie en geven immigranten de schuld van de maatschappelijke problemen in Finland. Een invloedrijke blogger omschrijft zijn oplossing als 'het D-woord'. Deportatie. Toen de Ware Finnen zich vlak na de verkiezingen realiseerden dat geen van de essentiële programmapunten kans maakte op verwezenlijking, verklaarden de Ware Finnen zich tot oppositiepartij.

Finland is zeker niet het enige Noord-Europese land waar grote groepen zich met kracht tegen immigranten keren. Andere landen hebben immigratiewetgeving ingevoerd die alleen maar als draconisch omschreven kan worden. In feite zijn veel burgers in de welvarender landen van de Europese Unie kwaad over de toevloed van vreemdelingen, met name moslims.

Vorig jaar riep het tijdschrift *Newsweek* Finland uit tot het beste land om in te wonen. Dit gaf op zijn minst een vertekend beeld van het land. De inflatie grijpt om zich heen. De lonen stagneren. De prijzen van onroerend goed in de steden rijzen de pan uit. De werkloosheid is hoog. Het aantal armen neemt toe omdat steeds meer banen verdwijnen door outsourcing. De publieke gezondheidszorg verkeert in een crisis. Misschien moet *Newsweek* eens een journalist hierheen sturen om verslag te doen van de lange rijen voor de gaarkeukens. Zo zorgt Finland tegenwoordig voor zijn arme bevolking. Finnen zijn heel goed in het opstellen en manipuleren van statistieken. *Newsweek* is erin getrapt. Het was niet helemaal een leugen. Met industriemagnaten en bankiers gaat het geweldig.

Al deze elementen tezamen brachten mij ertoe de politiek en de maatschappelijke problemen tot belangrijke thema's in dit boek te bestempelen.

Helsinki Noir is deels ook een *true crime*-thriller. Het verhaal over de Saukko-ontvoering is grotendeels gebaseerd op de ontvoering in 2009 van Minna Nurminen, de dochter van Hanna Nurminen, die de oudste is van de vijf kinderen van wijlen Pekka Herlin. De familie Herlin is misschien wel de beroemdste Finse industriële dynastie. De familie is een van de grootaandeelhouders van het liftconcern Kone en de fabrikant van vrachtinstallaties Cargotec. In werkelijkheid liep het verhaal goed af. Er werd een losgeld betaald en Minna keerde ongedeerd bij haar familie terug. De ontvoerder, Juha Turunen, was een bedrijfsjurist van vierenveertig, die geheel niet in het profiel paste van de vermoedelijke pleger van een dergelijk misdrijf. Een ontvoering van dergelijke proporties was in Finland nog nooit voorgekomen.

Vlak nadat ik *Helsinki Noir* had voltooid, vond er een gebeurtenis plaats die het haatthema in het boek een navrant perspectief verleende.

Op 22 juli 2011 liet Anders Breivik bommen ontploffen in overheidsgebouwen in Oslo in Noorwegen, waarna hij naar een jeugdkamp van de Arbeiderspartij op het eiland Utøya trok. Vermomd als politieman vermoordde hij negenenzestig mensen, meest jongeren.

Op de dag van zijn aanval publiceerde Breivik zijn vijftienhonderd bladzijden tellende manifest, getiteld *2083 – Europese Onafhankelijkheidsverklaring*. Het werk is xenofoob, ultranationalistisch en islamofoob van aard en roept op tot de vernietiging van 'Eurabia' met gewelddadige middelen. Hij beweert connecties te hebben met ultrarechtse politieke bewegingen, zowel in Noorwegen als daarbuiten. Dit is nooit bewezen. Breivik ziet een moderne tempelier voor zich die de heidenen uit Europa zal verjagen.

Breivik vindt een geestverwant in de voornaamste Ware Finnenblogger, het Finse parlementslid Jussi Halla-aho. Breivik schrijft:

> Jussi Halla-aho, die als onafhankelijk kandidaat aan de parlementsverkiezingen in Finland meedoet, is deels tot dezelfde conclusies als ik gekomen aangaande de links-islamitische samenwerking in tal van westerse landen: links perst de hardwerkende autochtonen uit om een voornamelijk werkloze immigrantenpopulatie in stand te houden, die vervolgens dankbaar op links stemt. De welvaartsstaat dient daarom twee parasieten te ondersteunen, die ieder in een symbiotische relatie met de andere leven. Dit zal uiteindelijk tot de ondergang van het systeem leiden. Waarom zou iemand een politiek ondersteunen die onvermijdelijk tot de ondergang leidt? Welnu, omdat een carrièrepoliticus zijn doelen nooit twintig, vijftig of honderd jaar verder in de toekomst stelt, maar zich in plaats daarvan op de volgende verkiezingen richt. De kortetermijnfocus van ons democratische systeem kan daarom in combinatie met de islamitische immigratie een fatale tekortkoming blijken te zijn.
>
> Maar Halla-aho stelt daarbij een nog belangrijkere vraag: 'Waarom laten de kiezers dit allemaal gebeuren? Dat komt omdat westerlingen zo graag "goede" mensen zijn en geloven dat hun medeburgers even rechtschapen burgers zijn. Het komt doordat ze menselijke waarden hebben. (...) En

het komt doordat de morele en ethische waarden van de westerse mens hem hulpeloos hebben gemaakt als hij met verdorvenheid en immoraliteit wordt geconfronteerd.'

Het is verrassend hoeveel steun Breiviks manifest heeft gekregen, zelfs van sommige Europese politici. Het gebruikelijke patroon is ongeveer zo: 'Ja, hij heeft iets verschrikkelijks gedaan... maar veel van wat hij heeft geschreven moest gezegd worden.'

Het verhaal van *Helsinki Noir* is geschreven, maar het probleem van de haatzaaierij dat erin wordt besproken, zal nog veel groter worden. Een nieuw tijdperk vol rassenhaat lijkt in Europa aanstaande, en dat kan gepaard gaan met dezelfde verschrikkingen die dergelijke tijdperken in het verleden hebben teweeggebracht.

James Thompson
Helsinki, Finland
6 augustus 2011